La Nostalgie de l'ange

Alice Sebold

La Nostalgie de l'ange

ÉDITIONS FRANCE LOISIRS

Titre original : *The Lovely Bones*
publié par Little, Brown and Company

Traduit de l'anglais (États-Unis) par Edith Soonckindt

Ce livre est une œuvre de fiction. Les noms, les personnages, les lieux et les événements sont le fruit de l'imagination de l'auteur ou utilisés fictivement. Toute ressemblance avec des personnes réelles, vivantes ou mortes, des événements ou des lieux serait pure coïncidence.

Édition du Club France Loisirs,
avec l'autorisation des Éditions Robert Laffont.

Éditions France Loisirs,
123, boulevard de Grenelle, Paris.
www.franceloisirs.com

ISBN : Version reliée : 2-7441-6360-0
Version brochée : 2-7441-6461-5

Toujours, Glen

La boule neigeuse posée sur le bureau paternel contenait un pingouin avec une écharpe à raies blanches et rouges. Quand j'étais petite, mon père me faisait monter sur ses genoux et tendait la main vers la boule. Il la mettait à l'envers, et de la neige s'amassait au sommet, puis il la retournait d'un coup sec. On regardait alors côte à côte la neige tomber doucement autour du pingouin. Je m'étais fait la réflexion qu'il était là tout seul, et ça m'inquiétait. Quand j'en ai fait part à mon père, il m'a répondu : « Ne t'inquiète pas, Susie, enfermé dans son monde parfait, il a la belle vie. »

1

Nom de famille : Salmon, saumon comme le poisson ; prénom : Susie. Assassinée à l'âge de quatorze ans, le 6 décembre 1973. La plupart des jeunes filles disparues dans les années soixante-dix dont les journaux publiaient la photo me ressemblaient : de race blanche, le cheveu châtain terne. C'était avant que les avis de recherche d'enfants de toute race et de tout sexe n'ornent les cartons de lait ou les quotidiens. C'était encore à l'époque où les gens croyaient que ces choses-là n'existaient pas.

Dans l'album souvenir du lycée, j'avais cité Juan Ramón Jiménez, un poète espagnol que ma sœur aimait : « Si l'on vous donne du papier avec des lignes, écrivez du côté où il n'y en a pas. » J'avais choisi cette citation, à la fois parce qu'elle exprimait mon mépris pour tout environnement structuré, du genre salle de classe, et aussi parce que j'imaginais me voir ainsi conférée une aura littéraire, puisque ce n'était pas la citation débile d'un groupe de rock quelconque. J'étais membre du club d'échecs et du club de chimie, et je brûlais tout ce que j'essayais de faire cuire dans la classe d'arts ménagers de Mrs. Delminico. Mon prof préféré était celui de sciences naturelles, Mr. Botte, qui aimait faire danser les grenouilles et les écrevisses à disséquer dans leur bocal paraffiné, comme pour leur rendre vie.

Ce n'est pas Mr. Botte qui m'a tuée, au fait. Et ne vous imaginez pas que tous ceux que vous allez croiser ici sont suspects. C'est bien ça le problème. On n'est jamais sûr de rien. Mr. Botte est venu à ma messe d'enterrement – ainsi que la majorité des élèves, excusez-moi du peu ; je n'ai jamais été aussi populaire – et il a beaucoup pleuré. Sa fille était malade. On le savait tous, c'est pour ça que lorsqu'il riait de ses propres blagues – éculées bien avant que je n'atterrisse dans sa classe – on riait aussi, en se forçant parfois, juste pour lui faire plaisir. Sa fille est morte un an et demi après moi. Elle avait une leucémie. Mais je ne l'ai jamais croisée dans mon paradis.

C'est un voisin qui m'a tuée. Ma mère aimait ses parterres de fleurs et, un jour, mon père et lui avaient parlé engrais. Mon meurtrier croyait aux bonnes vieilles méthodes, celles de sa mère en l'occurrence, coquilles d'œufs et marc de café. Mon père était revenu à la maison le sourire aux lèvres, en plaisantant sur le jardin du voisin, certes splendide, mais qui, à la première vague de chaleur, allait monstrueusement puer.

Le 6 décembre 1973, il neigeait, et j'ai coupé à travers le champ de maïs pour rentrer du collège. Il faisait déjà nuit – en hiver, les jours sont plus courts – et j'ai souvenir que les tiges de maïs cassées ne me facilitaient guère la marche. La neige tombait légèrement, on aurait dit un tourbillon de petites mains, et j'ai respiré par le nez jusqu'à ce qu'il coule tellement que j'ai dû ouvrir la bouche. À deux mètres de l'endroit où se trouvait Mr. Harvey, j'ai tiré la langue pour goûter un flocon de neige.

« J'espère que je ne t'ai pas fait peur », m'a-t-il lancé.

Qu'est-ce qu'il croyait, un champ de maïs plongé dans l'obscurité ! Après ma mort, j'ai pensé à la subtile odeur d'eau de Cologne flottant alentour ; sur le coup, je ne l'avais pas remarquée, ou alors je m'étais dit que ça provenait d'une des maisons plus loin.

« Mr. Harvey, ai-je dit.

– Tu es l'aînée des filles Salmon, non ?

– Oui.

– Comment vont tes parents ? »

J'avais beau être l'aînée et à même de réussir les interrogations de sciences naturelles haut la main, je ne m'étais jamais sentie à l'aise avec les adultes.

« Ils vont bien », ai-je répondu. J'avais froid mais l'autorité naturelle que lui conférait son âge, et le fait aussi que c'était un voisin et qu'il avait parlé engrais avec mon père me tétanisaient.

« J'ai construit quelque chose par ici, m'a-t-il expliqué, ça te dirait de le voir ?

– J'ai un peu froid, Mr. Harvey, et ma mère préfère que je rentre avant la tombée de la nuit.

– Elle est déjà tombée, Susie. »

Je regrette maintenant de ne pas avoir trouvé ça bizarre. Je ne lui avais jamais donné mon prénom. J'ai dû me dire que mon père lui avait encore livré une de ses anecdotes gênantes, synonymes pour lui de l'amour qu'il nous portait. Il était du genre à garder une photo de nous, nues, à trois ans, dans la salle de bains du rez-de-chaussée. Il en avait une de ma petite sœur Lindsey, par exemple – Dieu merci, voilà au moins une honte qui m'a été épargnée. Il aimait raconter comment, après sa naissance, j'étais tellement jalouse qu'un jour où il téléphonait dans une autre pièce, il m'avait vue descendre du canapé et essayer de faire pipi sur Lindsey dans son Baby-relax. Cette histoire m'humiliait chaque fois qu'il la racontait, que ce soit au pasteur de notre église, à notre voisine, Mrs. Stead, une psychologue dont il espérait avoir l'avis, ou à quiconque faisant remarquer : « Susie a beaucoup de personnalité ! »

« De la personnalité ! s'exclamait alors mon père, ah ! ça, pour ce qui est d'avoir de la personnalité... » et il embrayait immédiatement sur l'anecdote de Susie-qui-avait-fait-pipi-sur-Lindsey.

Mais il n'avait absolument pas parlé de nous à Mr. Harvey, pas plus qu'il ne lui avait raconté l'anecdote de Susie-qui-avait-fait-pipi-sur-Lindsey.

Plus tard, Mr. Harvey lancerait à ma mère en la croisant dans la rue : « J'ai eu vent de cet horrible drame. C'était quoi déjà, le prénom de votre fille ?

– Susie », lui avait répondu ma mère en prenant sur elle, accablée par un poids qu'elle espérait naïvement voir s'alléger un jour, alors qu'il continuerait hélas à la faire souffrir de mille et une manières le restant de sa vie.

Mr. Harvey ajouterait ce que l'on dit toujours dans ces cas-là : « J'espère qu'ils vont le coffrer, le salaud qui a fait ça. Toutes mes condoléances. »

J'étais dans mon paradis à ce moment-là, occupée à rassembler mes membres, et je n'en suis pas revenue de son culot. « Ce type n'est vraiment pas gêné », ai-je fait remarquer à Franny, la responsable des nouveaux arrivants. « En effet », m'a-t-elle répondu, et ce fut sa seule et unique conclusion. On allait droit au but, dans mon paradis.

Mr. Harvey m'avait dit que ça prendrait juste une minute, alors je l'ai suivi un peu plus loin dans le champ de maïs, là où il n'y avait pas autant de tiges cassées, personne ne prenant ce côté-là comme raccourci pour se rendre au lycée. À mon petit frère Buckley qui lui demandait pourquoi aucun des voisins ne mangeait le maïs de ce champ, ma mère avait répondu que c'était parce qu'il était tout bonnement immangeable. « Le maïs c'est pour les chevaux, pas pour les gens, lui avait-elle répondu. – C'est pas pour les chiens ? avait demandé Buckley. – Non, avait répondu ma mère. – Pas pour les dinosaures non plus ? » avait-il ajouté. Et ça avait continué dans cette veine-là.

« J'ai construit une petite cachette », m'a expliqué Mr. Harvey.

Il s'est arrêté puis s'est tourné vers moi.

« Je ne vois rien », lui ai-je répondu. J'étais consciente qu'il me regardait bizarrement. D'autres hommes plus âgés m'avaient déjà regardée avec cet air-là depuis que mes rondeurs enfantines avaient fondu, mais d'ordinaire ils ne perdaient pas la tête en me voyant dans mon parka bleu roi et mes pattes d'eph' jaunes. Ses lunettes étaient petites et rondes, avec des montures en or, et ses yeux me regardaient par-dessus.

« Tu devrais être plus observatrice, Susie », m'a-t-il dit.

Moi j'avais plutôt eu envie d'observer comment me tailler de là, mais je n'avais pas bougé d'un iota. Pourquoi ? Selon Franny, c'était des questions stériles : « Tu ne l'as pas fait, un point c'est tout. Inutile de ressasser ça. Tu vas tourner en rond. De toute façon tu es morte, alors autant l'accepter une bonne fois pour toutes. »

« Regarde bien, m'a lancé Mr. Harvey en frappant le sol, accroupi.

– C'est quoi, ça ? » lui ai-je demandé.

J'avais les oreilles frigorifiées. Mais je refusais de porter le bonnet multicolore à pompon et clochettes que ma mère m'avait tricoté un Noël et avais préféré le fourrer dans la poche de mon parka.

J'ai souvenir de m'être avancée, puis d'avoir frappé sur le sol à côté de lui. Ça m'avait semblé plus dur que de la terre gelée, qui était pourtant déjà drôlement dure.

« C'est du bois, m'a expliqué Mr. Harvey, pour que l'entrée ne s'écroule pas. À part ça, il n'y a que de la terre.

– C'est quoi ? » lui ai-je demandé. Je n'avais plus froid et je n'étais plus effrayée par le regard qu'il m'avait lancé. J'étais comme au cours de sciences naturelles : curieuse.

« Approche-toi donc un peu. »

Ça faisait tout drôle d'entrer là-dedans, il l'a admis lui-même une fois qu'on s'est retrouvés tous les deux à l'intérieur. Mais j'étais tellement étonnée qu'il ait fabriqué une cheminée qui cracherait de la fumée le jour où il déciderait de faire un feu, que je ne trouvais même plus que c'était curieux de devoir entrer et sortir de ce trou. Et puis la fuite ne comptait pas parmi mes réflexes. Ça ne m'était arrivé qu'une fois, avec Artie, un lycéen à l'aspect bizarre dont le père était entrepreneur de pompes funèbres. Il se vantait de porter en permanence sur lui une seringue pleine de produit pour les embaumements. Il en dessinait sur ses cahiers, avec des gouttes noires au bout.

« C'est géant ! » ai-je dit à Mr. Harvey. Et quand bien même il aurait été le bossu de Notre-Dame, sur qui j'avais lu des choses en cours de français, je m'en serais fichue. J'avais complètement régressé. Comme mon frère Buckley, le jour de notre excursion au musée d'Histoire naturelle à New York, quand il était tombé en pâmoison devant les gigantesques squelettes exposés. Je n'avais pas utilisé le mot *géant* en public depuis l'école primaire.

« Un jeu d'enfant », m'a expliqué Franny.

***

Je revois le trou comme si c'était hier, ce qui est d'ailleurs le cas puisque la vie nous est devenue un hier éternel. Il avait la taille d'une petite pièce, disons de la souillarde à la maison où l'on rangeait nos bottes et nos cirés et où maman avait réussi à superposer une machine à laver et un sèche-linge. J'arrivais presque à m'y tenir debout mais Mr. Harvey devait se baisser, lui. Il avait façonné un banc dans la terre ; il s'y était tout de suite assis.

« Jette un peu un œil autour de toi », m'a-t-il suggéré.

Ce que j'ai fait, le regard fixe, découvrant avec étonnement l'étagère au-dessus de lui, sur laquelle il avait posé des allumettes, une rangée de piles et un néon fonctionnant avec, unique et angoissante lumière qui rendrait ses traits difficiles à distinguer une fois qu'il serait sur moi.

Il y avait aussi un miroir, un rasoir et de la mousse à raser. Je trouvais ça étrange. Il ne se rasait donc pas chez lui ? Mais j'ai dû me dire qu'un homme vivant dans un superbe pavillon et se construisant néanmoins une pièce souterraine juste à côté devait être un brin zinzin. Mon père avait une façon sympa de décrire les gens dans son genre : « C'est un personnage, voilà tout. »

Voilà ce que je m'étais probablement dit sur Mr. Harvey, et puis la pièce me plaisait, elle était chaleureuse, j'avais envie de savoir comment il l'avait construite, selon quelle méthode, et où il avait appris à faire un truc pareil.

Lorsque le chien des Gilbert a trouvé mon coude, trois jours plus tard, et l'a rapporté à ses maîtres, avec un grain de maïs révélateur collé dessus, Mr. Harvey avait déjà refermé la cachette. J'étais en transit, à ce moment-là. Je ne l'ai pas vu suer sang et eau, enlever le renfort en bois, cacher les quelconques preuves dans un sac ainsi que des bouts de mon corps, sauf ce coude. Une fois que j'ai eu les moyens de voir ce qui se passait sur Terre, j'étais plus préoccupée par ma famille qu'autre chose. Ma mère était assise bouche bée sur une chaise près de la porte d'entrée. Son visage pâle l'était encore plus que d'ordinaire. Son regard bleu était fixe. Mon père, lui, était plutôt enclin à l'action. Il voulait connaître les détails, passer le champ de maïs au crible avec les flics. Je continue de remercier le ciel d'avoir envoyé un petit inspecteur du nom de Len Fenerman. Il avait désigné deux flics pour emmener mon père en ville, où ce dernier leur montrerait tous les endroits où j'avais traîné avec mes copines. La première journée, les flics l'avaient occupé en inspectant avec lui un centre commercial. Personne n'avait prévenu Lindsey qui, à treize ans, était en âge de comprendre, ni Buckley qui en avait quatre et qui, très honnêtement, avait par contre peu de chances de tout saisir.

Mr. Harvey m'a demandé si je voulais une boisson fraîche. Il a dit ça comme ça. Je lui ai répondu que je devais rentrer chez moi.

« Sois polie et prends un Coca, je suis sûr que c'est ce que les autres jeunes feraient.

– Quels autres jeunes ?

– J'ai construit ça pour les jeunes du coin. Je me suis dit que ça pourrait être un genre de club, ici. »

Je ne pense pas l'avoir cru, même à l'époque. Je m'étais dit qu'il mentait, je trouvais ça pitoyable. Je m'étais dit aussi qu'il devait se sentir seul. On avait lu des choses sur les hommes dans son genre en cours de sciences nat. Des vieux garçons qui mangeaient des surgelés tous les soirs, et qui avaient tellement peur d'être rejetés qu'ils n'avaient même pas d'animaux domestiques. Il me faisait pitié.

« D'accord, ai-je répondu, je veux bien un Coca. »

Un peu plus tard, il a demandé : « Tu n'as pas chaud, Susie ? Pourquoi tu n'enlèves pas ton parka ? »

J'ai obéi.

Après ça, il a ajouté : « Tu es très mignonne, Susie.

– Merci », ai-je répondu, bien qu'il m'ait donné ce que ma copine Clarissa et moi avions surnommé la chair de cocotte.

« Tu as un petit ami ?

– Non, Mr. Harvey. » J'ai avalé le reste de mon Coca, et il en restait beaucoup, puis j'ai lancé : « Je dois y aller, Mr. Harvey. C'est chouette ici, mais je dois y aller. »

Il s'est levé et, le dos voûté, il a fait les six pas qui menaient vers le monde extérieur ; on aurait dit Quasimodo. « J'aimerais bien savoir d'où tu tiens cette idée. »

J'ai parlé afin de ne pas avoir à admettre que Mr. Harvey n'était pas un personnage. Que j'avais la chair de cocotte et aussi la trouille, maintenant qu'il bloquait la porte.

« Mr. Harvey, je dois vraiment rentrer chez moi.

– Déshabille-toi.

– Quoi ?

– Déshabille-toi, a-t-il lancé, je voudrais vérifier si tu es toujours vierge.

– Je le suis, Mr. Harvey.

– Je veux m'en assurer. Tes parents me remercieront.

– Mes parents ?

– Ils ne veulent pas d'une mauvaise fille.

– Mr. Harvey, laissez-moi partir s'il vous plaît.

– Tu ne vas nulle part, Susie. Tu es à moi maintenant. »

La forme physique n'était pas vraiment un concept à la mode à l'époque ; l'aérobic était juste un mot. Les filles étaient supposées être molles, et, en cours de gym, seules celles qu'on soupçonnait d'être hommasses grimpaient à la corde.

Je me suis débattue. Je me suis débattue de toutes mes forces pour que Mr. Harvey ne me fasse pas mal, mais toutes mes forces n'ont pas suffi, vraiment pas, et je me suis vite retrouvée étendue par terre, dans la terre, avec Mr. Harvey sur moi, haletant et suant, ses lunettes égarées dans la bataille.

J'étais tellement vivante alors. Je me suis dit qu'être étendue sur le dos avec un homme en sueur sur moi était *la pire chose au monde*. Et aussi être enfermée sous la terre sans que personne sache où j'étais.

J'ai pensé à ma mère.

Elle vérifierait le cadran de la pendule du four. Il était neuf et elle adorait cette pendule fixée dessus. « Je peux chronométrer les trucs à la minute près », expliquait-elle à sa mère, qui, elle, se fichait des fours comme de l'an quarante.

Mon retard l'inquiéterait, en fait il l'irriterait plus qu'il ne l'inquiéterait. Pendant que mon père rentrerait la voiture au garage, elle courrait dans tous les sens, lui préparant un apéritif, un porto sec en l'occurrence, et son visage aurait cet air exaspéré : « Tu connais les collégiens, dirait-elle. Peut-être que c'est une petite fièvre printanière. – Abigail, répondrait mon père, comment peut-on souffrir de fièvre printanière alors qu'il neige ? » Mouchée, ma mère pousserait peut-être Buckley dans la pièce et lui dirait : « Va donc jouer avec ton père », tandis qu'elle plongerait dans la cuisine pour se siroter un petit porto.

Mr. Harvey pressait ses lèvres contre les miennes. Elles étaient couleur myrtille, et mouillées ; j'avais envie de crier parce que j'avais trop peur et que j'étais trop épuisée par la lutte. J'avais été embrassée une fois par quelqu'un que j'aimais. Il s'appelait Ray et il était indien. Il avait un accent et le teint mat. Je n'étais pas supposée l'aimer. Clarissa trouvait que ses grands yeux aux paupières à moitié closes étaient « psychédélices », mais il était gentil et intelligent et m'avait aidée à tricher pour mon interro d'algèbre tout en faisant semblant du contraire. Il m'avait embrassée près de mon casier, la veille du jour où l'on avait donné nos photos pour l'album souvenir de fin d'année. Quand celui-ci est sorti, en septembre, j'ai vu qu'en réponse au classique « Mon cœur appartient à », sous sa photo, il avait écrit mon nom. Je suppose qu'il avait eu des vues. Je me souviens que ses lèvres étaient gercées.

« Non, Mr. Harvey », ai-je réussi à dire, et j'ai continué à répéter ce mot plusieurs fois. *Non*. Puis j'ai dit *je vous en supplie* beaucoup de fois aussi. Franny m'a expliqué que presque tout le monde disait : « je vous en supplie » avant de mourir.

« J'ai envie de toi, Susie, m'a-t-il assuré.

– Je vous en supplie. Non. » Parfois j'alternais les deux. « Je vous en supplie, non » ou « Non, je vous en supplie », c'était comme insister pour qu'une clé fonctionne alors que de toute évidence elle ne fonctionnait pas, ou bien crier : « Je l'ai, je l'ai, je l'ai » quand un ballon s'envolait par-dessus vous, vers les tribunes du stade.

« Je vous en supplie, non. »

Mais il s'est lassé de m'entendre supplier. Il a plongé la main dans la poche de mon parka, en a ressorti le bonnet que ma mère m'avait tricoté et l'a fourré en boule dans ma bouche. Le seul bruit, après ça, s'est résumé au faible tintement des clochettes.

Je pleurais tandis que ses lèvres mouillées glissaient sur mon visage et mon cou qu'il embrassait, puis il a entrepris de glisser ses mains sous mon chemisier. C'est alors que j'ai quitté mon corps et que je me suis mise à habiter l'air et le silence. J'ai pleuré et me suis débattue pour ne rien sentir. Il a déchiré mon pantalon, faute de trouver la fermeture Éclair invisible que ma mère avait artistiquement cousue sur le côté.

« Une grande culotte blanche », a-t-il dit.

Je me suis sentie énorme et gonflée. Je me suis sentie comme une mer dans laquelle il serait, debout, occupé à pisser et chier. Je sentais les angles de mon corps se retourner sur eux-mêmes puis vers l'extérieur, comme dans ce jeu du berceau auquel je jouais avec Lindsey juste pour lui faire plaisir. Il a commencé à se masturber sur moi.

« Susie ! Susie ! ai-je entendu ma mère crier. On mange ! »

Il était en moi. Il grognait.

« Y a des haricots verts et de l'agneau. »

J'étais le mortier, lui le pilon.

« Ton frère a fait une nouvelle peinture avec ses doigts, et j'ai préparé du *crumble* aux pommes. »

Mr. Harvey m'a demandé de m'étendre sous lui et d'écouter battre nos deux cœurs. Le mien bondissait comme un lapin tandis que le sien battait à tout rompre, on aurait dit un marteau sur du tissu. On est restés étendus là avec nos corps qui se touchaient, et une pensée s'est imposée à moi qui tremblais. Il m'avait fait ça et j'avais survécu. C'était fini. Je respirais encore. J'entendais son cœur. Je sentais son souffle. La terre noire autour de nous avait son odeur habituelle de poussière humide où les vers et les animaux vivaient leurs vies quotidiennes. J'aurais pu crier pendant des heures.

Je savais qu'il allait me tuer. Je ne me rendais pas compte alors que j'étais déjà un animal agonisant.

« Pourquoi tu ne te lèves pas ? » m'a demandé Mr. Harvey en roulant sur le côté puis en s'accroupissant au-dessus de moi.

Sa voix était douce, encourageante, la voix d'un amant tard le matin. Une suggestion, pas un ordre.

J'étais incapable de bouger. Incapable de me lever.

Comme je n'y arrivais pas – peut-être que je refusais juste de suivre sa suggestion ? – il s'est penché sur le côté et a cherché à tâtons, au-dessus de sa tête, le long de l'étagère où se trouvaient son rasoir et sa crème à raser. Il a redescendu un couteau. Dégainé, recourbé, ce dernier m'a souri, on aurait dit une grimace.

Il m'a enlevé le bonnet de la bouche.

« Dis-moi que tu m'aimes. »

Doucement, je me suis exécutée.

Puis ça a été terminé.

2

Quand je suis entrée au paradis pour la première fois, je croyais que tout le monde voyait la même chose que moi. Que dans chaque paradis, il y avait au loin des buts de foot ainsi que des lanceuses de poids et de javelot s'avançant d'un pas lourd. Que tous les bâtiments ressemblaient aux lycées chic de la Nouvelle-Angleterre construits dans les années soixante, grands, massifs, éparpillés sur des terrains sablonneux lamentablement conçus, avec des avancées et des espaces ouverts supposés leur donner un air moderne. Ce qui me plaisait le plus, c'était qu'ils soient turquoise et orange, comme ceux du lycée Fairfax High. Sur Terre, j'avais parfois demandé à mon père de m'y conduire, pour m'imaginer quel effet ça ferait d'y être élève.

Après un premier cycle au collège, le lycée aurait été un nouveau départ. Élève à Fairfax High, j'insisterais pour qu'on m'appelle Susan. Je coifferais mes cheveux en plumeau ou en haut chignon. J'aurais un corps que les garçons désireraient et que les filles envieraient, mais je serais tellement gentille en prime qu'ils culpabiliseraient de ne pas m'aduler. Ayant atteint un statut du genre royal, je me plaisais à m'imaginer à la cafétéria en protectrice des marginaux. Quand quelqu'un se moquerait de Clive Saunders parce qu'il avait une démarche de fille, je lui lancerais en guise de douce revanche un coup de pied dans les parties sensibles. Et quand les garçons taquineraient Phoebe Hart sur son imposante poitrine, j'expliquerais en détail pourquoi ce genre de blague n'est pas drôle. Il me faudrait oublier que moi aussi, en la voyant passer, j'avais noté à son sujet dans les marges de mon cahier : gros lolos, super nibards, nichons canon. Pour clore mes rêveries, je m'imaginais sur le siège arrière de la voiture conduite par mon père. Je serais irréprochable. En quelques jours, je m'en sortirais haut la main en classe, à moins que, oh surprise, je ne gagne l'oscar de la meilleure actrice en première.

Tels étaient mes rêves, sur Terre.

Au bout de quelques jours au paradis, je me suis rendu compte que les lanceuses de javelot et de poids, ainsi que les joueuses de basket sur le macadam craquelé, étaient chacune dans leur version personnelle du paradis. Il se trouvait simplement qu'elle collait avec la mienne : ce n'en était pas la copie conforme mais, à l'intérieur, il s'y passait beaucoup de choses semblables.

C'est le troisième jour que j'ai rencontré Holly, ma future colocataire. Elle était assise sur la balançoire (je ne remettais pas en question la présence de cet objet dans un lycée : c'est ce qui faisait de cet endroit un paradis. Ce n'étaient pas de simples planches, non plus, mais des sièges-baquets en caoutchouc dur et noir dans lesquels se laisser bercer puis sautiller un peu avant de se balancer). Holly y lisait un livre à l'alphabet bizarre que j'associais avec le riz au porc frit que mon père rapportait du traiteur chinois dont Buckley adorait le nom ; il l'adorait tellement qu'il criait « Traiteur ! » de tous ses poumons. Maintenant je connais le vietnamien, et je sais que son propriétaire, Herman Jade, n'était pas vietnamien, et que ce n'était pas son vrai nom mais celui qu'il avait adopté en débarquant aux États-Unis de sa Chine natale, dixit Holly.

« Salut, je m'appelle Susie », lui ai-je lancé.

Plus tard elle devait me confier que son prénom sortait du film *Diamants sur canapé*. Mais ce jour-là, ça lui était venu spontanément.

« Je m'appelle Holly », m'a-t-elle répondu. Parce qu'elle ne voulait aucune trace d'accent dans son paradis, elle n'en avait pas.

J'ai fixé ses cheveux noirs. Ils brillaient comme les promesses des magazines. « Depuis combien de temps tu es là ? lui ai-je demandé.

– Trois jours.

– Moi aussi. »

Je me suis assise sur la balançoire à côté d'elle et je me suis tortillée de façon à ce que les chaînes s'enroulent. Puis je me suis levée et j'ai fait tournoyer la balançoire.

« Ça te plaît ici ? m'a-t-elle demandé.

– Non.

– Moi non plus. »

Ça a commencé comme ça.

Dans notre paradis on avait exaucé nos rêves les plus simples. Pas de profs. Et aucune obligation d'assister aux cours, sauf ceux de dessin pour moi, et les répétitions du groupe de jazz pour Holly. Les garçons ne nous pinçaient pas les fesses et ne nous disaient pas qu'on sentait mauvais ; *Seventeen*, *Glamour* et *Vogue* nous faisaient office de livres de classe.

Et nos paradis croissaient en même temps que notre relation. On avait envie des mêmes choses.

Franny, la responsable des nouveaux arrivants, est devenue notre guide. La quarantaine bien sonnée, elle était suffisamment âgée pour être notre mère ; ça nous avait d'ailleurs pris un moment, à Holly et moi, pour nous rendre compte que les nôtres nous manquaient.

Dans son paradis, Franny était au service des autres, elle trouvait son bonheur dans les résultats et la reconnaissance. Sur Terre, elle avait été assistante sociale pour SDF. Elle avait travaillé pour Saint Mary's, une église où l'on ne servait à manger qu'aux femmes et aux enfants, et elle y veillait à tout, depuis le standard jusqu'aux cafards – qu'elle écrasait du tranchant de la main, comme au karaté. Elle a été tuée d'un coup de fusil au visage par un type qui cherchait sa femme.

C'est le cinquième jour que Franny s'est dirigée vers Holly et moi. Elle nous a tendu deux petits verres de sirop de menthe, qu'on a bus. « Je suis ici pour aider », nous a-t-elle expliqué.

J'ai plongé mon regard dans ses petits yeux bleus bordés de ridules et je lui ai avoué la vérité. « On s'embête. »

Holly était occupée à essayer de tirer la langue le plus loin possible pour voir si elle était devenue verte.

« Vous avez envie de quoi ? nous a demandé Franny.

– Je ne sais pas, lui ai-je répondu.

– Il n'y a qu'une chose à faire, c'est désirer, et si vous désirez suffisamment en comprenant vos motivations, en les comprenant vraiment, vous serez exaucées. »

Ça semblait tellement simple, et ça l'était. C'est d'ailleurs comme ça que Holly et moi avons obtenu notre duplex.

Sur Terre je détestais notre pavillon. Je détestais les meubles de mes parents, notre maison qui donnait sur une autre et une autre et encore une autre, une série de copies conformes qui montait jusqu'en haut de la colline. Notre duplex donnait sur un parc au loin, juste assez près pour que nous sachions que nous n'étions pas seules, mais pas trop près tout de même, on voyait les lumières d'autres maisons.

Pour finir, je me suis mise à désirer davantage. Ce que je trouvais étrange, c'était à quel point je désirais savoir ce que je ne savais pas sur Terre. Je voulais être autorisée à grandir.

« C'est en vivant que les gens grandissent, ai-je lancé à Franny, et j'ai envie de vivre.

– Impossible.

– Est-ce qu'on peut au moins regarder les vivants ? a demandé Holly.

– Vous le faites déjà.

– Je pense qu'elle parle de vies entières, ai-je précisé, du début jusqu'à la fin, pour voir comment les vivants s'en sortent. Connaître leurs secrets. Comme ça, ensuite, on pourra mieux faire semblant.

– Vous ne serez plus jamais vivantes, a clairement souligné Franny.

– Merci, grand chef », lui ai-je répondu, mais après, nos paradis se sont mis à grandir.

Il y avait toujours le lycée, avec la même architecture que Fairfax mais, maintenant, il y avait en plus des chemins qui en partaient.

« Empruntez-les, nous a expliqué Franny, et vous trouverez ce dont vous avez besoin. »

C'est donc comme ça que Holly et moi nous sommes mises en route. Notre paradis avait un marchand de glaces où, quand on demandait des esquimaux aux goûts impossibles, on ne nous répondait jamais : « On n'en a pas » ; il y avait un quotidien qui publiait régulièrement nos photos pour nous donner l'impression d'être importantes ; dedans, il y avait des vrais hommes et aussi de belles femmes, parce que Holly et moi étions folles de magazines de mode. Parfois, elle semblait distraite, ou alors elle avait disparu quand je la cherchais. Parce qu'elle s'était dirigée vers un endroit du paradis qu'on ne partageait pas. Et là elle me manquait, mais c'était un drôle de manque, puisque maintenant je connaissais le sens du mot « toujours ».

Impossible cependant de voir se réaliser mon plus cher désir : que Mr. Harvey soit mort et moi vivante. Le paradis n'était pas parfait. Mais j'avais fini par comprendre que, si j'y regardais de plus près et si je le désirais suffisamment, je changerais peut-être la vie terrestre de mes proches.

C'est mon père qui a répondu au téléphone, le 9 décembre. Et ç'a été le début de la fin. Il a donné à la police mon groupe sanguin et a dû leur décrire la couleur de ma peau. Ils l'ont interrogé sur d'éventuels signes particuliers. Intarissable, il leur a décrit mon visage en détail. La suite étant trop horrible pour qu'il l'interrompe, l'inspecteur Fenerman l'a laissé parler. Puis il a lancé : « Mr. Salmon, nous n'avons retrouvé qu'un bout de corps. »

Mon père était debout dans la cuisine et un tremblement maladif s'est emparé de lui. Comment annoncer ça à Abigail ?

« Donc vous n'êtes pas certain qu'elle soit morte ? a-t-il demandé.

– On n'est jamais sûr de rien », a répondu Len Fenerman.

C'est cette même phrase que mon père a rapportée à ma mère : « On n'est jamais sûr de rien. »

Durant trois nuits, il n'a pas su comment la toucher ni que dire. Jusque-là, ils ne s'étaient jamais effondrés en même temps. D'ordinaire, quand l'un avait eu besoin de l'autre, c'était à tour de rôle, et donc il y avait moyen, en se touchant, de puiser de la force auprès du plus vaillant. Bienheureusement, à l'époque, ils ne savaient pas non plus ce que signifiait le mot *horreur*.

« On n'est jamais sûr de rien », a répété ma mère en se raccrochant à ça ainsi que l'avait espéré mon père.

Ma mère connaissait la signification de chaque breloque sur mon bracelet, elle savait où on l'avait acheté et pourquoi il me plaisait. Elle avait dressé une liste méticuleuse de tout ce que j'avais pu porter et user. Si on retrouvait ces indices traînant à des kilomètres de là sur le bord d'une route, ils conduiraient peut-être un policier du coin à faire le rapport avec ma disparition.

Mentalement, j'avais éprouvé une joie douce amère en voyant ma mère énumérer toutes les affaires que j'avais portées et aimées, et en remarquant son espoir futile que cela ait une quelconque importance ; par exemple qu'un inconnu ayant trouvé une gomme représentant un personnage de bande dessinée, ou un badge avec une star du rock dessus le signale à la police.

Après l'appel de Len, mon père avait tendu la main et ils s'étaient assis côte à côte sur le lit en regardant droit devant eux, ma mère s'accrochant absurdement à cette liste de choses, mon père avec l'impression d'entrer dans un tunnel noir. À un moment donné, il s'est mis à pleuvoir. Je les ai sentis espérer alors tous deux la même chose – que je sois quelque part là-bas, saine et sauve, au sec et au chaud en dépit de la pluie – mais aucun des deux n'a ouvert la bouche.

Aucun des deux non plus n'a su qui s'était endormi le premier ; leurs os les faisaient souffrir d'épuisement, ils s'étaient enfoncés dans le sommeil puis s'étaient réveillés, coupables, en même temps. La pluie, qui avait pris plusieurs formes au gré des changements de température, s'était maintenant transformée en grêle et c'était le bruit des grêlons heurtant le toit qui les avait réveillés au même moment.

À la faible lueur de la lampe restée allumée à l'autre bout de la pièce, ils se sont regardés sans échanger un mot. Ma mère s'est mise à pleurer, mon père l'a prise dans ses bras, puis ses pouces ont effleuré ses pommettes pour essuyer ses larmes et il l'a embrassée ensuite très doucement sur les yeux. C'est alors que j'ai détourné les miens. Et que je les ai tournés vers le champ de maïs, regardant s'il y avait là le moindre petit indice que la police puisse trouver au matin. La grêle avait couché les épis et chassé tous les animaux vers leurs terriers. À quelques pieds sous terre se trouvaient ceux des lièvres que j'adorais, des lapins mangeurs de légumes et fleurs alentour et qui parfois rapportaient chez eux, accidentellement, du poison. Après quoi, à des lieues de l'homme ou de la femme qui avaient déversé dans leur jardin l'appât empoisonné, toute une famille de lapins se recroquevillerait sur elle-même puis mourrait.

Le matin du 10 décembre, mon père a vidé la bouteille de scotch dans l'évier de la cuisine et Lindsey lui a demandé pourquoi.

« J'ai peur de le boire.

– C'était quoi l'appel ?

– Quel appel ?

– J'ai entendu ta description habituelle du sourire de Susie, les étoiles qui explosent.

– J'ai dit ça ?

– Tu as un peu perdu la boule. C'était un flic, non ?

– Tu veux la vérité ?

– Oui.

– Ils ont retrouvé un bout de corps. Qui appartient peut-être à Susie. »

Ce fut pour elle un fameux coup dans l'estomac. « Quoi ?

– On n'est jamais sûr de rien », a avancé mon père.

Lindsey s'est assise à la table de la cuisine. « Je vais vomir, a-t-elle prévenu.

– Ma chérie ?

– P'pa, je veux que tu me dises quel bout de corps c'était, et après ça je devrai vomir. »

Mon père est allé chercher un grand saladier métallique. Il l'a apporté, l'a posé sur la table à côté de Lindsey puis il s'est assis.

« OK, dis-moi, lui a-t-elle demandé.

– C'était un coude. Trouvé par le chien des Gilbert. »

Il lui a tenu la main et elle a vomi, comme prédit, dans le saladier métallique luisant.

Plus tard, ce jour-là, le temps s'est éclairci, et pas très loin de chez moi, la police a balisé le champ de maïs et entamé ses recherches. La pluie, la neige fondue, la neige et la grêle qui fondaient et se mélangeaient avaient détrempé le sol ; malgré tout, il y avait un endroit où la terre avait été de toute évidence fraîchement retournée. Ils creusèrent.

Le laboratoire découvrit ensuite qu'à certains endroits il y avait une forte concentration de mon sang mélangé à la poussière mais, sur le moment, la frustration des policiers s'est accrue tandis qu'ils fouillaient le sol froid et mouillé à la recherche d'une jeune fille.

Sur le pourtour du terrain de foot, se tenaient quelques-uns de mes voisins, à une distance respectable du balisage, intrigués par les hommes en lourdes parkas bleues qui brandissaient des pelles et des râteaux comme s'il s'agissait d'instruments médicaux.

Mon père et ma mère étaient restés à la maison et Lindsey dans sa chambre. Buckley était à deux pas, chez son copain Nate, où il passait beaucoup de temps, ces jours-là. Ils lui avaient raconté que j'étais en visite prolongée chez Clarissa.

Je savais où était mon corps mais ne pouvais pas le leur dire. J'ai regardé et attendu pour voir ce qu'ils verraient. Puis tard dans l'après-midi, coup de tonnerre, un policier a tendu un poing terreux en criant : « Par ici ! » et ses collègues ont accouru autour de lui.

À part Mrs. Stead, tous les voisins étaient rentrés chez eux. Après que les policiers se soient regroupés pour discuter de la découverte, l'inspecteur Fenerman a fendu leur cercle sombre et s'est approché d'elle.

« Mrs. Stead ? a-t-il lancé par-dessus le balisage qui les séparait.

– Oui.

– Vous avez bien un enfant au collège ?

– Oui.

– Vous voulez nous suivre s'il vous plaît ? »

Un jeune inspecteur l'a aidée à passer le balisage pour lui faire traverser le terrain retourné du champ de maïs et rejoindre les autres policiers.

« Mrs. Stead, ce livre vous dit-il quelque chose ? » a demandé Len Fenerman. Il lui a tendu *Alouette, je te plumerai* en collection de poche. « C'est un livre de classe ?

– Oui, a-t-elle répondu, le visage blêmissant.

– Ça vous dérange si je vous demande..., commença-t-il.

– Troisième, a-t-elle répondu en fixant les yeux bleu ardoise de Len Fenerman. La classe de Susie. » Elle était psy et se flattait de pouvoir encaisser les mauvaises nouvelles, de savoir discuter rationnellement les détails difficiles des vies de ses patients, mais là, elle dut s'appuyer contre le jeune policier qui avait été la chercher. Je sentais qu'elle regrettait de ne pas être rentrée chez elle en même temps que les autres voisins, de ne pas être dans la salle à manger avec son mari, ou bien dans le jardin avec son fils.

« C'est qui, le prof ?

– Mrs. Dewitt. Les gamins trouvent ça drôlement reposant, après *Othello*.

– *Othello* ?

– Oui », a-t-elle répondu. Son savoir en matières scolaires devenait tout à coup vital, avec tous ces policiers pendus à ses lèvres. « Mrs. Dewitt aime moduler sa liste de lectures. Juste avant Noël, elle mise très fort sur Shakespeare. Puis elle offre Harper Lee en récompense. Si Susie avait *Alouette, je te plumerai* dans son cartable, ça veut dire qu'elle avait déjà rendu sa dissert sur *Othello*. »

Tout ça tenait la route.

Les policiers ont passé des appels. J'ai regardé le cercle s'élargir. Mrs. Dewitt avait ma dissert. Elle finirait par la poster à mes parents sans l'avoir notée. « Je me suis dit que ça vous ferait plaisir de l'avoir, écrirait-elle sur un papier agrafé. Vraiment toutes mes condoléances. » Comme c'était trop douloureux pour ma mère de la lire, Lindsey en hériterait. « L'Ostracisé : un homme seul », l'avais-je intitulée. Lindsey avait suggéré « L'Ostracisé » et j'avais inventé le reste. Ma sœur ferait trois trous sur le côté puis insérerait chaque page soigneusement écrite à la main dans un classeur vide. Qu'elle glisserait dans son placard sous la mallette Barbie et la boîte contenant ses poupées en chiffon en parfait état que je lui enviais.

L'inspecteur Fenerman a appelé mes parents. Ils pensaient avoir retrouvé un livre de classe qui m'avait peut-être été donné lors de ma dernière journée.

« Mais ça pourrait appartenir à n'importe qui, a lancé mon père à ma mère alors qu'ils entamaient gaillardement une autre veillée. Ou alors elle a pu le laisser tomber en route. »

Les preuves s'accumulaient, mais ils refusaient d'y croire.

Deux jours plus tard, le 12 décembre, les policiers ont retrouvé mes notes prises au cours de Mr. Botte. Des animaux avaient emporté le cahier loin de sa cachette initiale – la terre ne correspondait pas aux échantillons prélevés sur place – mais le papier millimétré, avec ses théories gribouillées que je retranscrivais soigneusement même si elles m'étaient incompréhensibles, avait été découvert lorsqu'un chat avait fait tomber un nid de corbeau. Des lambeaux de papier étaient mélangés aux feuilles et aux brindilles. Les policiers avaient dégagé le papier millimétré, ainsi que des fragments d'une autre sorte de papier sans lignes, plus fin et plus fragile.

La fille qui vivait dans la maison où était planté l'arbre avait reconnu l'écriture. Ce n'était pas la mienne mais celle de Ray Singh, un garçon qui en pinçait pour moi. Sur le papier de riz spécial de sa mère, Ray m'avait écrit un billet doux que je n'avais jamais lu. Il l'avait glissé dans mon cahier durant la séance de labo du mercredi. Il avait une écriture facilement reconnaissable. Quand les inspecteurs sont arrivés, ils ont dû reconstituer les bouts de mon cahier de biologie et le billet doux de Ray Singh.

« Ray ne se sent pas bien », a expliqué sa mère quand un inspecteur est venu chez eux en demandant à lui parler. Elle leur a dit ce qu'ils avaient besoin de savoir. Ray a hoché la tête dans sa direction tandis qu'elle lui répétait la question du policier. Oui, il avait bien écrit un billet doux à Susie Salmon. Oui, il l'avait bien glissé dans son cahier après que Mr. Botte eut demandé à cette dernière de ramasser l'interrogation surprise. Oui, il avait signé Le Maure.

Ray Singh est donc devenu le suspect numéro un.

« Ce gentil garçon ? a dit ma mère à mon père.

– C'est vrai qu'il est gentil », a renchéri ma sœur d'une voix égale lors du dîner.

J'ai regardé ma famille et j'ai su qu'ils savaient. Que ce n'était pas Ray Singh.

La police a effectué une descente chez lui, l'accusant lourdement, insinuant des choses. Ils étaient stimulés par son teint mat, signe évident de culpabilité, ses manières qui les énervaient, et par sa superbe mère bien trop exotique et en même temps inaccessible. Mais Ray avait un alibi. Une tripotée de nations pouvait témoigner en sa faveur. Son père, qui enseignait l'histoire postcoloniale à l'université chic de Pennsylvanie, avait incité son fils à venir parler sur l'adolescence lors d'une conférence qu'il donnait à l'International House, le jour de mon décès.

Au départ, l'absence de Ray au collège avait semblé signer sa culpabilité mais, une fois que la police s'était vu remettre une liste de quarante-cinq personnes ayant assisté à son intervention sur « Les Banlieues résidentielles : l'expérience américaine », ils avaient dû reconnaître son innocence. La police s'était plantée devant la maison des Singh et avait cassé deux petites brindilles sur les haies. Ç'aurait été tellement facile, magique, si la réponse avait pu tomber littéralement du ciel, ou d'un arbre. Hélas ! les rumeurs allaient bon train ; Ray, qui avait fini par se faire accepter un minimum au collège, rentrait à présent directement chez lui après les cours.

Tout ça me rendait folle. Être impuissante à aiguiller la police vers la maison verte tellement proche de chez moi, où Mr. Harvey était assis à tailler des fleurons pour la maison de poupée de style gothique qu'il fabriquait. Il regardait les infos et épluchait les journaux, mais il arborait sa propre innocence comme on se love dans un bon vieux manteau. Car s'il avait connu tout d'abord un difficile débat intérieur, à présent, c'était le calme. J'essayais de me consoler auprès de Holiday, notre chien. Il me manquait plus que ma famille, dont je n'avais pas encore accepté la séparation définitive : au risque de paraître ridicule, je n'y croyais tout simplement pas, je m'y refusais. Holiday restait auprès de Lindsey le soir, et se plantait à côté de mon père chaque fois qu'il ouvrait la porte à un inconnu. Il prenait joyeusement part à toutes les razzias clandestines de ma mère dans la cuisine. Et dans cette demeure aux portes désormais closes, il laissait Buckley lui tirer les oreilles et la queue.

Il y avait trop de sang dans la terre.

Le 15 décembre, entre les multiples coups frappés à la porte dont chacun signalait à ma famille qu'il lui faudrait se blinder encore un peu plus avant d'ouvrir à des inconnus – voisins gentils mais gauches, journalistes maladroits mais cruels – est arrivé celui qui a fini par persuader mon père.

C'était Len Fenerman, qui avait été si prévenant avec lui, accompagné d'un policier en uniforme.

Ils sont entrés, à présent suffisamment habitués à la maison pour savoir que ma mère préférait qu'ils disent ce qu'ils avaient à dire dans le living, pour que mon frère et ma sœur n'entendent pas.

« On a retrouvé un effet personnel appartenant probablement à Susie », a dit Len. Il était prudent. Je le voyais peser chaque mot. Il tenait à donner des détails pour soulager mes parents de la première pensée qui avait dû leur venir à l'esprit : que la police avait découvert mon corps, et que j'étais bel et bien morte.

« Lequel ? » a demandé ma mère, impatiente. Elle a croisé les bras dans l'attente d'un autre détail pour elle anodin et pour les autres significatifs. C'était un vrai mur. Cahiers et romans n'avaient aucune valeur à ses yeux. Sa fille pourrait survivre avec un bras en moins. Beaucoup de sang n'était jamais que beaucoup de sang. Ce n'était pas un corps. Jack l'avait dit et elle le croyait : on n'était jamais sûr de rien.

Mais quand ils lui ont tendu la pochette plastique contenant mon bonnet, quelque chose s'est cassé en elle. Le mince mur de cristal de Bohême qui avait protégé son cœur, anesthésié jusque-là par l'incrédulité, a éclaté.

« Le pompon », a dit Lindsey. Elle s'était glissée de la cuisine dans le living sans que personne ne l'ait vue entrer à part moi.

Ma mère a levé la main et émis un son, un couinement métallique encore humain mais proche de celui d'une machine sur le point de se casser et qui cracherait ses derniers bruits avant que tout le moteur ne se bloque.

« On a examiné les fibres, a expliqué Len. Il semblerait que la personne qui a accosté Susie s'en soit servie quand il l'a tuée.

– Quoi ? » a fait mon père, incrédule. Ce qu'on lui disait n'avait ni queue ni tête.

« Pour qu'elle se tienne tranquille.

– Quoi ?

– C'est couvert de salive, a lancé le policier en uniforme qui était resté silencieux jusque-là. Il le lui a fourré dans la bouche. »

Ma mère l'a arraché des mains de Len Fenerman et les clochettes qu'elle avait cousues dans le pompon ont tinté en atterrissant sur ses genoux. Elle s'est penchée sur le bonnet qu'elle m'avait tricoté.

J'ai vu Lindsey se raidir sur le pas de la porte. Elle ne reconnaissait plus nos parents ; elle ne reconnaissait plus rien.

Mon père a raccompagné à la porte d'entrée un Len Fenerman bien intentionné, ainsi que le policier en uniforme. « Mr. Salmon, lui a dit Len Fenerman, vu la quantité de sang découverte, la violence que cela implique, sans parler des autres preuves matérielles déjà évoquées, je crains que nous ne soyons hélas obligés de conclure au meurtre de votre fille. »

Lindsey a entendu ce qu'elle savait déjà, ce qu'elle savait depuis que mon père lui avait parlé de mon coude, il y avait cinq jours de cela. Ma mère s'est mise à gémir.

« À partir de maintenant, cette affaire sera traitée comme une affaire de meurtre, a dit Fenerman.

– Mais il n'y a pas de corps, a tenté mon père.

– Tout tend à prouver la mort de votre fille. Je suis vraiment désolé. »

Le policier en uniforme fixait un point à droite des yeux implorants de mon père. Je me demandais si c'était un truc qu'on lui avait enseigné. Len Fenerman, lui, a croisé son regard. « Je repasserai plus tard pour voir comment vous allez », a-t-il dit.

Quand mon père est retourné dans le living, il était trop atterré pour tendre la main vers ma mère assise sur la moquette, ou vers la forme raidie de ma sœur, à ses côtés. Il ne voulait pas qu'elles le voient. Il a monté l'escalier en pensant à Holiday allongé sur le tapis du bureau, qu'il l'avait vu là tout à l'heure. Et c'est dans le profond collier de fourrure du chien que mon père a laissé libre cours à ses larmes.

Cet après-midi-là, ils se mouvaient tous trois lentement et silencieusement, comme si le bruit de pas risquait de confirmer les nouvelles. La mère de Nate, qui ramenait Buckley, a frappé à la porte. Peine perdue. Elle s'est alors reculée, sentant que quelque chose avait changé dans cette maison pourtant identique en tout point à ses voisines. Elle a décidé alors de jouer la carte de la complicité ; elle a proposé à mon frère d'aller quelque part manger une grosse glace qui lui couperait l'appétit.

À quatre heures, mes parents entrèrent dans la même pièce par deux portes différentes et se trouvèrent face à face.

Ma mère a regardé mon père : « Maman », a-t-elle lancé, et il a hoché la tête. Puis il a appelé la seule aïeule qui me reste : Grand-Maman Lynn, ma grand-mère maternelle.

Je craignais que, laissée à elle-même, ma sœur ne fasse une bêtise. Dans sa chambre, elle s'est assise sur le vieux canapé que mes parents y avaient abandonné et s'est entraînée à s'endurcir. *Inspire profondément et retiens ton souffle. Essaye de rester immobile de plus en plus longtemps. Rapetisse-toi et durcis-toi. Enroule tes extrémités et replie-les là où personne ne peut les voir.*

Ma mère avait proposé à Lindsey de ne pas retourner en cours puisqu'il ne restait plus qu'une semaine avant Noël, mais elle avait refusé.

Le lundi, en classe, quand elle s'est avancée vers l'estrade, tous les regards se sont fixés sur elle.

« Le principal aimerait vous voir, mademoiselle », lui a chuchoté Mrs. Dewitt.

Ma sœur ne la regardait pas. Elle perfectionnait l'art de parler à quelqu'un tout en regardant au travers. C'était pour moi le signe avant-coureur d'une fissure. Mrs. Dewitt était non seulement son prof d'anglais mais aussi la femme de Mr. Dewitt, l'entraîneur de foot des garçons qui avait encouragé Lindsey à intégrer son équipe. Ma sœur aimait les Dewitt mais, ce matin-là, elle s'est mise à ne plus regarder dans les yeux que les gens contre lesquels elle pouvait se battre.

En ramassant ses affaires, elle a entendu des chuchotements. Elle était sûre que Danny Clarke avait murmuré quelque chose à Sylvia Henley. Quelqu'un avait laissé tomber un objet au fond de la classe. Elle s'est dit que c'était fait exprès ; en allant le ramasser, il ou elle pourrait glisser un mot ou deux à son voisin sur la sœur de la fille qui était morte.

Lindsey a traversé les couloirs et zigzagué entre les rangées de casiers, évitant quiconque aurait pu la frôler. J'aurais aimé l'accompagner, imiter le principal et sa sempiternelle façon de débuter toute réunion dans la salle de conférences par : « Votre principal est un pote mais avec des principes ! » J'aurais pleurniché dans son oreille, ce qui l'aurait fait pouffer.

Après le répit des couloirs vides, elle a été crucifiée par les regards dégoulinants de compassion des secrétaires, en arrivant au bureau du principal. Qu'importe. Elle s'y était préparée à la maison, dans sa chambre. Armée jusqu'aux dents contre toute vague de condoléances.

« Lindsey, a dit Mr. Caden, le principal, la police m'a appelé ce matin. Je suis sincèrement désolé. »

Elle l'a regardé droit dans les yeux, on aurait dit un laser. « De quoi exactement vous désolez-vous ? »

Mr. Caden éprouvait le besoin d'aborder les crises personnelles directement. Il est sorti de derrière son bureau et a fait asseoir Lindsey sur ce que les élèves appelaient communément Le Sofa. Plus tard, il le remplacerait par deux fauteuils, lorsque de nouvelles circulaires feraient leur apparition dans l'enseignement, stipulant qu'« *un sofa risquant de véhiculer un message ambigu, mieux valaient deux fauteuils* ».

Mr. Caden s'est assis sur Le Sofa, et ma sœur aussi. J'aime bien me dire que, en dépit de son chagrin, ça l'avait tout de même excitée un brin sur le moment. J'aime bien me dire que je ne me suis pas contentée de la spolier.

« Nous sommes ici pour aider, autant que c'est possible, lui a expliqué Mr. Caden qui faisait son maximum.

– Je vais bien.

– Tu as envie d'en parler ?

– De quoi ? » Lindsey était ce que mon père appelle « insolente » comme dans « Susie, ne me parle pas sur ce ton insolent. »

« De celle que tu as perdue », a-t-il répondu. Quand il a tendu la main et touché le genou de ma sœur, ça a été comme un tison la brûlant à l'intérieur.

« Je ne savais pas que j'avais perdu quelque chose », a-t-elle répondu, et dans un immense effort, elle a tiré sur son chemisier et vérifié l'intérieur de ses poches.

Mr. Caden était perplexe. L'année précédente, Vicki Kurtz s'était écroulée dans ses bras. Ça avait été difficile, certes, mais maintenant, avec le recul, Vicki Kurtz et sa défunte mère apparaissaient comme une crise finement maîtrisée. Il avait emmené la jeune fille vers le sofa – non, non, Vicki s'y était assise spontanément – il avait dit : « Je suis vraiment désolé pour ta mère », et Vicki Kurtz s'était liquéfiée sous ses yeux. Il l'avait prise dans ses bras pendant qu'elle sanglotait à chaudes larmes, puis ce même soir il avait apporté son costume chez le teinturier.

Mais Lindsey Salmon était une autre paire de manches. C'était une des vingt collégiennes sélectionnées pour le Symposium national des surdoués. La seule ombre à son dossier était une légère altercation en début d'année avec un prof qui l'avait réprimandée pour avoir apporté de la littérature obscène en classe – *Nana blues* d'Erica Jong.

« Faites-la rire, avais-je envie de lui dire. Emmenez-la voir un film des Marx Brothers, asseyez-vous sur un coussin péteur, montrez-lui votre caleçon avec les petits diables en train de manger des hot-dogs ! » Parler était mon seul recours, mais personne sur Terre ne m'entendait.

L'académie obligeait tout le monde à passer des examens puis décidait qui était doué et qui ne l'était pas. J'aimais laisser à Lindsey l'illusion que j'étais beaucoup plus contrariée par sa chevelure que par ma nullité. On était nées toutes les deux avec une manne de cheveux blonds mais la mienne était vite tombée pour être remplacée par une poussée réticente de brun terne. Alors que Lindsey avait gardé la sienne, qui était devenue un genre de mythe. C'était la seule vraie blonde de la famille.

Une fois étiquetée surdouée, elle s'est obligée à rester à la hauteur. Elle s'est enfermée dans sa chambre avec de grands livres. Tandis que je lisais *Et puis j'en sais rien* de Judy Blume, elle, c'était *L'Homme révolté* de Camus. Peut-être bien qu'elle ne captait pas tout, mais elle l'emportait partout avec elle et, du coup, les gens, y compris les profs, lui fichaient la paix.

« Lindsey, Susie nous manque très fort, tu sais », a expliqué Mr. Caden.

Pas de réaction.

« Elle était très intelligente », a-t-il tenté.

Regard fixe et vide.

« Tout repose sur tes épaules à présent. » Il disait un peu n'importe quoi, en espérant que le silence signifiait qu'il marquait des points. « Tu es la seule fille Salmon à présent. »

Rien.

« Devine qui est venu me voir ce matin ? » Mr. Caden avait gardé un joker dans sa manche, celui qui fonctionnerait à coup sûr. « Mr. Dewitt. Il songe à entraîner une équipe de filles dont tu serais le pilier. Il t'a trouvée très bonne, aussi compétitive que ses garçons, et il est convaincu que d'autres filles rejoindraient l'équipe si c'était toi le capitaine. Qu'est-ce que tu en dis ? »

À l'intérieur, le cœur de ma sœur s'est fermé comme un poing. « J'en dis que ce serait plutôt dur de jouer au foot sur un terrain situé à dix mètres de l'endroit où ma sœur est supposée avoir été tuée. »

Gagné !

La bouche de Mr. Caden s'est ouverte, il l'a regardée fixement.

« Encore autre chose ? a demandé Lindsey.

– Non, je... » Mr. Caden a tendu à nouveau la main. Il demeurait encore un fil, un désir de comprendre. « Je veux que tu saches combien nous sommes tous désolés, a-t-il ajouté.

– Je suis en retard pour mon cours », a-t-elle rétorqué.

À ce moment, elle m'a rappelé un personnage de ces westerns que mon père adorait, ceux qu'on regardait ensemble tard le soir à la télé. Il y avait toujours un homme qui, après avoir tiré un coup de pistolet, levait le canon près de ses lèvres et soufflait.

Lindsey s'est levée puis a déambulé dans les couloirs, les seuls endroits où elle avait la paix. Les secrétaires étaient alors de l'autre côté de la porte, les profs devant les élèves, ces derniers derrière leurs tables, nos parents à la maison, la police en route. Elle ne craquerait pas. Je l'ai regardée, j'ai senti les mots qu'elle n'arrêtait pas de se répéter mentalement. *Bien. Tout va bien.* J'étais morte, mais c'était normal, les gens mouraient tout le temps. Quand elle a quitté le bureau des secrétaires, on aurait pu imaginer qu'elle les regardait dans les yeux, alors qu'en fait elle se concentrait sur leur rouge à lèvres mal appliqué ou bien leur tailleur en crêpe de Chine à motifs indiens.

À la maison, le soir, elle s'est allongée par terre dans sa chambre et a coincé ses pieds sous le bureau. Puis elle a fait dix abdominaux. Ensuite, elle s'est préparée à faire des pompes. Pas du genre que font les filles ; Mr. Dewitt lui avait montré celles qu'il faisait dans les Marines, tête levée, sur une seule main, en les frappant ensuite l'une contre l'autre entre deux pompes. Après qu'elle en eut fait dix, Lindsey s'est dirigée vers son étagère et y a pris les deux livres les plus lourds, son dictionnaire et un atlas. Elle a joué des biceps jusqu'à ce que ses bras lui fassent mal. Elle s'est concentrée essentiellement sur sa respiration. Inspirer. Expirer.

Je me suis assise dans le kiosque de jardin de la grand-place de mon paradis (nos voisins, les O'Dwyer, en avaient eu un, que je leur avais envié toutes ces années) et j'ai contemplé la rage froide de ma sœur.

Quelques heures avant ma mort, ma mère avait mis sur le frigo un dessin fait par Buckley, où une épaisse ligne bleue séparait l'air et le sol. Les jours suivants j'ai regardé ma famille faire les cent pas devant ce dessin et je me suis convaincue que cette épaisse ligne bleue était un véritable endroit, un Entre-deux, où la ligne d'horizon du paradis rejoignait celle de la Terre. J'avais envie d'entrer dans le bleu marine des crayons de couleur, le bleu royal, le bleu turquoise, le ciel.

Souvent, je me retrouvais à désirer des choses simples et je les obtenais. Des trésors emballés dans de la fourrure. Des chiens.

Chaque jour dans mon paradis des chiens minuscules, des chiens énormes, toutes sortes de chiens, couraient dans le parc, devant ma chambre. Quand j'ouvrais la porte je les voyais, gros et heureux, maigres et poilus, certains efflanqués et pelés. Des pitbulls se roulaient sur le dos, heureux au soleil, les tétons des femelles distendus et foncés implorant leurs chiots de venir les téter. Des bassets se baladaient, indolents, en trébuchant sur leurs oreilles, et reniflaient le derrière des teckels, les chevilles des lévriers ou les têtes des pékinois. Et quand Holly a pris son saxo ténor, s'est installée devant la porte qui donnait sur le parc et a joué du blues, les chiens ont tous accouru en meute pour former le chœur.

Ils se sont assis sur leurs derrières et se sont mis à hurler. D'autres portes se sont alors ouvertes, et des femmes sont sorties de leurs maisons, seules ou avec des colocataires. Je suis sortie aussi, Holly n'en finissait pas de jouer des bis, le soleil se couchait et on dansait avec les chiens, toutes ensemble. On les pourchassait, eux aussi. On tournait en rond, une queue derrière l'autre. On portait des blouses à pois, à fleurs, à rayures, unies. Une fois la lune haut dans le ciel, la musique s'est arrêtée. La danse s'est arrêtée. On s'est figées.

Mrs. Bethel Utemeyer, la plus vieille résidente de mon paradis, a sorti son violon. Holly a joué avec légèreté sur son sax. Elles ont fait un duo. Une vieille femme silencieuse et une préadolescente. Entre l'une et l'autre, cette consolation folle et schizoïde qu'elles avaient créée.

Toutes les danseuses sont rentrées chez elles les unes après les autres. La mélodie a résonné jusqu'à ce que Holly laisse le choix du dernier morceau à Mrs. Utemeyer qui, tranquille, droite, historique, a fini par une gigue.

Puis la maison s'est assoupie ; c'était mon office du soir.

3

Le truc bizarre concernant la Terre, c'était ce qu'on voyait en regardant vers le bas. Passé le premier coup d'œil et l'effet classique « fourmis vues du haut d'un gratte-ciel », on voyait des âmes quitter leurs corps aux quatre coins de la planète.

Holly et moi étions à même de scanner la Terre et d'arrêter notre regard sur une scène pendant une seconde ou deux, à la recherche de l'inattendu logé au cœur du moment le plus trivial. Une âme frôlait un être humain, lui touchait doucement l'épaule ou la joue, puis continuait sa route vers le paradis. Les vivants ne voient jamais vraiment les morts mais beaucoup d'entre eux semblent avoir une conscience aiguë d'un changement autour d'eux. Ils parlent d'un frisson dans l'air. Au réveil, les partenaires des défunts voient une silhouette debout au pied de leur lit, sur un pas de porte, ou sur le marchepied d'un bus, tel un fantôme.

En quittant la Terre, j'ai touché une fille prénommée Ruth. Elle allait au même collège que moi mais on n'avait jamais été proches. Elle était sur ma route cette nuit-là, quand mon âme a quitté la Terre en criant. Je n'ai pu m'empêcher de l'effleurer. Une fois libérée de la vie, que j'avais perdue avec une telle violence, j'étais incapable de calculer mes pas et je n'avais pas de temps pour la contemplation. Dans la violence, on se concentre sur la fuite. Quand on commence à passer de l'autre côté, la vie s'éloignant de vous comme un bateau s'éloigne inévitablement du rivage, on s'accroche très fort à la mort qui ressemble alors à une liane capable de vous transporter dans la jungle et sur laquelle on se balance en espérant atterrir loin de son point de départ.

Comme l'appel unique autorisé depuis une prison, j'ai effleuré Ruth Connors – un faux numéro, une erreur. Je l'ai vue debout là, à côté de la Fiat rouge et rouillée de Mr. Botte. Quand j'ai crié en passant près d'elle, ma main a bondi pour la toucher, pour toucher le dernier visage, sentir le dernier lien avec la Terre par le biais de cette adolescente pas très conforme.

Le matin du 7 décembre, Ruth s'est plainte à sa mère d'avoir fait un mauvais rêve qui semblait trop vrai pour n'être qu'un rêve. Quand cette dernière lui a demandé ce qu'elle voulait dire, Ruth a répondu : « Je traversais le parking des profs et, tout à coup, venant du fond du terrain de foot, j'ai vu un fantôme pâle courir vers moi. »

Mrs. Connors a remué les flocons d'avoine qui commençaient à se figer. Elle a regardé sa fille gesticuler en agitant ses longs doigts fins hérités de son père.

« Le fantôme était de sexe féminin, je l'ai senti, a dit Ruth. Il a quitté le terrain de foot en s'envolant. Ses orbites étaient creuses. Son corps était entouré d'un mince voile blanc, aussi léger qu'une mousseline. J'ai vu sa figure à travers, les traits, le nez, les yeux, le visage, les cheveux qui ressortaient. »

Sa mère a enlevé les flocons d'avoine du feu et baissé le gaz. « Ruth, tu as trop d'imagination. »

Celle-ci a choisi alors de se taire. Elle n'a plus mentionné le rêve qui n'en était toujours pas un, même dix jours plus tard, quand l'histoire de ma mort a commencé à voyager le long des couloirs du collège, avec une kyrielle de détails supplémentaires, comme toute bonne histoire d'horreur qui se respecte. Difficile pourtant pour mes camarades d'ajouter à l'horreur réelle. Mais il manquait encore des précisions sur le pourquoi et le comment, qui ont fait par la suite l'objet de mille suppositions. Adoration satanique. Minuit. Ray Singh.

J'avais beau essayer, impossible pour moi de montrer à Ruth ce qui demeurait invisible à tous : mon bracelet à breloques. Je me disais que ça pourrait l'aider. Il était bien en évidence pourtant, attendant simplement qu'une main se tende, une main qui le reconnaîtrait et se dirait : Indice. Mais il n'était plus dans le champ de maïs.

Ruth se mit à écrire de la poésie. Puisque sa mère et ses profs les plus abordables refusaient d'entendre la noirceur de son expérience, elle l'enroberait de poésie.

Comme j'aurais aimé que Ruth s'approche de ma famille et leur parle ! Il est très probable que personne à part ma sœur ne l'aurait reconnue. En cours de gym, Ruth était pratiquement toujours laissée pour compte. Dans le gymnase, quand un ballon de volley était lancé dans sa direction, elle était du genre à se recroqueviller sur place, le laissant atterrir sur le sol à côté d'elle, et ses coéquipières, ainsi que son prof de gym, se retenaient pour ne pas grogner.

Tandis que ma mère restait assise sur la chaise à dos droit du couloir, à regarder mon père assumer ses responsabilités – il était à présent hyperconscient des moindres allées et venues de son benjamin, de sa femme et de celle qui était devenue son unique fille –, Ruth a emporté dans la clandestinité notre rencontre fortuite dans le parking.

Elle avait feuilleté les anciens albums souvenirs de fin d'année et y avait trouvé mes photos de classe, ainsi que des photos d'activités comme le club de chimie, qu'elle avait découpées avec les ciseaux à broder maternels en forme de cygne. En dépit de son obsession croissante, j'ai hésité à lui faire confiance, jusqu'à cette dernière semaine précédant Noël, où elle a vu quelque chose dans le couloir du collège.

Il s'agissait de mon amie Clarissa et de Brian Nelson. J'avais surnommé ce dernier « l'épouvantail » parce que en dépit d'épaules incroyables sur lesquelles fantasmaient toutes les filles, il avait un visage qui me rappelait un sac en toile bourré de paille. Il portait un chapeau hippy en cuir mou et fumait des cigarettes roulées main dans le fumoir des élèves. D'après ma mère, le penchant de Clarissa pour l'ombre à paupières bleu clair lui donnait mauvais genre, mais c'est justement pour ça que je l'avais toujours aimée. Elle faisait des choses qui m'étaient interdites, comme éclaircir ses longs cheveux, porter des chaussures à semelles compensées ou fumer après les cours.

Ruth est tombée sur Clarissa et Brian, qui ne l'ont pas vue puisqu'elle était cachée derrière une pile de livres énormes empruntés à Mrs. Kaplan, le prof d'instruction civique. Il s'agissait de textes des débuts du féminisme qu'elle tenait contre son ventre, ce qui empêchait d'en voir les titres. Son père, un entrepreneur en bâtiment, lui avait fait cadeau de deux gros élastiques super-renforcés que Ruth avait enroulés autour des ouvrages qu'elle avait l'intention de lire pendant ses vacances.

Clarissa et Brian riaient. La main du second était dans le chemiser de la première. Tandis qu'il progressait lentement, ses gloussements à elle augmentaient, mais elle contrecarrait ses avances en se tortillant ou en s'éloignant d'un centimètre ou deux. Ruth se tenait à l'écart, comme souvent. Elle serait passée devant le couple comme souvent aussi, tête baissée/regard détourné, sauf que tout le monde savait que Clarissa avait été mon amie. Alors elle a regardé.

« Allez, ma biche, a dit Brian, juste un petit bout de sein, allez. Juste un. »

J'ai vu la lèvre de Ruth s'ourler de dégoût tandis qu'au paradis la mienne s'ourlait aussi.

« Brian, je ne peux pas. Pas ici.

– Et dans le champ de maïs ? » a-t-il chuchoté.

Clarissa gloussa nerveusement mais se blottit le nez entre son cou et son épaule. Pour l'instant, elle dirait non.

C'est après ça que son casier a été cambriolé.

Son journal intime avait disparu, ainsi que des photos prises au hasard et toute la marijuana que Brian y avait cachée à son insu.

Ruth, qui n'avait jamais plané, a passé ce soir-là à vider le tabac des longues cigarettes brunes de sa mère et à les remplir de cannabis. Elle s'est assise dans la remise à outils avec une torche électrique, pour regarder des photos de moi, en fumant plus d'herbe que tous les camés du collège réunis.

Debout derrière la fenêtre de la cuisine où elle faisait la vaisselle, Mrs. Connors en a reniflé des effluves.

« Je crois que Ruth se fait des nouveaux amis », a-t-elle confié à son mari assis avec son *Evening Bulletin* et une tasse de café. Après une journée de travail, il était bien trop fatigué pour supposer quoi que ce soit.

« C'est bien, a-t-il dit.

– Peut-être que son cas n'est pas désespéré.

– Bien sûr que non. »

Quand Ruth est rentrée en vacillant, plus tard dans la soirée, les yeux bouffis à cause de la torche et des huit joints, sa mère l'a accueillie avec un sourire – il y avait de la tarte aux myrtilles dans la cuisine. Il a fallu à Ruth quelques jours et une enquête qui ne soit pas entièrement focalisée sur Susie Salmon pour qu'elle comprenne pourquoi elle avait mangé toute la tarte d'un coup.

L'air de mon paradis sentait souvent le putois – juste un soupçon. C'était une odeur que, sur Terre, j'avais toujours aimée. Quand je la respirais, je la sentais en même temps. C'était la peur animale et le pouvoir mélangés en un musc puissant et tenace. Dans le paradis de Franny, ça sentait le tabac de qualité supérieure. Et chez Holly, le kumquat.

Je suis restée assise des jours et des nuits dans le kiosque, à regarder. Je voyais Clarissa s'éloigner de moi en tourbillonnant pour s'approcher du réconfort que lui apportait Brian. Je voyais Ruth l'observer depuis un coin près de la salle d'arts ménagers, ou encore devant la cafétéria près de l'infirmerie. Au début, la liberté que j'avais de voir tout le collège était enivrante. Je regardais l'assistant de l'entraîneur de foot laisser des chocolats anonymes pour la prof de sciences qui était mariée, ou bien la dirigeante de l'équipe des majorettes essayer d'attirer l'attention de la gamine renvoyée de toutes les écoles. J'avais regardé le prof de dessin faire l'amour avec sa petite amie dans la salle du four à céramique et vu le principal la langue pendante devant l'assistant de l'entraîneur de foot. J'en avais conclu que ce dernier était un étalon dans le petit monde du collège Kenneth High, même si sa mâchoire carrée me laissait de marbre.

De retour vers le duplex, chaque soir, je passais sous les réverbères à l'ancienne que j'avais vus dans une représentation de *Notre ville*. Les globes lumineux pendaient en arc de cercle d'un poteau en fer. Je m'en étais souvenue parce que, lorsque j'avais vu la pièce en famille, j'y avais pensé comme à des baies géantes et lourdes emplies de lumière. Au paradis j'avais mis au point un jeu : tout en marchant vers la maison, je me plaçais de façon à ce que mon ombre ait l'air de cueillir ces grosses baies.

C'est là qu'un soir, après avoir observé Ruth, j'ai croisé Franny. La place était déserte, et les feuilles avaient commencé à tourbillonner. Je suis restée plantée là à la regarder, à regarder les ridules autour de ses yeux et de sa bouche.

« Pourquoi tu trembles ? » m'a-t-elle demandé.

En dépit de l'air humide et frais, je n'arrivais pas à répondre que c'était à cause de ça.

« Je ne peux pas m'empêcher de penser à ma mère », ai-je dit.

Franny a pris ma main gauche dans les deux siennes et m'a souri.

J'avais envie de l'embrasser légèrement sur la joue ou de lui demander de me prendre dans ses bras, mais au lieu de ça je l'ai regardée s'éloigner dans sa robe bleue. Je savais qu'elle n'était pas ma mère ; impossible de jouer à faire comme si.

J'ai tourné les talons et suis retournée dans le kiosque. J'ai senti l'air humide s'enrouler le long de mes jambes et de mes bras, soulevant, très légèrement, l'extrémité de mes cheveux. J'ai pensé aux toiles d'araignées matinales et à leurs petits bijoux de rosée que, d'un simple mouvement du poignet, je détruisais sans y réfléchir.

Le matin de mon onzième anniversaire, je m'étais réveillée très tôt. Personne d'autre n'était debout, c'était du moins ce que je croyais. Je suis descendue en douce au rez-de-chaussée et j'ai jeté un œil dans la salle à manger où devaient se trouver mes cadeaux.

Mais il n'y avait rien. La table demeurait inchangée depuis la veille. Sauf qu'en me retournant je l'ai vu, posé sur le bureau de ma mère dans le living, ce bureau sophistiqué à la surface toujours propre surnommé « le bureau aux factures ». Entouré de papier de soie mais pas encore emballé, il y avait là l'appareil photo que j'avais demandé d'une petite voix plaintive, tellement j'étais sûre qu'ils ne me l'offriraient pas. Je me suis avancée et je l'ai fixé. C'était un Instamatic, avec trois pellicules et une boîte de quatre ampoules carrées posées à côté. Mon premier appareil, mon kit de départ pour mon futur métier : photographe d'animaux sauvages.

J'ai regardé autour de moi. Personne. Puis j'ai vu à travers les stores de la façade – ma mère les gardait toujours à demi ouverts « pour qu'ils soient accueillants mais discrets » – que Grace Tarking, une voisine qui fréquentait une école privée, marchait avec des poids d'exercice fixés aux chevilles. Je me suis dépêchée de glisser un film dans l'appareil pour la pister, comme je m'imaginais être amenée à le faire plus tard quand il me faudrait mitrailler les éléphants et les rhinocéros sauvages. Ici je me cachais derrière des stores et des fenêtres, là-bas ce seraient de hauts roseaux. J'étais tranquille, voire furtive, m'imaginais-je, tenant le long ourlet de ma chemise de nuit en pilou dans ma main libre. J'ai suivi ses mouvements au-delà de notre living, du couloir, jusque dans le bureau, de l'autre côté. Alors que je regardais sa silhouette disparaître, j'ai été prise d'un coup de folie ; je me suis précipitée dans le jardin, où je pourrais la voir sans les barrières.

Courant sur la pointe des pieds vers l'arrière de la maison, c'est alors que j'ai trouvé la porte de la véranda grande ouverte.

À la vue de ma mère, j'en ai complètement oublié Grace Tarking. J'aimerais pouvoir l'expliquer mieux que ça, mais je ne l'avais jamais vue assise aussi calme, tellement *ailleurs*, en un sens. Elle était assise de l'autre côté de la véranda protégée par une moustiquaire, sur une chaise métallique pliante, face au jardin. Elle tenait à la main une soucoupe sur laquelle était posée l'habituelle tasse de café. Ce matin-là, pas de traces de rouge à lèvres, puisqu'il n'y en a pas eu jusqu'à ce jour où elle a décidé d'en mettre pour… qui ? Je n'avais jamais songé à poser la question. Mon père ? Nous ?

Près de la vasque pour oiseaux, Holiday haletait avec bonheur. Il ne m'avait pas remarquée. Il regardait ma mère dont le regard fixe filait vers l'infini. Elle n'était pas ma mère à cet instant-là, mais quelque chose séparé de moi. J'ai regardé cette personne que j'avais toujours vue comme ma mère, et j'ai remarqué la douce peau poudrée de son visage, poudrée sans maquillage, douce sans artifice. Ses sourcils et ses yeux formaient un ensemble. « Des yeux couleur océan », disait mon père quand il voulait une de ses cerises Mon Chéri qu'elle cachait dans le placard à alcools en guise de récompense secrète. Maintenant je comprenais l'allusion. Je croyais que c'était parce qu'ils étaient bleus, mais je voyais bien à présent que c'était parce qu'ils étaient d'une profondeur effrayante. Instinctivement, sans réfléchir, avant que Holiday ne me voie ou ne me sente, avant que la brume humide de rosée planant sur l'herbe ne s'évapore, et que la mère qui sommeillait en elle ne se réveille comme elle le faisait chaque matin, j'ai senti qu'il me fallait la photographier avec mon nouvel appareil.

Quand les photos sont revenues du labo Kodak dans une lourde enveloppe reconnaissable, j'ai tout de suite vu la différence. Il y avait une seule photo sur laquelle ma mère était Abigail. C'était la première, celle prise en cachette, celle volée avant que le déclic ne la transforme en mère de la fille dont c'était l'anniversaire, la propriétaire de l'heureux chien, l'épouse du mari aimant, et aussi en mère d'une deuxième fille ainsi que d'un fils adoré. Grillon du foyer. Jardinière. Voisine souriante. Les yeux de ma mère étaient des océans. Je croyais que j'avais la vie devant moi pour les comprendre, alors que je n'ai eu que cette journée-là. Durant ma vie sur Terre, je l'ai vue une fois sous les traits d'Abigail, puis je l'ai laissée m'échapper sans la retenir ; mon désir de l'avoir à moi en tant que mère, d'être enveloppée de son amour de mère, avait pris le pas sur ma fascination.

J'étais dans le kiosque, occupée à penser à la photo et à ma mère quand Lindsey s'est levée, au beau milieu de la nuit. Elle a traversé discrètement le couloir. Je l'ai regardée comme j'aurais regardé au cinéma un cambrioleur tourner autour d'une maison. Je savais que, quand elle mettrait la main sur la poignée de ma porte, celle-ci s'ouvrirait. Je savais qu'elle entrerait, mais qu'y ferait-elle ? Mon territoire privé était devenu un *no man's land* au beau milieu de notre maison. Ma mère n'y avait touché à rien. Mon lit était resté défait depuis ce matin du jour de ma mort où j'étais partie en quatrième vitesse. Mon hippopotame à fleurs, ainsi qu'une tenue que j'avais rejetée avant de choisir les pattes d'eph' jaunes, étaient étalés sur les draps et les oreillers.

Lindsey traversa la douce descente de lit, puis toucha la jupe bleu marine et le gilet crocheté rouge et bleu, roulés en boules séparées et chaleureusement méprisés. Elle possédait un gilet orange et vert sur le même modèle. Elle a pris celui-là et l'a étalé à plat sur le lit en le lissant. Il était moche et précieux à la fois. Je voyais ça très clairement. Elle le tapota.

Lindsey suivit du doigt le contour du plateau doré, rempli de pin's des élections et du collège que je gardais sur ma commode. Mon préféré était un pin's rose clamant : « Faites l'amour pas la guerre », que j'avais trouvé sur le parking du lycée. J'avais dû promettre à ma mère de ne pas le porter. Je conservais beaucoup de pin's sur ce plateau et aussi épinglés à un fanion géant de l'université de l'Indiana, où mon père avait fait ses études. J'aurais cru qu'elle les volerait – ou qu'elle en porterait un ou deux – mais non. Elle ne les a même pas pris. Elle a simplement effleuré du bout des doigts toutes les choses posées sur le plateau. Puis elle a vu ce minuscule coin blanc qui pointait en dessous. Elle a tiré dessus.

C'était la photo.

Elle a expiré profondément et s'est assise par terre, la bouche encore ouverte, la photo à la main. Des liens se sont arrachés, ils ont fouetté autour d'elle comme une toile de tente détachée de ses piquets. Tout comme moi jusqu'au matin de cette photo, elle n'avait jamais vu la mère étrangère, seulement les photos prises juste après. Ma mère avait l'air fatigué mais souriant. Ma mère et Holiday debout devant le cornouiller, avec le soleil qui transperçait sa robe de chambre et sa chemise de nuit. Alors que j'aurais voulu être la seule dans la maison à savoir que ma mère était aussi quelqu'un d'autre, quelqu'un de mystérieux qui nous était inconnu.

Ma première apparition eut lieu par accident, le 23 décembre 1973.

Buckley dormait. Ma mère avait emmené Lindsey chez le dentiste. Cette semaine-là, ils s'étaient mis d'accord pour faire en sorte que la famille avance tant bien que mal, un jour à la fois. Mon père s'était donné pour tâche de nettoyer la chambre d'amis, à l'étage, devenue depuis longtemps son bureau.

Son propre père lui avait montré comment mettre des bateaux en bouteille. Ma mère, ma sœur et mon frère s'en fichaient pas mal ; par contre, moi, j'adorais ça. Le bureau en était plein.

Toute la journée, mon père comptait des chiffres – zèle rétribué par la compagnie d'assurances Chadds Ford – et le soir, pour se détendre, il construisait les bateaux ou lisait des livres sur la guerre de Sécession. Il m'appelait chaque fois qu'il s'apprêtait à monter la voile. À ce stade-là, le bateau était totalement assemblé et collé au fond de la bouteille. J'entrais et mon père me demandait de refermer la porte. Il me semblait que la cloche du souper retentissait souvent immédiatement, comme si ma mère avait eu un sixième sens pour déceler ce dont elle était exclue. Mais quand ce sens lui faisait défaut, mon boulot était de tenir la bouteille.

« Tiens-la bien, me disait-il, tu es mon second. »

Il tirait doucement sur la seule ficelle qui sortait encore du goulot et voilà que les voiles se soulevaient toutes ensemble et que se déployait sous nos yeux un vrai clipper. On avait notre bateau. Impossible pour moi d'applaudir, puisque je tenais la bouteille mais, à chaque fois, j'en avais envie. Ensuite, mon père œuvrait vite, brûlant le bout de ficelle à l'intérieur de la bouteille avec un cintre chauffé à la bougie. S'il ne le faisait pas correctement, le bateau serait fichu, ou pis encore, les minuscules voiles en papier prendraient feu et tout à coup, dans un vouf géant, j'aurais entre les mains une bouteille enflammée. Par la suite, puisque ni Lindsey ni Buckley ne partageaient ma fascination, mon père m'a remplacée par un support en balsa. Finalement, ayant échoué à motiver les trois membres restants de la famille, il abandonnerait et préférerait se retirer dans son bureau. Pour eux, tous les bateaux en bouteille se valaient.

Mais en les nettoyant ce jour-là, il m'a parlé.

« Susie, mon bébé, ma petite matelote, tu as toujours préféré les plus petits. »

Je l'ai regardé aligner les bouteilles sur son bureau, après les avoir descendues des étagères où elles étaient généralement posées. Il s'est servi d'un vieux chemisier de ma mère déchiré en lanières, et a entrepris d'épousseter les rayonnages. Sous son bureau, il y avait des rangées entières de bouteilles vides amassées en prévision de nos futures constructions. Dans le placard, il y en avait encore d'autres bateaux – ceux qu'il avait construits avec son père, ceux qu'il avait construits seul, et puis ceux qu'on avait construits ensemble. Certains étaient parfaits, mais leurs voiles avaient bruni ; certains s'étaient affaissés ou avaient basculé au fil des années. Puis il y avait celui qui avait pris feu la semaine précédant ma mort.

C'est celui-là qu'il a écrasé en premier.

Mon cœur a fait un bond. Il s'est retourné et a vu tous les autres, les années dont ils étaient le symbole, et les mains qui les avaient tenus. Celles de son père mort, celles de son enfant morte. Je l'ai regardé écraser tout ça. Il a baptisé les murs et la chaise en bois avec la nouvelle de ma mort, puis il s'est planté au milieu du bureau jonché de débris de verre. Les bouteilles étaient toutes cassées par terre, les voiles et les coques des bateaux balancées au milieu. Il était debout au milieu des décombres. C'est alors que, sans savoir comment, je suis apparue. Dans chaque morceau de verre, dans chaque tesson et dans chaque éclat, j'ai projeté mon visage. Mon père a regardé autour de lui comme un fou. Ça n'a duré qu'une seconde, après quoi, j'ai disparu. Il est resté silencieux un moment puis il a ri, un hurlement venu du fond du ventre. Il a ri tellement fort et profond que ça m'a secouée, dans mon paradis.

Il a quitté la pièce et il est parti deux portes plus loin, vers ma chambre. Le couloir est minuscule et ma porte, comme toutes les autres, assez fragile pour qu'on la traverse d'un seul coup de poing. Alors qu'il était sur le point de faire éclater le miroir au-dessus de ma commode et de déchirer le papier peint avec ses ongles, il s'est écroulé sur mon lit en sanglotant, ses mains crispées sur les draps lavande roulés en boule.

« Papa ? » a demandé Buckley. Mon frère avait la main sur la poignée.

Mon père s'est retourné mais il était incapable d'arrêter ses larmes. Il a glissé par terre avec les draps encore entre ses poings serrés, puis il a ouvert les bras. Il a dû demander deux fois à mon frère de venir vers lui, une grande première, mais finalement, Buckley s'est approché.

Mon père l'a enveloppé dans les draps qui avaient encore mon odeur. Il s'est souvenu du jour où je l'avais supplié de peindre ma chambre en violet. Il s'est souvenu d'avoir empilé les vieux *National Geographic* sur les étagères au bas de ma bibliothèque (je voulais me plonger dans la photographie d'animaux sauvages). S'est souvenu de l'époque où il n'y avait qu'un enfant dans la maison, pendant le peu de temps qui avait précédé la naissance de Lindsey.

« Je t'aime très fort, bonhomme », a dit mon père en s'accrochant à lui.

Buckley s'est écarté et a regardé le visage chiffonné de mon père, les fines taches luisantes de larmes au coin de ses yeux. Il a hoché la tête, l'air sérieux, et lui a embrassé la joue. Quelque chose de tellement céleste que personne au paradis n'aurait pu l'inventer ; le soin qu'un enfant prenait d'un adulte.

Mon père a enroulé les draps autour des épaules de Buckley et s'est souvenu du lit à baldaquin dont je tombais régulièrement la nuit pour me retrouver sur le tapis. Depuis son bureau, dans sa chaise verte où il lisait un livre, le bruit produit par la chute de mon corps sur le sol le surprenait à chaque fois. Il se levait et parcourait la courte distance qui le séparait de ma chambre. Il aimait me regarder profondément endormie, préservée des cauchemars et même du plancher. À ces moments-là, il jurait que ses enfants seraient des rois, des artistes, des médecins ou des photographes d'animaux sauvages. Tout ce qu'ils rêveraient d'être.

Quelques mois avant mon décès, il m'avait retrouvée ainsi sauf que, cette fois, coincé avec moi dans les draps, il y avait Buckley en pyjama. Endormi contre mon dos, son ours dans les bras, il suçait son pouce. Mon père avait senti à ce moment-là le premier signe de la triste et étrange mortalité de la paternité. Il avait donné naissance à trois enfants, un nombre qui d'ores et déjà le calmait. Quoi qu'il arrive à Abigail ou à lui, ces trois-là seraient là l'un pour l'autre. De cette manière, la lignée qu'il avait créée lui semblait immortelle, comme un solide filament d'acier autour d'un filin lancé vers l'avenir ; elle lui survivrait où qu'il soit, y compris dans le très grand âge.

Dorénavant, il retrouverait sa Susie dans son jeune fils. Donnerait cet amour aux vivants. Il se le dit – se le dit à voix haute dans sa tête – mais ma présence était pour lui comme une secousse, ça le ramenait tellement tellement loin. Il fixa le garçonnet qu'il tenait dans ses bras. « *Qui es-tu ?* lui demanda-t-il. *D'où tu viens ?* »

J'ai regardé mon frère et mon père. La vérité était très différente de ce qu'on avait appris à l'école : la frontière entre les vivants et les morts pouvait être fameusement trouble et floue.

4

Durant les heures qui ont suivi mon meurtre, tandis que ma mère passait des coups de fil et que mon père entreprenait de me chercher de porte en porte, Mr. Harvey a comblé le trou dans le champ de maïs et emporté un sac rempli des morceaux de mon corps. Il est passé à deux maisons de l'endroit où mon père s'était planté pour parler avec Mr. et Mrs. Tarking. Il était resté sur la ligne de démarcation qui séparait les deux haies en conflit, le buis des O'Dwyer et la verge d'or des Stead. Son corps a effleuré les épaisses feuilles vertes, laissant des traces de moi derrière lui, des odeurs que le chien des Gilbert remarquerait et suivrait pour découvrir mon coude, des odeurs que la neige fondue et la pluie des prochains jours laveraient avant même que l'on songe aux chiens policiers. Et il m'a ramenée chez lui, où je l'ai attendu pendant qu'il allait se laver.

Les futurs nouveaux propriétaires feraient la moue devant la tache sombre imprégnée dans le sol de leur garage. Lorsqu'elle faisait visiter les éventuels acheteurs, l'agent immobilier racontait que c'était une tache d'huile, alors que c'était moi, coulant du sac que Mr. Harvey avait porté, qui m'étais déversée sur le béton. Le début de mes signaux secrets adressés au monde.

Il me faudrait quelque temps avant de comprendre ce que vous avez sans doute déjà compris : je n'étais pas sa première victime. Il savait qu'il ne devait pas laisser mon corps dans le champ. Il savait qu'il devait faire attention à la météo et tuer durant cette percée lumineuse qui précède les fortes pluies, de façon à priver la police de preuves. Mais il n'était pas aussi méticuleux que cette dernière se plaisait à le croire. Il avait oublié mon coude, s'était servi d'un sac de toile pour transporter quelque chose de sanguinolent et si quelqu'un, n'importe qui, même un de ces enfants qui aimaient bien se raconter que les haies recelaient une cachette, si ce quelqu'un avait mieux observé, il aurait trouvé étrange que le voisin se faufile dans ce passage si étroit.

Tandis qu'il se frottait le corps dans l'eau brûlante de sa salle de bains – dont l'agencement était rigoureusement identique à celui qui était familier à Lindsey, Buckley et moi-même – ses mouvements étaient lents, absolument pas nerveux. Un grand calme l'a envahi. Il n'a pas allumé la lumière dans la salle de bains, a senti l'eau chaude m'emporter, et c'est alors qu'il a repensé à moi. Mon cri étouffé dans son oreille. Mon exquis grognement d'agonisante. Ma superbe peau blanche qui n'avait jamais vu le soleil, on aurait dit celle d'un bébé, qui s'était fendue avec une telle perfection sous la lame de son couteau. Il a tremblé sous l'effet de la chaleur, et une démangeaison délicieuse lui a donné la chair de poule. Il m'avait fourrée dans un sac en tissu paraffiné et avait balancé dedans la mousse à raser et le rasoir posés auparavant sur l'étagère de boue séchée, son livre de sonnets, et pour finir le couteau ensanglanté. Ils étaient mélangés avec mes genoux, mes doigts et mes orteils, mais il s'était rappelé de les enlever avant que mon sang n'épaississe, plus tard ce même soir. Le couteau et les sonnets, il avait au moins sauvegardé ça.

Lors de l'office du soir, il y avait toutes sortes de chiens. Et certains d'entre eux, ceux que je préférais, levaient la tête quand ils sentaient quelque chose d'intéressant dans l'air. Soit ils ne reconnaissaient pas l'odeur soit, au contraire, ils l'identifiaient avec précision (leur cerveau signalant « hmm, steak tartare »), mais dans les deux cas, si elle était assez forte, ils la pistaient jusqu'à en trouver la source. Une fois parvenus au but, ils décideraient de la marche à suivre face à l'objet lui-même, face aux origines de l'histoire. C'est comme ça qu'ils fonctionnaient. Ils n'écartaient pas leur désir de savoir juste parce que l'odeur était mauvaise ou l'objet dangereux. Ils étaient en chasse. Moi aussi.

Mr. Harvey a emporté le sac orange paraffiné contenant mes restes vers une doline, à une dizaine de kilomètres de chez nous, un endroit où, jusque récemment, il n'y avait rien excepté la voie de chemin de fer et un réparateur de motos à côté. Dans sa voiture il écoutait une station de radio qui, en décembre, passait des chants de Noël en boucle. Il sifflotait dans son énorme camionnette, réjoui et gavé. Tarte aux pommes, cheeseburger, glace, café. Rassasié. Il allait de mieux en mieux à présent ; il ne suivait jamais un vieux schéma susceptible de l'ennuyer mais il faisait de chaque meurtre une surprise, un cadeau qu'il s'offrait à lui-même.

L'air à l'intérieur de la camionnette était tellement froid et limpide que je voyais de la vapeur sortir par sa bouche, et ça me donnait envie de sentir en moi mes propres poumons, maintenant durs comme la pierre.

Il conduisait le long de l'étroite route qui passait entre deux nouvelles zones industrielles. La camionnette a fait une embardée en sortant d'un nid-de-poule particulièrement profond, et le coffre-fort contenant le sac où était mon corps a heurté le moyeu central de la roue arrière de la camionnette, dont elle a rayé le revêtement. « Merde ! » a lancé Mr. Harvey. Puis il s'est remis à siffler, sans s'arrêter.

J'avais souvenir d'être descendue le long de cette route avec mon père au volant et Buckley lové contre moi – on partageait la ceinture de sécurité pour deux – comme si on était en cavale.

Mon père a demandé si on voulait regarder disparaître un Frigidaire.

« La terre va l'avaler ! » nous a-t-il lancé. Il a mis son chapeau et ses gants en *cordouan* foncés que je convoitais. Je savais que, contrairement aux moufles, ces derniers signifiaient qu'on était adulte (pour Noël 1973, ma mère m'avait acheté une paire de gants. Lindsey en hériterait, tout en sachant que c'étaient les miens. Elle les laisserait au bord du champ de maïs, un jour, en rentrant de l'école. Elle m'apportait souvent des choses).

« Est-ce que la terre a une bouche ? a demandé Buckley.

– Une grande bouche ronde mais pas de lèvres, a répondu mon père.

– Arrête, Jack ! a dit ma mère en riant. Tu sais que je l'ai retrouvé dehors à grogner devant les gueules-de-loup ?

– Je viens », ai-je lancé. Mon père m'avait dit qu'il y avait là une mine souterraine abandonnée, et qu'en s'effondrant elle avait crée une doline. Je m'en fichais ; comme tout le monde j'aimais voir la terre avaler des choses.

Alors quand j'ai vu Mr. Harvey m'emmener vers la doline, impossible de ne pas saluer son intelligence : il avait enfermé le sac dans un coffre-fort en métal et voulait me déposer au milieu de toute cette masse de terre.

Il faisait nuit quand il est arrivé, et il a laissé le coffre-fort dans la camionnette pendant qu'il s'approchait de la maison des Flanagan ; ils vivaient sur la propriété où se trouvait la doline et gagnaient leur vie en faisant payer les gens qui y déposaient leurs objets encombrants.

Mr. Harvey a frappé à la porte de la petite maison blanche qu'une femme est venue ouvrir. L'odeur d'agneau et de romarin a empli mon paradis et frappé les narines de Mr. Harvey tandis qu'il ressortait par la porte de derrière.

« Bonsoir, monsieur, vous nous apportez quelque chose ? a demandé Mrs. Flanagan.

– C'est à l'arrière de ma camionnette », a répondu Mr. Harvey. Il avait un billet de vingt dollars en main.

« Vous avez quoi là-dedans, un cadavre ? » a-t-elle ajouté en plaisantant.

Elle n'y croyait pas, bien sûr. Elle vivait dans une maison petite mais chaleureuse. Elle avait un mari qui était toujours à la maison pour réparer des objets et être gentil avec elle parce qu'il n'avait jamais eu à travailler, et elle avait un fils encore suffisamment jeune pour penser que sa mère était la septième merveille du monde.

Lorsqu'un sourire a éclairé le visage de Mr. Harvey, je n'ai pas détourné les yeux.

« C'est le vieux coffre-fort de ma mère, j'ai fini par l'apporter, a-t-il dit. Ça fait des années que je veux le faire. Plus personne ne se souvient du code.

– Y a quelque chose dedans ?

– De l'air vicié.

– Reculez jusqu'ici. Vous avez besoin d'aide ?

– Ce serait super. »

Les Flanagan n'ont jamais imaginé un seul instant que l'adolescente dont on parlait dans les journaux – UNE DISPARUE, ON SOUPÇONNE UN ACTE CRIMINEL ; LE COUDE A ÉTÉ RETROUVÉ PAR LE CHIEN DES VOISINS ; UNE JEUNE FILLE DE QUATORZE ANS PROBABLEMENT TUÉE DANS LE CHAMP DE MAÏS STOLFUZ ; LES AUTRES JEUNES FILLES SONT INVITÉES À SE MÉFIER ; LA MAIRIE DOIT EXPLORER LES TERRAINS JOUXTANT LE COLLÈGE ; LINDSEY SALMON, SŒUR DE LA DÉFUNTE, OFFRE UN DISCOURS D'ADIEU – que cette adolescente pouvait se trouver dans le coffre-fort de métal gris qu'un homme solitaire avait apporté un soir en donnant vingt dollars pour qu'on l'enterre.

En retournant vers la camionnette, Mr. Harvey a mis les mains dans ses poches. Il y a trouvé mon bracelet avec les breloques. Il ne se souvenait pas de me l'avoir ôté du poignet. Ne se souvenait pas de l'avoir enfoncé dans la poche de son pantalon propre. Il l'a tripoté, la pulpe de son index effleurant le métal doré et lisse de la breloque porte-bonheur de Pennsylvanie, l'arrière du chausson de danse, le trou du dé à coudre miniature, et les rayons du vélo dont les roues tournaient. Le long de la route 202, il s'est garé sur le bas-côté, a mangé un sandwich au pâté de foie qu'il s'était préparé plus tôt dans la journée, puis s'est dirigé vers une zone industrielle en construction, au sud de

Downingtown. Il n'y avait personne en vue. À cette époque, il n'y avait pas encore de vigiles dans les banlieues résidentielles. Il a garé sa voiture près des toilettes de chantier installées là. Son excuse était toute prête dans l'éventualité, par ailleurs peu probable, où il lui en faudrait une.

C'était à cette partie des conséquences que j'ai pensé en revoyant Mr. Harvey – comment il avait marché le long des excavations boueuses et s'était perdu au milieu des bulldozers assoupis, leur masse monstrueuse dressée dans l'obscurité effrayante. Le lendemain soir de ma mort, le ciel de la Terre était bleu foncé et, dans cet espace ouvert, Mr. Harvey voyait à des kilomètres à la ronde. J'ai choisi de me lever avec lui, de voir ces kilomètres à la ronde comme lui les voyait. Je voulais suivre ses pas. La neige avait cessé de tomber. Il y avait du vent. Il a marché vers ce que son savoir-faire de constructeur lui avait indiqué comme en passe de devenir un lac artificiel, et il est resté debout là, à caresser les breloques une dernière fois. Il aimait la breloque porte-bonheur de Pennsylvanie, que mon père avait fait graver à mes initiales – ma préférée étant le minuscule vélo – et l'a enlevée pour la glisser dans sa poche. Dans le futur lac artificiel, il a jeté le bracelet avec les breloques restantes.

Deux jours avant Noël, j'ai regardé Mr. Harvey lire un livre sur les Dogon et les Bambara du Mali. J'ai vu l'étincelle vive d'une idée le traverser tandis qu'il se documentait sur la toile et les cordes dont ces peuples se servaient pour construire des abris. Il a décidé qu'il voulait construire encore, refaire la même expérience que celle du trou, et il a choisi une tente de cérémonie, identique à celles décrites dans le livre. Il réunirait des matériaux simples et la monterait en quelques heures, dans son jardin.

C'est là que mon père l'a trouvé, peu après avoir brisé tous les bateaux en bouteille.

Il faisait froid dehors, mais Mr. Harvey portait un simple tee-shirt en coton. Il venait d'avoir trente-six ans et de s'acheter des lentilles de contact dures. Du coup ses yeux étaient perpétuellement injectés de sang et de nombreuses personnes, dont mon père, pensaient qu'il s'était mis à boire.

« C'est quoi ? » a demandé celui-ci.

En dépit de la faiblesse cardiaque de la branche mâle des Salmon, mon père était robuste. Il était plus grand que Mr. Harvey. C'est pourquoi, quand il a contourné la maison aux bardeaux verts pour pénétrer dans le jardin, d'où il a vu son voisin montant des trucs qui ressemblaient à des poteaux de but, il donnait une impression de solidité et de compétence. Il était sonné de m'avoir vue dans le verre éparpillé. Je l'ai regardé traverser la pelouse, d'un pas aussi tranquille que celui des élèves sur la route du collège. Il s'est arrêté là où sa paume aurait pu effleurer la haie de sureau de Mr. Harvey.

« C'est quoi ? » a-t-il redemandé.

Mr. Harvey s'est arrêté le temps de le regarder, puis il est retourné à son travail.

« Une canadienne.

– C'est quoi ?

– Mr. Salmon, je suis désolé pour votre fille. »

Se ressaisissant, mon père a répondu ce que le rituel exigeait qu'il réponde.

« Merci. » On aurait dit qu'il avait un chat dans la gorge.

Il y a eu un moment de tranquillité puis, sentant que mon père n'avait pas la moindre intention de partir, Mr. Harvey lui a demandé s'il voulait bien l'aider.

Et c'est comme ça que, depuis mon paradis, j'ai regardé mon père monter une tente avec mon meurtrier.

Mon père n'a pas appris grand-chose, à part comment attacher des arceaux sur des poteaux fourchus, et comment croiser d'autres arceaux avec ceux-là. Il a appris à assembler les extrémités des tiges et à les attacher aux barres transversales. Il a appris qu'il faisait ça parce que Mr. Harvey, après s'être documenté sur la tribu des Imezzureg, avait voulu reproduire une de leurs tentes. Il était debout, confirmé dans l'opinion du voisinage sur la bizarrerie de cet homme. Jusque-là, rien de plus.

Mais quand la structure de base a été terminée – ce fut l'affaire d'une heure – Mr. Harvey s'est dirigé vers la maison sans donner de raison. Mon père a cru que c'était pour faire une pause, que Mr. Harvey était parti chercher du café ou préparer du thé.

Il se trompait. Mr. Harvey est entré dans la maison, a monté l'escalier pour vérifier si le couteau était bien dans sa chambre à coucher. Il était encore sur la table de nuit, à côté de son carnet de croquis où souvent, au milieu de la nuit, il dessinait ce qu'il avait vu en rêve. Il a regardé à l'intérieur du sac en papier froissé. Sur la lame, mon sang était devenu noir. Le souvenir de ce sang, et de son geste, lui rappela ce qu'il avait lu à propos d'une tribu bien particulière dans le sud de l'Ayr. Comment, quand une tente était fabriquée pour des jeunes mariés, les femmes de la tribu tissaient pour eux un drap aussi somptueux que possible.

Il s'était mis à neiger. C'était la première neige depuis ma mort, ce que mon père n'a pas manqué de remarquer.

« Je t'entends, ma chérie, m'a-t-il dit alors que je ne parlais pas. Qu'est-ce qu'il y a ? »

Je me suis concentrée très fort sur le géranium mort placé dans son champ de vision. Je me suis dit que si je parvenais à le faire refleurir, il aurait sa réponse. Dans mon paradis il a fleuri. Dans mon paradis des pétales de géranium se sont entassés jusqu'à ma taille. Sur Terre il ne s'est rien passé.

Mais à travers la neige, j'ai remarqué que mon père regardait vers la maison verte d'une autre manière. Il s'interrogeait.

Mr. Harvey avait enfilé une grosse chemise en pilou, mais ce que mon père a remarqué en premier, c'était ce qu'il avait dans les bras : une pile de draps en coton blanc.

« C'est quoi ? » a demandé mon père. Tout à coup, il n'arrêtait pas de voir mon visage.

« Des bâches », a répondu Mr. Harvey. Quand il en a tendu une pile à mon père, le revers de sa main a touché ses doigts. On aurait dit un choc électrique.

« Vous savez quelque chose », a dit mon père.

Mr. Harvey a croisé son regard, l'a soutenu mais sans rien dire.

Ils ont travaillé ensemble sous la neige qui tombait, légère, aérienne. Et tandis que mon père s'activait, son adrénaline montait. Il a passé en revue ce qu'il savait déjà. Est-ce que quiconque avait demandé à cet homme où il était le jour de ma disparition ? Est-ce que quiconque avait vu cet homme dans le champ de maïs ? Il savait que ses voisins avaient été questionnés. La police s'était présentée méthodiquement de porte en porte.

Mon père et Mr. Harvey avaient étalé une partie des draps sur l'arc de cercle en forme de dôme, les accrochant le long des barres transversales qui reliaient les poteaux fourchus. Puis ils accrochèrent le restant directement à ces barres transversales, de façon que le bas de la toile effleure le sol.

Quand ils eurent fini, la neige s'était posée avec précaution sur les arcs de cercle recouverts. Elle remplissait les creux de la chemise de mon père et formait une ligne sur le dessus de sa ceinture. J'avais mal. Je me suis rendu compte que plus jamais je ne me précipiterais dans la neige avec Holiday, que plus jamais je ne pousserais Lindsey sur une luge, et que jamais je ne pourrais montrer à mon petit frère, même si c'est mal, comment faire une boule de la neige en la compressant dans le creux de sa paume. J'étais seule au milieu d'une mer de pétales colorés. Sur Terre, les flocons de neige tombaient doucement et sans blâme, on aurait dit un rideau qui descendait.

Debout à l'intérieur de la tente, Mr. Harvey pensait à l'épouse vierge que l'on amenait sur un chameau à un membre de la tribu des Imezzureg. Quand mon père a fait un mouvement vers lui, Mr. Harvey a relevé la paume.

« Ça suffit maintenant, a-t-il dit, pourquoi vous ne rentrez pas chez vous ? »

C'était le moment pour mon père de penser à ce qu'il devait dire. Mais il ne lui est venu qu'un seul mot. « Susie », a-t-il chuchoté, la seconde syllabe évoquant singulièrement le sifflement d'un serpent.

« On a monté une tente ensemble, a dit Mr. Harvey. Les voisins nous ont vus. On est amis, à présent.

– Vous savez quelque chose, a dit mon père.

– Rentrez chez vous. Je ne peux rien faire pour vous. »

Mr. Harvey n'a pas souri, il n'a pas non plus avancé d'un pas. Il s'est retiré dans la tente nuptiale et a laissé retomber le dernier drap en coton blanc brodé d'un monogramme.

5

Une partie de moi espérait une prompte revanche, voulait que mon père devienne l'homme enragé et violent qu'il n'aurait jamais pu être. C'est ce que l'on voit dans les films, c'est ce qui arrive dans les livres que lisent les gens. Un homme ordinaire prend un fusil ou un couteau et pourchasse la famille du meurtrier ; il se la joue Charles Bronson et tout le monde acclame.

Mais voici comment cela s'est *vraiment* passé.

Chaque matin il se levait. Avant que le sommeil ne s'enfuie, il était celui qu'il avait toujours été. Puis, tandis que sa conscience s'éveillait, c'était comme si du poison pénétrait à l'intérieur de lui. Au début, il ne pouvait même pas se lever. Il restait étendu là, comme écrasé par un poids énorme. Mais ensuite, seul le mouvement pouvait le sauver, et il n'en finissait pas de bouger ; il n'en avait jamais assez. La culpabilité pesait sur lui, la main de Dieu s'appesantissait. *Tu n'étais pas là quand ta fille a eu besoin de toi*, lui semblait-il entendre.

Avant que mon père ne parte chez Mr. Harvey, ma mère s'était assise dans le couloir à côté de la statue de saint François qu'ils avaient achetée. À son retour, elle n'y était plus. Il l'avait appelée, avait prononcé son nom trois fois comme s'il avait souhaité qu'elle n'apparaisse pas, puis il avait grimpé l'escalier vers son bureau et noté des choses dans un petit carnet à spirale. « Un buveur ? Qu'il boive alors. Peut-être que cela le fera causer ? » Ensuite il a écrit ceci : « Je pense que Susie me regarde. » Dans mon paradis j'étais ravie. J'ai serré Holly dans mes bras, puis Franny. Mon père sait, me suis-je dit.

Puis Lindsey a claqué la porte d'entrée plus fort que d'ordinaire, et mon père lui a été reconnaissant de faire du bruit. Il avait peur de poursuivre ses notes, d'écrire les mots. La porte claquée a résonné le long de l'étrange après-midi qu'il venait de passer et l'a ramené vers le présent, vers l'activité à laquelle il avait besoin de se consacrer afin de ne pas se noyer. Je comprenais ; je ne dis pas que je n'avais pas de rancune, et que ça ne me rappelait pas les dîners où je devais écouter Lindsey raconter à mes parents l'interro qu'elle avait si bien réussie, ou bien comment le prof d'histoire allait la recommander pour les félicitations, mais Lindsey était vivante, et les vivants méritent aussi que l'on fasse attention à eux.

Elle a monté l'escalier d'un pas lourd. Ses sabots ont heurté les lattes en pin de l'escalier et secoué la maison.

Je lui avais peut-être envié l'attention de mon père, mais je respectais sa façon de vivre la situation. De tous les membres de la famille, c'était elle qui devait affronter ce que Holly nommait le Syndrome des Morts Vivants, quand les autres voient en vous la personne décédée.

Quand les gens, y compris mon père ou ma mère, regardaient Lindsey, c'est moi qu'ils voyaient. Elle-même n'était pas immunisée. Elle évitait les miroirs. Ces derniers temps, elle se lavait dans l'obscurité.

Sortie de la cabine de douche, elle tâtonnait vers le porte-serviette. Dans le noir, elle était en sécurité – la vapeur humide qui semblait sortir des carrelages l'enfermait. Que la maison soit calme ou pleine de murmures, elle savait qu'elle ne serait pas dérangée. C'était le moment où elle pouvait penser à moi et elle le faisait de deux façons : soit elle pensait le mot *Susie* et elle pleurait en laissant ses larmes rouler le long de ses joues déjà mouillées, sachant que personne ne la verrait ni ne quantifierait cette substance généreuse de chagrin ; ou alors elle imaginait que je m'échappais, qu'elle se faisait prendre à ma place et qu'elle parvenait à se libérer. Elle repoussait la lancinante question : *Où est Susie à présent ?*

Mon père a écouté Lindsey dans sa chambre. Bang, la porte claquée. Boum, ses livres balancés par terre. Couic, son corps tombant sur le lit. Ses sabots, boum, boum, ont été balancés par terre aussi. Quelques minutes plus tard, il était de l'autre côté de la porte.

« Lindsey », a-t-il dit en toquant.

Pas de réponse.

« Lindsey, je peux entrer ?

– Va-t'en, fut sa réponse catégorique.

– Allez, s'il te plaît ma chérie, a-t-il supplié.

– Va-t'en !

– Lindsey, a dit mon père en inspirant bruyamment, pourquoi tu ne peux pas me laisser entrer ? » Il a posé doucement le front contre la porte. Le bois lui offrait de la fraîcheur et, l'espace d'une seconde, il a oublié ses tempes qui battaient, ainsi que le soupçon obsédant qui à présent tournait dans sa tête. *Harvey, Harvey, Harvey.*

En chaussettes, Lindsey s'est dirigée silencieusement vers la porte. Elle a tourné la clé tandis que mon père reculait et se préparait à offrir un visage qui, l'espérait-il, signalerait « Ne t'enfuis pas. »

« Quoi ? » a-t-elle fait. Son visage était rigide, un affront. « Qu'est-ce qu'il y a ?

– Je veux savoir comment tu vas. »

Il a songé au rideau tombant entre lui et Mr. Harvey, comment une certaine obsession ou une adorable accusation étaient perdues pour lui. Ses enfants marchaient dans les rues, allaient à l'école, passant en chemin devant la maison aux bardeaux verts de Mr. Harvey. Il avait besoin de son enfant pour se mettre du baume au cœur.

« J'ai envie d'être seule, dit Lindsey, ça ne se voit pas ?

– Je suis là si tu as besoin de moi.

– Écoute, papa, dit ma sœur en faisant une concession pour lui, je m'en sortirai moi-même. »

Que pouvait il répondre ? Il aurait pu casser le code et dire : « Pas moi, je n'y arrive pas, ne m'oblige pas », mais il est resté planté là pendant une seconde puis a battu en retraite. « Je comprends », a-t-il fini par dire, même si ce n'était pas le cas.

J'avais envie de le soulever et de le porter, comme sur les statues que j'avais vues dans les livres d'histoire de l'art. Une femme qui porte un homme en travers de ses genoux. Le sauvetage à l'envers. La fille disant au père : « Ça va aller. Tu vas t'en sortir. Maintenant, je ne laisserai rien ni personne te faire du mal. »

Au lieu de quoi, je l'ai regardé aller passer un coup de fil à Len Fenerman.

Durant ces premières semaines, la police avait été plus que respectueuse. Les jeunes filles disparues n'étaient pas monnaie courante dans les quartiers chic, à l'époque. Mais sans indication sur l'endroit où se trouvait mon corps ni sur l'identité de mon meurtrier, la police était sur les dents. On finissait toujours par retrouver une preuve matérielle, au bout d'un laps de temps, mais, dans le cas présent, le laps de temps se creusait de jour en jour.

« Je ne veux pas paraître irrationnel, inspecteur Fenerman, a dit mon père.

– Appelez-moi Len, s'il vous plaît. » Glissée dans le coin du buvard sur son bureau, il y avait la photo de classe que Len Fenerman avait prise à ma mère. Il avait su avant tout le monde que j'étais morte.

« Il y a un voisin qui sait quelque chose, j'en suis certain », a dit mon père. Par la fenêtre de son bureau à l'étage, il regardait fixement en direction du champ de maïs. Son propriétaire avait dit à la presse qu'il allait le laisser en jachère pour l'instant.

« C'est qui, et qu'est-ce qui vous fait dire ça ? » a demandé Len Fenerman. Il a pris un petit crayon mâchouillé dans l'encoche métallique sur le devant du tiroir de son bureau. Mon père lui a parlé de la tente, de la façon dont Mr. Harvey lui avait demandé de rentrer chez lui, dont il avait prononcé mon prénom, combien c'était bizarre que, d'après tous les voisins, Mr. Harvey n'ait ni travail stable ni enfants.

« Je vais vérifier », a dit Len Fenerman parce qu'il le fallait. C'était son rôle dans cette chorégraphie. Mais ce que mon père lui avait donné ne pesait pas bien lourd. « Ne parlez à personne et ne vous en approchez plus », l'avertit Len.

Quand mon père raccrocha le téléphone, il se sentit curieusement vide. Épuisé, il ouvrit la porte de son bureau puis la referma tranquillement derrière lui.

Dans le couloir, pour la deuxième fois, il cria le prénom de ma mère : « Abigail. »

Elle était dans la salle de bains du bas, mangeant en cachette les macarons que l'entreprise de mon père nous envoyait toujours pour Noël. Elle les mangeait avec avidité ; c'était comme des soleils éclatant dans sa bouche. L'été où elle était enceinte de moi, elle portait toujours la même robe de grossesse en vichy parce qu'elle refusait de dépenser de l'argent pour en acheter une autre. Elle mangeait tout ce qui lui passait sous la main et disait en se frottant le ventre : « Merci, bébé », tandis que le chocolat lui coulait sur la poitrine.

Il y a eu un coup dans le bas de la porte.

« Maman ? » Elle a fourré les macarons dans l'armoire à pharmacie, avalant ce qui lui restait dans la bouche.

« Maman ? » a répété Buckley. Sa voix était endormie.

« *Maaaaamaaaaaan !* »

Elle méprisait ce mot.

Quand ma mère a ouvert la porte, Buckley s'est cramponné à ses genoux et y a pressé le visage.

Entendant du bruit, mon père a rejoint ma mère dans la cuisine. Tous deux ont trouvé du réconfort à s'occuper de mon petit frère.

« Où est Susie ? » a demandé Buckley tandis que mon père étalait sur du pain du beurre de cacahuète mélangé à de la pâte de marshmallow. Il fit trois tartines. Une pour lui, une pour ma mère, et une pour son fils de quatre ans.

« Est-ce que tu as rangé ton jeu ? » a-t-il demandé à Buckley, sans comprendre pourquoi il persistait à éviter le sujet avec la seule personne qui l'abordait de front.

« Qu'est-ce qu'elle a qui va pas, maman ? » a demandé Buckley. Tous deux ont regardé ma mère dont les yeux étaient tournés vers le bac vide de l'évier.

« Ça te dirait d'aller au zoo cette semaine ? » a demandé mon père. Il se détestait. Détestait l'appât et la tromperie. Mais comment pouvait-il dire à son fils que sa grande sœur gisait peut-être quelque part en petits morceaux ?

Ayant entendu le mot *zoo* et tout ce que ça évoquait – en l'occurrence surtout les *singes* ! – Buckley a avancé un jour de plus sur le chemin ondulant de l'oubli. L'ombre des années n'était pas si grande sur son petit corps. Il savait que j'étais partie, mais les gens qui partaient revenaient toujours.

Quand Len Fenerman était allé frapper chez les voisins, il n'avait rien trouvé d'étonnant à George Harvey. C'était un veuf qui, disait-on, avait prévu d'emménager là avec sa femme. Elle était morte peu de temps avant. Il construisait des maisons de poupée pour des magasins spécialisés et sortait peu. C'était tout ce qu'on savait. Bien que les amitiés n'aient pas exactement fleuri autour de lui, il avait bénéficié de la compassion du voisinage. Chaque pavillon contenait une histoire. Pour Len Fenerman plus spécialement, celle de George Harvey semblait attirante.

Non, dit Mr. Harvey, il ne connaissait pas bien les Salmon. Il avait vu les enfants. Tout le monde savait qui avait des enfants et qui n'en avait pas, a-t-il souligné, la tête baissée et penchée un peu vers la gauche.

« On voit les jouets dans le jardin. Ces maisons-là sont toujours plus vivantes », souligna-t-il, puis il marqua une pause.

« J'ai cru comprendre quc vous aviez eu une conversation avec Mr. Salmon récemment », a dit Len lors de sa seconde visite dans la maison vert foncé.

« Oui, il y a un problème ? » a demandé Mr. Harvey. Il a plissé les yeux en regardant Len, puis il s'est tu. « Je vais chercher mes lunettes, a-t-il ajouté, j'étais occupé sur une maison second Empire, un fameux travail de précision.

– Second Empire ? a demandé Len.

– Maintenant que mes commandes de Noël sont terminées, je peux m'amuser », a répondu Mr. Harvey. Len le suivit vers l'arrière, où une table était poussée contre un mur. Des douzaines de ce qui semblait être des lambris miniatures étaient alignés dessus.

Un peu étrange, pensa Fenerman, *mais ça n'en fait pas un meurtrier pour autant*.

Mr. Harvey chaussa ses lunettes et aussitôt, il parut plus ouvert. « Oui, Mr. Salmon passait par ici pendant une de ses balades et il m'a aidé à construire la tente nuptiale.

– La tente nuptiale ?

– C'est quelque chose que je fais pour Leah chaque année, dit-il, ma femme, je suis veuf. »

Len eut l'impression d'empiéter sur ses rituels secrets. « Oui je sais, dit-il.

– Je me sens très mal à cause de ce qui est arrivé à cette jeune fille, a dit Mr. Harvey. J'ai essayé de l'expliquer à Mr. Salmon. Mais je sais d'expérience que rien n'a de sens dans des moments pareils.

– Donc vous montez cette tente chaque année ? » a demandé Len Fenerman. Les voisins pourraient le lui confirmer.

« Autrefois je faisais ça à l'intérieur, mais cette année j'ai essayé de le faire dehors. On s'est mariés en hiver. Je m'étais dit que ça irait, et puis maintenant la neige est tombée.

– Où ça, à l'intérieur ?

– Dans la cave. Je peux vous montrer si vous voulez. J'y ai encore toutes les affaires de Leah. »

Mais Len n'est pas allé plus loin.

« Je vous ai assez importuné, a-t-il dit, je voulais juste inspecter le quartier une deuxième fois.

– Et comment ça avance ? a demandé Mr. Harvey. Vous découvrez des choses ? »

Len n'avait jamais aimé les questions de ce genre, même s'il trouvait normal que les gens dont il envahissait les vies aient le droit de les poser.

« Parfois je pense que les indices ressurgissent à leur heure, a-t-il dit. À condition qu'ils aient envie d'être découverts. » C'était énigmatique, un genre de réponse confucéenne, mais qui fonctionnait très bien sur le citoyen moyen.

« Vous avez parlé au garçon des Ellis ? a demandé Mr. Harvey.

– On a parlé à la famille.

– J'ai entendu dire qu'il avait fait du mal à des animaux du voisinage.

– Ce n'est pas un enfant de chœur, c'est vrai, a répondu Len, mais il travaillait dans le centre commercial au moment du crime.

– Il y a des témoins ?

– Oui.

– Alors je n'ai pas d'autre idée, a dit Mr. Harvey, je regrette de ne pas pouvoir faire plus pour vous aider. »

Len le sentait sincère.

« Il est sûrement un peu fêlé, a-t-il commenté, quand il a appelé mon père, mais difficile de retenir quoi que ce soit contre lui.

– Qu'est-ce qu'il a dit pour la tente ?

– Qu'il l'a construite pour sa femme, Leah.

– Mrs. Stead a dit à Abigail que son épouse se prénommait Sophie », fit remarquer mon père.

Len a vérifié ses notes. « Non, c'est bien Leah, je l'ai noté. »

Mon père doutait. D'où sortait-il le prénom Sophie ? Il était sûr de l'avoir entendu, pourtant, mais c'était il y a des années de ça, à une fête de quartier où les noms d'enfants et d'épouses volaient comme des confettis entre les histoires que les gens racontaient pour entretenir de bons rapports de voisinage, trop vagues pour qu'on s'en souvienne le lendemain.

Il se rappelait effectivement que Mr. Harvey n'était pas venu à la fête de quartier. Il n'était jamais venu à aucune d'ailleurs. Ça ajoutait à son étrangeté selon les critères de nombreux voisins, mais pas selon ceux de mon père. Lui-même ne s'était jamais senti complètement à l'aise face à ces efforts laborieux de convivialité.

Mon père a écrit « Leah ? » dans son livre. Puis il a écrit « Sophie ? » Sans même s'en rendre compte, il venait d'entamer une liste de défuntes.

Le jour de Noël, ma famille aurait été plus à l'aise dans mon paradis, où cette fête était largement ignorée. Certaines personnes s'habillaient en blanc et prétendaient être des flocons de neige mais à part ça, il ne se passait rien.

Ce Noël-là, Samuel Heckler est venu chez nous en visite surprise. Il n'était pas habillé en flocon de neige mais portait la veste en cuir de son frère aîné et un treillis de l'armée qui ne lui allait pas.

Buckley était dans la pièce de devant, avec ses jouets. Ma mère se félicitait de les avoir achetés à l'avance. Lindsey avait eu des gants et du brillant à lèvres goût cerise. Mon père avait eu cinq mouchoirs blancs qu'elle avait commandés par correspondance des mois plus tôt. À part Buckley, personne ne voulait rien de toute façon. Durant les jours qui avaient précédé Noël, les guirlandes lumineuses n'avaient pas été allumées. Juste la bougie que mon père gardait derrière la fenêtre de son bureau. Il l'allumait à la nuit tombée. Comme ma mère, ma sœur et mon frère ne quittaient plus la maison après seize heures, j'étais seule à la voir.

« Il y a un homme à la porte ! » a crié mon frère. Il jouait avec des gratte-ciel qui n'allaient pas tarder à s'écrouler. « Il a une valise. »

Ma mère a laissé son lait de poule dans la cuisine et s'est précipitée vers l'entrée. Lindsey souffrait de la présence obligatoire au salon imposée par la période des vacances de fin d'année. Mon père et elle jouaient au Monopoly, sautant délibérément les cases pénibles pour épargner l'autre. Il n'y avait ni Impôts ni Prison.

Dans le couloir, ma mère a pressé ses mains le long de sa jupe. Elle avait poussé Buckley devant elle et posé les bras sur ses épaules.

« Attends qu'il sonne, a-t-elle dit.

– Peut-être que c'est le pasteur Strick qui vient ramasser ses quinze dollars pour le second prix du concours de beauté, a dit mon père à Lindsey.

– Pour l'amour de Susie, j'espère que ce n'est pas le cas », a-t-elle ajouté.

Mon père s'est accroché, à mon nom que prononçait ma sœur. En faisant rouler les dés, elle a sorti des doubles et avancé jusqu'à Marvin Gardens.

« Ça fera vingt-quatre dollars, a dit mon père, mais je n'en prendrai que dix.

– Lindsey, tu as de la visite », a crié ma mère.

Mon père a regardé ma sœur se lever puis quitter la pièce. Nous l'avons regardée tous les deux. Je me suis alors assise avec mon père. J'étais le fantôme sur le jeu. Il a fixé la vieille petite chaussure posée de côté dans la boîte. Si seulement j'avais pu la soulever, la faire sauter de la case Boardwalk vers la case Baltic ! « Les gares, Susie, dirait mon père, tu as toujours aimé acheter les gares. »

Pour accentuer son implantation en V et dompter sa mèche, Samuel Heckler peignait ses cheveux résolument en arrière. Avec ses treize ans et ses vêtements de cuir noir, il prenait ainsi un air de vampire adolescent.

« Joyeux Noël, Lindsey », a-t-il dit à ma sœur, et il lui a tendu une petite boîte enveloppée dans du papier bleu.

Je voyais bien ce qui se passait : le corps de Lindsey s'était mis à faire des nœuds. Elle prenait sur elle pour cacher ça à tout le monde, vraiment tout le monde, mais en fait elle trouvait Samuel Heckler craquant. Son cœur, tel l'ingrédient d'une recette, avait subi une réduction mais, en dépit de ma mort, elle avait quand même treize ans, Samuel était craquant, et il lui rendait visite pour Noël.

« J'ai entendu dire que tu faisais partie des surdoués, a-t-il dit puisque personne ne parlait. Moi aussi. »

Ma mère s'est alors ressaisie et elle a branché sa réponse automatique d'hôtesse accueillante. « Est-ce que tu aimerais t'asseoir ? a-t-elle essayé. J'ai du lait de poule dans la cuisine.

– Ce serait super », a répondu Samuel Heckler et, au grand étonnement de Linsey et du mien, il a offert son bras à ma sœur.

« C'est quoi ? a demandé Buckley en traînant derrière et en pointant le doigt vers ce qu'il croyait être une valise.

– Un alto, a répondu Samuel Heckler.

– Quoi ? » a demandé Buckley.

Lindsey a pris alors la parole. « Samuel joue du saxophone alto.

– À peine », a précisé ce dernier.

Mon frère n'a pas demandé ce qu'était un saxophone. Il savait ce que faisait Lindsey. Elle faisait ce que j'appelais sa pimbêche, comme dans la phrase : « Buckley, ne t'inquiète pas, Lindsey fait sa pimbêche. » D'ordinaire, je le chatouillais en disant ça, d'autres fois, je lui donnais des petits coups de tête dans le ventre en répétant « pimbêche » jusqu'à ce que son rire roule tout autour de moi.

Buckley les a suivis tous trois dans la cuisine et a demandé, ainsi qu'il le faisait au moins une fois par jour : « Où est Susie ? »

Silence. Samuel a regardé Lindsey.

« Buckley, a lancé mon père depuis la pièce voisine, viens donc jouer au Monopoly avec moi. »

Mon frère n'y avait jamais été convié. Tout le monde le disait trop jeune, mais c'était la magie de Noël. Il s'est précipité au salon et mon père l'a soulevé pour l'asseoir sur ses genoux.

« Tu vois cette chaussure ? » lui a-t-il demandé.

Buckley a hoché la tête.

« Je veux que tu écoutes tout ce que je te raconte à son sujet, d'accord ?

– Susie ? a demandé mon frère qui avait vaguement fait un lien entre les deux.

– Oui, je vais te dire où elle est. »

Au paradis je me suis mise à pleurer. Qu'cst-ce que je pouvais faire d'autre ?

« Cette chaussure était le pion avec lequel Susie jouait au Monopoly, lui a-t-il expliqué. Moi je joue avec la voiture, ou parfois la brouette. Lindsey joue avec le fer à repasser, et quand ta mère joue, c'est avec le canon.

– C'est un chien, ça ?

– Oui, c'est un scotch-terrier.

– À moi !

– O.K. », a dit mon père. Il était patient. Il avait trouvé un moyen d'expliquer. Il a pris son fils sur ses genoux, et tandis qu'il parlait, il sentait le petit corps de Buckley – son poids très humain, très chaud, très vivant. Ça l'a réconforté. « Le scotch-terrier sera ton pion à partir d'aujourd'hui. Celui de Susie, c'est lequel, déjà ?

– La chaussure, répondit Buckley.

– O.K., moi je suis la voiture, ta sœur est le fer à repasser, et ta mère le canon. »

Mon frère s'est concentré très fort.

« Et maintenant on pose tous les pions sur le jeu, d'accord ? Vas-y, fais-le à ma place. »

Buckley a attrapé une poignée de pions puis encore une autre, jusqu'à ce qu'ils soient tous posés entre les cartes de Chance et ceux de la pioche.

« Disons que les autres pions sont nos amis.

– Comme Nate ?

– Oui, on dira que ton copain Nate est le chapeau. Et que le jeu, c'est le monde. Maintenant, si je te disais que quand je fais rouler le dé, un des pions sera enlevé, ça voudra dire quoi ?

– Qu'ils peuvent plus jouer ?
– Effectivement.
– Pourquoi ? » a demandé Buckley.

Il a levé les yeux vers mon père ; ce dernier a hésité.

« Pourquoi ? » a redemandé mon frère.

Mon père n'avait pas envie de répondre : « parce que la vie est injuste », ni : « parce que c'est comme ça ». Il voulait quelque chose de chouette, de susceptible d'expliquer la mort à un gamin de quatre ans. Il a posé la main au creux du dos de Buckley.

« Susie est morte », lui a-t-il dit, incapable de faire en sorte que ça colle avec les règles d'un jeu quelconque. « Est-ce que tu comprends ce que ça veut dire ? »

Buckley a tendu la main et en a recouvert la chaussure. Il a levé les yeux pour voir si la réponse était correcte.

Mon père a hoché la tête. « Tu ne reverras plus Susie, mon chéri. Aucun de nous ne la reverra. » Mon père a pleuré. Buckley l'a regardé dans les yeux sans comprendre vraiment.

Il a gardé la chaussure sur sa commode jusqu'à ce qu'un beau jour, elle n'y soit plus, qu'on ne la retrouve plus jamais, même en cherchant bien.

Dans la cuisine, ma mère a fini son lait de poule et s'est excusée. Elle est allée dans la salle à manger compter l'argenterie, posant méthodiquement les trois sortes de fourchettes, les couteaux et les cuillères, leur faisant « grimper les escaliers » comme on le lui avait appris à la boutique de mariage de Wanamaker où elle travaillait avant ma naissance. Elle avait envie d'une cigarette, et que ses enfants vivants disparaissent quelque temps.

« Est-ce que tu vas ouvrir ton cadeau ? » a demandé Samuel Heckler à ma sœur.

Ils étaient debout dans la cuisine devant le plan de travail, appuyés contre la machine à laver la vaisselle et les tiroirs contenant les serviettes de table et les torchons. Mon père et mon frère étaient assis à leur droite ; à l'autre bout de la cuisine, ma mère pensait Wedgewood, Florentine, Cobalt Blue ; Royal Worcester, Mountbatten ; Lenox, Eternal.

Lindsey a souri et défait le ruban blanc sur le paquet-cadeau.

« Ma mère l'a noué pour moi », a expliqué Samuel Heckler.

Elle a déchiré le papier bleu qui entourait la boîte en velours noir. Une fois le papier enlevé, elle l'a délicatement tenue dans le creux de la main. Au paradis j'étais tout excitée. Quand Lindsey et moi jouions aux poupées mannequins, Barbie et Ken se mariaient à seize ans. Pour nous, il n'y avait qu'un amour véritable dans une vie ; compromis ou nouveaux départs n'étaient pas dans nos idées.

« Ouvre, a ordonné Samuel Heckler.

– J'ai peur.

– Il ne faut pas. »

Il a posé la main sur son avant-bras et – ouh ! la la ! – qu'est-ce que je n'ai pas senti quand il a fait ça. Vampire ou pas vampire, Lindsey avait un garçon drôlement craquant dans la cuisine ! Telles étaient les nouvelles, le dernier bulletin d'information, et tout à coup, je participais à tout. Elle ne m'aurait jamais raconté un truc pareil.

Ce que contenait la boîte était classique, décevant ou miraculeux selon le regard que l'on posait dessus. C'était classique parce qu'il avait treize ans, décevant parce que ce n'était pas une alliance, ou bien c'était miraculeux. Il lui avait offert une moitié de cœur en or dont il avait mis l'autre moitié à l'intérieur de sa chemise Hukapoo, où elle pendait au bout d'un lacet de cuir attaché autour de son cou.

Le visage de Lindsey s'est empourpré ; au paradis le mien aussi.

J'ai oublié mon père dans le salon et ma mère qui comptait l'argenterie. Je voyais Lindsey s'avancer vers Samuel Heckler. Elle l'a embrassé ; c'était superbe. J'étais presque redevenue vivante.

6

Deux semaines avant ma mort, j'ai quitté la maison plus tard que d'habitude et, quand je suis arrivée au collège, le cercle goudronné où rôdaient les bus de ramassage scolaire était vide.

Si l'on essayait de franchir l'entrée principale après la première sonnerie, le surveillant général relevait votre nom. Et je ne voulais pas qu'on vienne me chercher durant l'heure de cours suivante pour me faire asseoir sur le banc devant le bureau de Mr. Peterford, où il était de notoriété publique qu'il vous mettait à plat ventre pour vous taper sur les fesses avec une batte. Il avait demandé au prof de menuiserie de la percer de trous, afin que la résistance de l'air soit moindre, et donc qu'elle fasse encore plus mal en atterrissant sur vos jeans.

Je n'avais jamais été suffisamment en retard ou en tort pour avoir à affronter la batte mais, comme tous les autres élèves, je me l'imaginais tellement bien que j'en avais chaud aux fesses. Clarissa m'avait dit que les fumeurs de pétards, comme on appelait les premiers cycles, utilisaient la porte de derrière donnant sur la scène de la salle de spectacle. Cleo, le concierge, qui avait quitté le lycée en baba cool confirmé, la laissait toujours ouverte. Ce jour-là, je me suis donc faufilée dans le fond de la scène d'un pas prudent, en évitant de marcher sur les innombrables cordages.

Je me suis arrêtée près d'échafaudages, où j'ai déposé mon cartable afin de me brosser les cheveux. J'avais pris l'habitude de quitter la maison avec le bonnet à clochettes et de le troquer contre une vieille casquette noire appartenant à mon père dès que j'étais hors de vue, derrière la maison des O'Dwyer. Tout ça me mettait plein d'électricité statique dans les cheveux ; les toilettes des filles, où je les aplatissais, étaient donc mon premier arrêt.

« Tu es belle, Susie Salmon. »

J'ai entendu une voix, que je n'ai pas pu situer tout de suite. J'ai regardé autour de moi.

« Par ici », a repris la voix.

J'ai levé les yeux et aperçu le haut du corps de Ray Singh penché au-dessus de moi, sur les échafaudages.

« Salut », a-t-il fait.

Je savais qu'il en pinçait pour moi. Il était arrivé d'Angleterre l'année précédente mais, d'après Clarissa, il était né en Inde. Que quelqu'un puisse avoir le visage d'un pays et la voix d'un autre puis déménager vers un troisième dépassait mon entendement. Ça le rendait cool sur-le-champ. De plus, il paraissait huit cents fois plus intelligent que nous tous réunis et il en pinçait pour moi. Ce qui finirait par m'apparaître comme une façon de se donner un genre – la veste de smoking qu'il portait parfois au collège, ou les cigarettes étrangères qui appartenaient en fait à sa mère – avait été au départ pour moi autant de preuves de son éducation hors pair. Il savait et voyait des choses que nous autres ne voyions pas. Ce matin-là, quand il m'a parlé depuis là-haut, mon cœur a fait un plongeon.

« Tu n'as pas entendu la sonnerie ? lui ai-je demandé.

– J'ai Mr. Morton en première heure. » Ce qui expliquait tout. Mr. Morton souffrait d'une gueule de bois perpétuelle qui culminait en début de journée. Il ne faisait jamais l'appel.

« Qu'est-ce que tu fabriques là-haut ?

– Monte et tu verras », m'a-t-il répondu, sa tête et ses épaules disparaissant de ma vue.

J'ai hésité.

« Allez viens, Susie. »

Ça a été l'unique jour de ma vie où j'ai fait des folies, ou du moins où j'ai fait comme si. J'ai posé le pied sur le premier barreau de l'échafaudage et j'ai levé le bras pour m'accrocher à une barre transversale.

« Prends ton cartable », m'a conseillé Ray.

Je suis retournée le chercher et j'ai grimpé maladroitement.

« Je vais t'aider », a-t-il offert en m'attrapant sous les bras, ce qui m'a gênée malgré la protection de mon parka. Je suis restée assise un moment, les pieds ballant dans le vide.

« Remonte-les, m'a-t-il conseillé. Comme ça, personne ne nous verra. »

J'ai fait ce qu'il me demandait et je l'ai dévisagé un bon moment. Je me sentais stupide, tout à coup, ne sachant pas vraiment pourquoi j'étais là.

« Tu vas rester là-haut toute la journée ? lui ai-je demandé.

– Jusqu'à la fin du cours d'anglais, c'est tout.

– Tu sèches l'anglais ! » C'était comme s'il m'avait annoncé qu'il venait de braquer une banque.

« J'ai vu toutes les pièces de Shakespeare montées par la Royal Shakespeare Company. Cette putain de bonne femme n'a rien à m'apprendre. »

Je fus contrariée pour Mrs. Dewitt. Si faire des bêtises obligeait à traiter Mrs. Dewitt de putain, je n'étais pas partante.

« Moi j'aime bien *Othello*, risquai-je.

– Ce qu'elle en dit est un ramassis de niaiseries. On se croirait encore à l'époque de ces films où les Blancs se mettaient du cirage sur la figure. »

Ray était intelligent. Ça, doublé du fait qu'il était un Indien d'Angleterre vivant à Norristown, faisait de lui un Martien.

« Ce type dans le film paraissait plutôt idiot, avec son maquillage noir, ai-je dit.

– Tu veux parler de sir Laurence Olivier ? »

On était tranquilles tous les deux. Assez pour entendre la sonnerie de la fin du premier cours puis, cinq minutes après, celle du début de celui de Mrs. Dewitt. Au fur et à mesure que s'écoulaient les secondes, j'ai senti ma peau devenir brûlante ; le regard de Ray s'attardait sur mon corps, remarquait mon parka bleu vif et ma minijupe vert pétard avec collants assortis. Mes vraies chaussures se trouvaient à côté de moi, dans mon cartable. Je portais une paire de bottillons imitation mouton avec une doublure synthétique sale débordant aux coutures et au revers comme des tripes d'animaux. Si j'avais su que cela allait être la grande scène sexuelle de ma vie, j'aurais fait des efforts, j'aurais par exemple remis du gloss fraise-banane avant d'entrer.

J'ai senti le corps de Ray se pencher vers moi, les échafaudages en dessous en gémissaient. *Il vient d'Angleterre*, me suis-je dit. Ses lèvres se sont approchées, les échafaudages ont donné de la gîte. J'étais étourdie, sur le point d'être submergée par la vague de mon premier baiser, lorsqu'on a entendu un bruit. On s'est figés.

On était allongés côte à côte, Ray et moi, les yeux fixés sur les éclairages et les fils au-dessus de nous. Un instant plus tard, la porte de la scène s'est ouverte pour laisser entrer Mr. Peterford et le professeur de dessin, Miss Ryan, que nous avons reconnus à leurs voix. Une troisième personne les accompagnait.

« Nous ne prendrons pas de mesures disciplinaires cette fois, mais nous le ferons si vous continuez, disait Mr. Peterford. Miss Ryan, vous avez apporté le document ?

– Oui. » Miss Ryan était arrivée à Kenneth après avoir enseigné le dessin dans une école catholique ; elle remplaçait deux anciens hippies renvoyés pour avoir fait exploser le four à céramique. Après les expériences sauvages réalisées avec des métaux en fusion et des projections d'argile, nos cours de dessin s'étaient mués en sages séances de croquis faits d'après des modèles en bois auxquels, au début de chaque cours, elle donnait une posture raide, immuable.

« Je fais ce qu'on me demande, voilà tout. » C'était Ruth Connors. Ray et moi avons reconnu sa voix. Le cours de Mrs. Dewitt était pour nous tous le premier de la journée. « Ce dessin ne représente pas le modèle », a fait remarquer Mr. Peterford.

Ray m'a pris la main et l'a serrée. On savait exactement de quoi ils parlaient. Une photocopie d'un des dessins de Ruth avait circulé dans la bibliothèque. Elle avait fini par arriver jusqu'à un élève en train de consulter le fichier, avant d'être confisquée par le bibliothécaire.

« Je n'ai pas souvenir qu'il y ait des seins sur nos modèles en bois », a fait remarquer Miss Ryan.

L'esquisse représentait une femme allongée avec les jambes croisées. Pas un personnage en bois aux membres reliés par des crochets. C'était une vraie femme. Autour des yeux, des crayonnages au fusain – accidentels ou délibérés – lui donnaient un air aguichant que les garçons trouvaient soit gênant soit au contraire réjouissant.

« Il n'y a pas non plus de nez ou de bouche sur ces modèles en bois, a poursuivi Ruth, mais vous nous aviez encouragés à dessiner des visages. »

Ray a serré à nouveau ma main.

« Ça suffit, jeune fille, a lancé Mr. Peterford. Manifestement, c'est l'attitude languide de ce dessin bien particulier qui a poussé le jeune Nelson à le photocopier.

– Qu'est-ce que j'y peux ?

– Sans votre dessin, il n'y aurait pas eu de problème.

– Donc c'est ma faute ?

– Je vous invite à prendre conscience de la situation dans laquelle cela met le collège. À partir de maintenant, suivez les instructions de Miss Ryan sans ajouts inutiles.

– Léonard de Vinci dessinait des cadavres, a murmuré Ruth.

– C'est bien compris ?

– Oui. »

Les portes de la grande salle se sont ouvertes puis refermées et, un instant plus tard, Ray et moi avons entendu Ruth Connors pleurer. Ray a formé avec ses lèvres un *allons-y* silencieux et je me suis déplacée vers le bord des échafaudages, balançant mon pied dans le vide pour trouver une prise.

Ce fut cette même semaine que Ray m'a embrassée près de mon casier. Ça ne s'était pas passé là-haut, sur les échafaudages, quand il aurait voulu. Notre unique baiser a été un accident, en quelque sorte, un arc-en-ciel dans une flaque d'essence.

Je suis descendue des échafaudages en tournant le dos à Ruth. Elle ne bougeait pas, ne se cachait pas, et se contenta de me regarder quand je me suis retournée. Elle était assise sur un cageot en bois, près du fond de la scène. À sa gauche pendaient de vieux rideaux. Elle me regarda m'avancer vers elle mais ne s'essuya pas les yeux.

« Susie Salmon », a-t-elle dit, constatant l'évidence. L'éventualité de me voir sécher le premier cours pour me cacher dans les coulisses de la salle de spectacle était jusque-là aussi improbable que de voir la meilleure élève de la classe virée à grands cris par le surveillant général.

J'étais debout devant elle, mon bonnet à la main.

« Il est ridicule », a-t-elle dit.

Je l'ai soulevé puis je l'ai regardé fixement. « Je sais. C'est ma mère qui l'a tricoté.

– Alors, tu as entendu ?

– Je peux voir ? »

Ruth a déroulé la photocopie passée entre toutes les mains et je l'ai détaillée de tous mes yeux.

À l'aide d'un Bic bleu, Brian Nelson avait fait un trou obscène entre les jambes. J'ai eu un mouvement de recul et elle m'a observée. J'ai vu comme une lueur vaciller dans ses yeux, une interrogation personnelle, puis elle s'est penchée et a sorti de son cartable un carnet de croquis en cuir noir.

À l'intérieur, c'était splendide. Essentiellement des dessins de femmes, mais aussi d'animaux et d'hommes. Je n'avais jamais rien vu de semblable, jusque-là. Ses dessins remplissaient chaque page. Je me suis rendu compte alors en quoi Ruth était subversive, non parce qu'elle dessinait des femmes nues que ses pairs mettaient à mal, mais parce qu'elle avait plus de talent que ses profs. C'était une rebelle très calme. Vraiment désespérante.

« Ruth, tu es franchement douée.

– Merci », m'a-t-elle répondu et j'ai continué de savourer les pages de son carnet. J'étais à la fois effrayée et excitée par ce qui existait dans ces dessins sous la ligne noire du nombril, ce que ma mère appelait « la machine-à-faire-les-bébés ».

J'avais déclaré à Lindsey que je n'en aurais jamais ; à l'âge de dix ans, pendant six bons mois, j'avais informé tout adulte prêt à m'écouter que j'avais l'intention de me faire ligaturer les trompes. Je ne savais pas exactement ce que cela voulait dire, sauf que c'était définitif, que ça nécessitait une intervention chirurgicale, et que cela faisait rire mon père aux éclats.

Dès lors, de bizarre Ruth m'est devenue précieuse. Les dessins étaient si bons que, sur le moment, j'en ai oublié les règlements de l'école, toutes les sonneries et coups de sifflet auxquels, en tant qu'élèves, nous étions censés réagir.

Après que le champ de maïs a été balisé, fouillé puis abandonné, Ruth est allée s'y promener. Elle s'était emmitouflée dans un grand châle de laine de sa grand-mère passé sous le vieux caban miteux de son père. Elle a vite remarqué que les profs, à part celui de gym, ne la réprimandaient pas si elle séchait les cours. À vrai dire, ils étaient plutôt soulagés qu'elle ne soit pas là : son intelligence posait problème. Il leur fallait prendre sa présence en compte et monter le niveau du cours cent coudées plus haut.

Au lieu de prendre le bus de ramassage scolaire, le matin, elle a demandé à son père de la conduire. Il partait très tôt, avec sa boîte à sandwichs en métal rouge qu'il l'avait laissée transformer en grange pour Barbie quand elle était petite, et où, maintenant, il planquait du bourbon. Avant de la laisser sortir sur le parking vide, il arrêtait sa fourgonnette, chauffage allumé.

« Ça va aller aujourd'hui ? » lui demandait-il chaque fois.

Ruth hochait la tête.

« Un p'tit coup pour la route ? »

Sans hochement de tête, elle lui tendait la boîte. Il l'ouvrait, sortait le bourbon, en prenait une bonne rasade et le lui passait. Elle rejetait théâtralement la tête en arrière puis, soit collait la langue au goulot de façon à empêcher le liquide de couler, soit buvait à peine, en faisant une grimace s'il la regardait.

Elle se glissait dehors. Il faisait froid, un froid mordant d'avant le lever du soleil. Puis elle se rappelait un détail appris en cours : on a plus chaud quand on bouge. Elle a donc pris l'habitude de marcher, d'un pas alerte, droit vers le champ de maïs. Elle se parlait toute seule, et parfois elle pensait à moi. Souvent elle se reposait un moment contre la chaîne qui séparait le terrain de football du chemin, tout en regardant s'éveiller le monde autour d'elle.

C'est comme ça que, durant ces premiers mois, nous nous sommes croisées chaque matin. Le soleil se levait sur le champ de maïs et Holiday, lâché par mon père, venait poursuivre les lapins entre les longues tiges desséchées. Ils adoraient les pelouses bien entretenues des terrains de sport ; à mesure que Ruth s'approchait, elle voyait leurs formes sombres se détacher sur la craie blanche du tracé extérieur – on aurait dit de minuscules équipes. Cette idée lui plaisait autant qu'à moi. Elle croyait que, la nuit, pendant que les humains dormaient, les animaux empaillés se mettaient à vivre. Elle pensait toujours que, dans la boîte rouge de son père, il pouvait y avoir des vaches miniatures et des moutons qui trouvaient le temps de se repaître de bourbon et de balivernes.

Quand Lindsey est venue me déposer les gants qu'elle avait reçus en cadeau de Noël, entre le tracé du terrain de football et le champ de maïs, j'ai regardé vers le bas et j'ai vu les lapins mener leur enquête : ils reniflaient les bords de ces gants doublés de la peau d'un frère. Puis j'ai vu Ruth s'en emparer juste avant que Holiday ne les attrape. Elle a retourné le fond d'un gant pour que la fourrure soit à l'extérieur et y a appuyé sa joue. Elle a regardé le ciel et a dit : « Merci. » Ça me plaisait de penser qu'elle s'adressait à moi.

C'est au cours de ces matins-là que je me suis mise à aimer Ruth. Je sentais que, même s'il nous était à jamais impossible de nous expliquer, chacune de notre côté de l'Entre-deux, nous étions nées pour nous tenir compagnie. Deux filles étranges qui s'étaient découvertes de la façon la plus bizarre qui soit, dans le frémissement produit par mon passage.

Ray était un marcheur, comme moi. Il vivait à l'autre bout du lotissement au milieu duquel se trouvait le collège ; il avait vu Ruth Connors traverser seule le terrain de football. Depuis Noël, il faisait le trajet aussi rapidement que possible, sans jamais traîner. Il souhaitait l'arrestation de mon assassin presque autant que mes parents. D'ici là, il ne pourrait effacer les traces de soupçons qui lui collaient aux baskets malgré son alibi.

Il choisit un matin où son père n'allait pas donner ses cours à la fac pour lui prendre son Thermos et le remplir avec le thé parfumé de sa mère. Il partit de bonne heure et attendit Ruth, installé sur le rebord métallique de l'aire circulaire cimentée où les lanceurs prenaient appui.

Quand il la vit marcher de l'autre côté de la chaîne séparant l'école du terrain de football, il se frotta les mains et prépara ce qu'il allait dire. Cette fois-ci, ce n'était pas de m'avoir embrassée qui lui donnait de l'audace – un but qu'il s'était fixé une bonne année avant d'y parvenir – mais son isolement extrême, en cette année de ses quatorze ans.

Je regardais Ruth approcher du terrain de foot ; elle se croyait seule. Dans une vieille maison que son père avait aidé à déménager, il lui avait trouvé un cadeau en accord avec son nouveau passe-temps, une anthologie de poèmes. Elle la tenait serrée contre elle.

Elle vit Ray se lever alors qu'elle était encore assez éloignée.

« Salut, Ruth Connors ! » l'interpella-t-il en agitant les bras.

Elle regarda dans sa direction et son nom lui revint : Ray Singh. Mais elle n'en savait guère plus. Elle avait entendu des rumeurs rapportant que la police était allée chez lui, mais elle croyait son père quand il disait : « Ce n'est pas un gamin qui a fait ça », et elle se dirigea donc vers lui.

« J'ai du thé dans mon Thermos », a dit Ray. J'en ai rougi pour lui, là-haut dans mon paradis. Il était intelligent quand il s'agissait d'*Othello*, mais là, il se comportait comme un crétin.

« Non merci », a répondu Ruth. Elle se tenait près de lui mais plus loin qu'on ne le fait d'habitude. Ses ongles s'enfonçaient dans la couverture usée du recueil de poésies.

« J'étais là le jour où Susie et toi avez parlé, dans les coulisses », a dit Ray. Il lui a tendu le Thermos. Elle ne s'est pas approchée et n'a pas répondu.

« Susie Salmon, a-t-il précisé.

– Je vois très bien de qui tu parles.

– Tu vas aller à la messe commémorative ?

– J'ignorais qu'il y en avait une.

– Moi je crois que je n'irai pas. »

J'ai fixé sa bouche. Le froid la rendait plus rouge que d'habitude. Ruth fit un pas en avant.

« Tu veux du baume hydratant ? » lui a-t-elle demandé.

Ray a porté ses gants à ses lèvres, où la laine accrocha sur la surface gercée que j'avais embrassée. Ruth a plongé les mains dans les poches de son caban pour en ressortir son tube.

« Voilà, dit-elle, j'en ai d'autres. Tu peux le garder.

– C'est super sympa. Est-ce que tu veux bien attendre l'arrivée du bus avec moi ? »

Ils se sont assis ensemble sur l'aire circulaire cimentée réservée aux lanceurs. Et voilà que j'ai de nouveau vu une chose que je n'aurais jamais vue auparavant : ces deux-là côte à côte. Cela me rendit Ray plus attirant que jamais. Ses yeux étaient d'un gris très sombre. En le regardant depuis mon paradis, je n'ai pas hésité à plonger dedans.

C'est devenu un rituel entre eux. Les jours où son père à lui faisait cours, Ruth lui apportait un peu de bourbon dans la petite bouteille de son père à elle ; les autres jours, ils buvaient du thé parfumé. Ils étaient glacés jusqu'aux os mais ne semblaient pas s'en soucier.

Ils discutaient de ce que ça fait d'être un étranger à Norristown. Ils lisaient à voix haute des poèmes de l'anthologie de Ruth. Ils évoquaient la meilleure façon de devenir ce qu'ils voulaient devenir. Ray, médecin et Ruth, peintre/poète.

Ils ont formé un club secret avec les autres bizarroïdes repérables dans la classe. Il y avait les incontournables comme Mike Bayles, qui avait tellement pris d'acide que personne ne comprenait comment il pouvait encore étudier ; ou Jeremy, qui venait de Louisiane et qui était tout aussi étranger que Ray. Puis il y avait les tranquilles. Artie qui parlait avec excitation à qui voulait l'entendre des effets du formaldéhyde. Harry Orland, qui était tellement tellement timide qu'il gardait son jean sous son short de gym. Et Vicki Kurtz, que tout le monde croyait remise de la mort de sa mère mais que Ruth avait vue dormir sur un lit d'aiguilles de pin, derrière la chaufferie du bâtiment des premiers cycles. Et parfois ils parlaient de moi.

« C'est tellement bizarre, a dit Ruth. On était pour ainsi dire dans la même classe depuis la maternelle, mais ce jour-là, dans les coulisses de la salle de spectacle, c'est la première fois qu'on s'est regardées.

– Elle était formidable », a dit Ray. Il a revu nos lèvres s'effleurer quand nous étions seuls dans une rangée de casiers. Mon sourire, les yeux clos, puis ma presque fuite. « Tu crois qu'ils vont le retrouver ?

– J'imagine. Tu sais que nous ne sommes qu'à une centaine de mètres de là où c'est arrivé ?

– Je sais. »

Ils étaient tous les deux assis sur l'étroit rebord métallique de l'aire de lancement, le thé entre leurs mains gantées. Plus personne n'allait dans le champ de maïs. Quand une balle sortait du terrain de foot, il fallait que le garçon chargé de la récupérer prenne sur lui pour oser aller la chercher là. Ce matin-là, le soleil levant se faufilait à travers les tiges mortes, mais il n'en sortait aucune chaleur.

« Je les ai trouvés ici, a-t-elle dit en montrant les gants en peau.

– Tu penses quelquefois à elle ? » a-t-il demandé.

Silence.

« Tout le temps. » Un frisson a parcouru ma colonne vertébrale. « Parfois, je me dis qu'elle a de la chance, tu vois. Cet endroit me fait horreur.

– Moi aussi, mais j'ai vécu ailleurs. Ce n'est qu'un enfer temporaire, rien de permanent.

– Tu ne penses pas…

– Elle est au paradis, si tu crois à ces trucs-là.

– Tu n'y crois pas, toi ?

– Non.

– Moi si. Je ne parle pas du bla-bla sur les anges et autres, mais je pense qu'il y a un paradis.

– Elle est heureuse ?

– C'est le paradis, non ?

– Mais qu'est-ce que ça veut dire ? »

Le thé était glacé et la première sonnerie avait déjà retenti. Ruth a souri, le nez dans sa tasse. « Eh bien, comme dirait mon père, ça signifie qu'elle s'est sortie de ce merdier. »

Quand mon père a frappé à la porte de la maison de Ray Singh, il est resté muet d'admiration devant sa mère, Ruana. Non qu'elle soit spontanément accueillante, et elle était loin d'être rayonnante non plus, mais quelque chose dans ses cheveux sombres, ses yeux gris et même dans la façon étrange dont elle semblait s'éloigner de la porte après l'avoir ouverte l'a fasciné.

Il avait entendu sur son compte les commentaires désinvoltes des policiers. Selon eux, elle était froide, snob, condescendante et bizarre. Il s'attendait donc à quelque chose dans ce genre-là.

« Entrez et asseyez-vous », lui a-t-elle dit après les présentations. En entendant le nom de *Salmon,* ses yeux, qui avaient d'abord été des portes fermées, se sont grands ouverts comme sur des pièces sombres où il était impatient de voyager.

Il a failli perdre l'équilibre quand elle l'a fait entrer dans le salon exigu. Sur le plancher gisaient des livres, dos en l'air. Le long du mur, ils étaient alignés sur trois rangées. Elle portait un sari jaune sur ce qui semblait être un pantalon corsaire en lamé or. Elle était nu-pieds. Elle s'est avancée sur la moquette et s'est arrêtée près du canapé. « Vous prenez quelque chose ? lui a-t-elle demandé et il a acquiescé.

– Du chaud ou du froid ?

– Du chaud. »

Tandis qu'elle disparaissait pour pénétrer dans une pièce invisible, il s'est assis sur le divan recouvert d'un tissu écossais brun. Face à lui, les fenêtres sous lesquelles les livres s'alignaient étaient drapées de longs rideaux de mousseline qui laissaient difficilement filtrer la dure lumière du jour. Il a senti tout à coup la chaleur l'envahir ; il était prêt à oublier pourquoi ce matin-là il avait recherché l'adresse des Singh.

Un peu plus tard, alors que mon père pensait à sa fatigue soudaine, aux vêtements qu'il avait promis à ma mère d'aller chercher au nettoyage, Mrs. Singh est revenue avec du thé sur un plateau qu'elle a déposé sur le tapis devant lui.

« Nous n'avons pas beaucoup de meubles. Le docteur Singh continue de prospecter pour un poste de titulaire. »

Elle est allée dans la pièce voisine prendre un gros coussin violet qu'elle a posé sur le sol pour s'asseoir en face de lui.

« Le docteur Singh enseigne à l'université ? » a demandé mon père qui connaissait déjà la réponse et qui en savait plus qu'il ne lui était agréable d'en savoir sur cette belle femme et sa maison chichement meublée.

« Oui », a-t-elle répondu, puis elle a versé le thé. Le calme régnait. Elle lui a tendu une tasse et quand il l'a prise, elle a dit : « Ray était avec lui le jour où votre fille a été tuée. »

Il avait envie de plonger en elle.

« C'est sans doute la raison de votre venue, poursuivit-elle.

– Oui, je voudrais lui parler.

– Il est en classe, pour le moment. Vous vous en doutez. » Ses jambes en pantalon doré étaient repliées sur le côté. Les ongles de ses orteils, que les années de danse avaient rendus rugueux, étaient longs, sans vernis.

« Je voulais passer vous assurer que je ne lui veux aucun mal », a expliqué mon père. Je le regardais. Je ne l'avais jamais vu dans cet état-là. Les mots sortaient de sa bouche comme des fardeaux abandonnés, verbes et noms trop longtemps retenus, mais il regardait les pieds de Mrs. Singh s'arquer sur le tapis couleur gris-brun, et sa joue droite qu'effleurait une petite flaque de lumière adoucie par les rideaux.

« Il n'a rien fait de mal et il adorait votre fille. Un béguin de collégien, mais un béguin tout de même. »

Les béguins de collégiens, elle connaissait. Le garçon qui livrait les journaux s'arrêtait sur son vélo en espérant qu'elle serait près de la porte quand elle entendrait le bruit sourd du *Philadelphia Inquirer* devant le porche. Qu'alors elle sortirait et lui ferait un signe de la main. Elle n'avait même pas besoin de sourire, ce qu'elle faisait rarement hors de chez elle ; ses yeux, son port de danseuse et la façon dont le moindre mouvement de son corps paraissait mûrement réfléchi suffisaient.

Quand les policiers étaient venus en quête d'un tueur, ils avaient maladroitement trébuché dans l'entrée sombre et, avant même que Ray ne soit apparu en haut de l'escalier, Ruana les avait si profondément déconcertés qu'ils avaient accepté de prendre le thé et s'étaient installés sur les coussins de soie. Ils s'étaient attendus aux bavardages habituels des jolies femmes mais elle s'était contentée de se tenir toujours plus droite tandis qu'ils s'efforçaient d'entrer dans ses bonnes grâces, puis elle était restée debout à côté de la fenêtre pendant qu'ils interrogeaient son fils.

« Je suis heureux que Susie ait connu un gentil garçon qui l'aime, a dit mon père. J'en suis reconnaissant à votre fils. »

Elle a eu un petit sourire.

« Il lui avait écrit un billet doux.

– Oui.

– Je regrette de n'avoir pas eu l'idée de faire pareil. De ne pas lui avoir dit que je l'aimais au cours de sa dernière journée.

– Oui.

– Votre fils l'a fait, lui.

– Oui. »

Ils se sont dévisagés un instant.

« Vous avez dû rendre les policiers fous, a-t-il dit en se souriant à lui-même plutôt qu'à elle.

– Ils venaient accuser Ray. Je me fichais pas mal de ce qu'ils pouvaient penser de moi.

– Je suppose que ça a été dur pour lui.

– Non, je ne dirais pas ça, a-t-elle répondu sèchement en reposant sa tasse sur le plateau. Vous ne pouvez pas éprouver de la compassion pour Ray ou pour nous. »

Mon père essaya de marmonner un mot de protestation.

Elle leva la main. « Vous avez perdu une fille et vous êtes venu ici avec une idée bien précise. Je l'accepte, mais que vous essayiez de comprendre nos vies, ça non.

– Loin de moi l'idée de vous blesser. Je voulais simplement… »

La main est remontée.

« Ray sera ici dans vingt minutes. Je lui expliquerai d'abord votre démarche, ensuite vous pourrez lui parler de votre fille.

– Qu'est-ce que je disais ?

– Notre absence de mobilier me convient parfaitement. Cela me permet de me dire qu'un de ces jours nous pourrons faire nos valises en vitesse et partir.

– J'espère que vous resterez », a dit mon père.

Il l'avait dit parce qu'on lui avait inculqué la politesse dès son plus jeune âge, un réflexe qu'il m'avait transmis, mais il l'avait dit aussi parce qu'une partie de son être attendait davantage de cette femme glacée qui ne l'était pas vraiment, de ce roc qui n'était pas de pierre.

« Je n'ai pas envie d'être méchante, a-t-elle dit, mais vous ne me connaissez même pas. Nous attendrons Ray tous les deux. »

Mon père avait quitté la maison en plein milieu d'une bagarre. Ma mère essayait de persuader Lindsey de l'accompagner à la piscine. Sans réfléchir, Lindsey avait rugi : « Plutôt mourir ! » Mon père avait regardé ma mère se figer puis éclater en sanglots et se sauver dans leur chambre. Il avait tranquillement rangé son calepin dans la poche de sa veste, pris les clés de la voiture au crochet près de la porte de derrière et filé en douce.

Durant ces deux premiers mois, mon père et ma mère s'étaient éloignés l'un de l'autre pour partir dans des directions opposées. L'un restait à l'intérieur, l'autre sortait. Mon père s'endormait dans le fauteuil vert de son bureau, puis, quand il se réveillait, il se faufilait discrètement dans la chambre à coucher pour se glisser dans le lit. Si ma mère avait tiré toutes les couvertures à elle, il s'en passait, le corps roulé en boule, prêt à bondir, à tout moment, à toute éventualité.

« Je sais qui l'a tuée, s'est-il entendu dire à Ruana Singh.

– Vous en avez parlé à la police ?

– Oui.

– Qu'est-ce qu'ils ont dit ?

– Que pour le moment mon soupçon était la seule chose qui associait cet homme au meurtre.

– Le soupçon d'un père…

– A autant de force que l'intuition d'une mère. »

Cette fois-ci, son sourire a découvert ses dents.

« Il habite le quartier.

– Qu'allez-vous faire ?

– Je vérifie toutes les pistes, répondit mon père, conscient de son intonation.

– Et mon fils…

– Est une piste.

– Peut-être que l'autre homme vous fait trop peur.

– Mais il faut bien que j'agisse, protesta-t-il.

– Nous y revoilà, Mr. Salmon. Vous me comprenez mal. Je ne dis pas que votre démarche n'est pas justifiée. En un certain sens, elle est logique. Vous voulez découvrir quelque chose de doux et de chaud au milieu de tout ça. Votre quête vous a conduit jusqu'ici. C'est une bonne chose. Mon seul souci est que ce soit également bon pour mon fils.

– Je ne lui veux pas de mal.

– Comment s'appelle cet homme ?

– George Harvey. » C'était la première fois qu'il prononçait son nom devant une autre personne que Len Fenerman.

Elle s'est arrêtée et s'est levée. Lui tournant le dos, elle s'est dirigée d'abord vers une fenêtre puis vers l'autre, et a écarté les rideaux. C'était la lumière qu'elle aimait, celle de la fin des cours. Elle guettait son fils sur la route.

« Ray va arriver. Je vais aller lui parler. Excusez-moi, mais je dois mettre mon manteau et mes bottes. » Elle s'est interrompue puis a repris : « Mr. Salmon, à votre place, je ferais exactement comme vous : j'irais parler à tous les gens qu'il faut mais je ne dirais pas son nom à trop de monde. Une fois certaine, je trouverais une méthode sûre et je le tuerais. »

Il l'entendait dans l'entrée ; il y a eu le cliquetis métallique des patères quand elle a décroché son manteau. Quelques minutes plus tard, la porte s'est ouverte, puis s'est refermée. Une brise fraîche est entrée du dehors et, là-bas sur la route, il a vu alors une mère aller à la rencontre de son fils. Aucun des deux ne souriait. Leurs têtes se sont inclinées. Leurs bouches remuaient. Ray a enregistré le fait que mon père l'attendait dans sa propre maison.

Au départ, ma mère et moi avions pensé que ce qui rendait Len Fenerman différent des autres policiers était évident. Il était plus petit que les grosses brutes en uniforme qui l'accompagnaient habituellement. Il y avait aussi des détails moins évidents, la façon dont il se plongeait dans ses pensées ; il n'était pas porté sur la plaisanterie, il était toujours grave quand il parlait de moi ou des circonstances de l'affaire. Mais, dans sa conversation avec ma mère, Len Fenerman s'est révélé sous son vrai jour : optimiste. Il croyait fermement que mon assassin se ferait prendre.

« Peut-être pas aujourd'hui ni demain, a-t-il dit à ma mère, mais un jour ou l'autre, il agira sans réfléchir. Ils ne sont pas assez maîtres de leurs habitudes pour éviter ça. »

Il n'y avait que ma mère dans la maison ; elle resta avec Len Fenerman jusqu'à ce que mon père revienne de chez les Singh. Sur la table de la salle à manger, étaient étalés les crayons de Buckley et du papier kraft. Buckley et Nate avaient dessiné jusqu'à ce que leurs têtes s'inclinent comme des fleurs alourdies. Ma mère les avait alors pris dans ses bras, l'un après l'autre, pour les coucher sur le divan. Ils dormaient là tête bêche, leurs pieds se frôlant au milieu.

Len Fenerman avait le réflexe de parler à voix basse, mais il n'était pas en adoration devant les enfants, a remarqué ma mère. Il l'avait regardée porter les deux garçons, mais ne s'était pas levé pour l'aider ni pour faire un commentaire à leur sujet, comme le faisaient toujours les autres policiers, qui la définissaient d'après ses enfants, morts et vivants.

« Jack veut vous parler, a dit ma mère. Mais j'imagine que vous êtes trop occupé pour l'attendre.

– Mais non. »

J'ai vu tomber la mèche qu'elle avait ramenée derrière l'oreille. Cela adoucissait son visage. Je vis que Len le remarquait aussi.

« Il est allé chez ce pauvre Ray Singh, a-t-elle dit en remettant en place la mèche échappée.

– Je regrette d'avoir eu à l'interroger.

– Certes. C'est tout de même inimaginable qu'un jeune garçon ait... » Elle n'a pas pu dire les mots et il ne l'y a pas poussée.

« Il avait un alibi en béton armé. »

Ma mère a pris un crayon de couleur sur le papier kraft.

Len Fenerman l'a regardée dessiner des personnages et des chiens filiformes. Buckley et Nate dormaient bruyamment mais paisiblement sur le divan. Mon frère était replié en position fœtale et, au bout d'un moment, il a mis son pouce à la bouche. C'était une habitude que ma mère nous avait demandé à tous de l'aider à éliminer. Maintenant, elle lui enviait cette paix si facile.

« Vous me rappelez ma femme, a dit Len après un long silence pendant lequel ma mère avait dessiné un caniche orange et ce qui ressemblait à un cheval bleu sous électrochocs.

– Elle ne sait pas dessiner, elle non plus ?

– Non, elle préférait se taire quand il n'y avait rien à dire. »

Quelques minutes s'écoulèrent. Une boule de soleil jaune. Une maison marron avec des fleurs devant la porte, roses, bleues, violettes.

« Vous avez employé le passé. »

Ils ont entendu tous les deux la porte du garage. « Elle est morte peu de temps après notre mariage.

– Papa ! » a hurlé Buckley. Il a bondi, oubliant Nate et tous les autres.

« Je suis désolée, dit-elle à Len.

– Moi aussi, pour Susie. Sincèrement. »

Dans l'entrée de derrière, mon père accueillait Buckley et Nate avec des hourrahs, en criant : « De l'air ! » comme il le faisait toujours quand nous lui sautions dessus après un dur labeur. Même si cela sonnait faux, se montrer d'humeur enjouée envers mon frère était le meilleur moment de sa journée.

Ma mère dévisageait Len Fenerman tandis que mon père avançait vers le salon. *Cours vers l'évier*, avais-je envie de lui dire, regarde au fond du siphon jusqu'au cœur de la terre. Je suis en bas qui attends ; je suis tout là-haut qui regarde.

Len Fenerman avait été le premier à demander ma photo de classe quand le reste de la police croyait encore que l'on pouvait me retrouver vivante. Dans son portefeuille, ma photo faisait partie d'un paquet. Parmi ces enfants morts et des inconnus, il y avait celle de sa femme. Si l'affaire était élucidée, la date était portée au dos de la photo. Si l'affaire était encore en cours – dans son esprit sinon dans les dossiers officiels de police – il n'y avait rien. Rien n'était encore écrit au dos de la mienne. Rien au dos de celle de sa femme non plus.

« Len, comment ça va ? » a demandé mon père. Holiday s'est dressé en agitant la queue en tous sens pour que mon père le caresse.

« J'ai appris que vous étiez allé voir Ray Singh, a dit Len.
– Les garçons, pourquoi vous ne montez pas jouer dans la chambre de Buckley ? a suggéré ma mère. L'inspecteur Fenerman et papa ont à parler. »

7

« Est-ce que tu la vois ? » a demandé Buckley à Nate tout en montant l'escalier avec Holiday sur ses talons. « Je veux dire, ma sœur.
– Non.
– Cela fait un moment qu'elle est partie, mais elle est de retour maintenant. Dépêche-toi. »

Et les voilà tous les trois, deux garçons plus un chien, montant au galop le grand escalier en arrondi.

Je ne m'étais jamais autorisée à regretter Buckley, de peur que mon image ne lui apparaisse dans un miroir ou dans un bouchon de cristal. Comme tout le monde, j'essayais de le protéger.

« Il est trop jeune, ai-je dit à Franny.
– D'où crois-tu que viennent nos amis imaginaires ? » m'a-t-elle rétorqué.

Pendant quelques instants, les deux garçons sont restés assis sous le décalque de pierre tombale accroché sur la porte de la chambre de mes parents. Il provenait d'un cimetière londonien. Ma mère nous avait raconté, à moi et à Lindsey, l'histoire des objets que mon père et elle avaient voulu poser sur leurs murs. Une vieille femme rencontrée lors de leur lune de miel, qui leur avait montré comment reproduire les pierres tombales en frottant au crayon un papier posé sur leurs reliefs. Vers l'époque où j'allais avoir dix ans, la plupart des décalques avaient été remisés au sous-sol, remplacés sur les murs de notre pavillon par des reproductions aux couleurs vives destinées à stimuler notre imaginaire. Mais Lindsey et moi aimions ces décalques, tout particulièrement celui sous lequel Nate et Buckley étaient assis cet après-midi-là.

Avec Lindsey, on avait l'habitude de s'étendre par terre, en dessous. Je jouais à être le chevalier du tableau, et Holiday était le chien fidèle lové à ses pieds. Lindsey était l'épouse que j'avais laissée derrière moi. Peu importait la solennité du début, cela se terminait toujours par des fous rires. Lindsey disait au chevalier mort qu'une femme devait aller de l'avant, qu'elle ne pouvait rester piégée jusqu'à la fin de ses jours par un homme pétrifié. Je tempêtais mais cela ne durait jamais. Elle finissait par décrire son nouveau soupirant ; le gros boucher qui lui donnait les meilleurs morceaux de viande, l'artisan habile qui lui fabriquait les boucles de ses robes. « Tu es mort, chevalier, il est temps de bouger », lançait-elle.

« La nuit dernière, elle est venue et m'a embrassé sur la joue, a dit Buckley.

– Pas possible.

– Si.

– Vrai ?

– Ouais.

– Tu l'as dit à ta mère ?

– C'est un secret. Susie m'a dit qu'elle était pas encore prête à leur parler. Tu veux voir autre chose ?

– Voui. »

Ils se sont levés tous les deux pour se rendre dans la partie de la maison réservée aux enfants, laissant Holiday endormi sous la reproduction funéraire.

« Viens voir », a dit Buckley.

Et ils sont allés dans ma chambre. Lindsey avait pris le portrait de ma mère. Après mûre réflexion, elle était revenue pour prendre aussi le pin's « Faites l'amour pas la guerre ».

« La chambre de Susie », a dit Nate.

Buckley a posé un doigt sur ses lèvres. Il avait vu ma mère le faire pour qu'on fasse silence, et maintenant, il donnait le même ordre à Nate. Il s'est mis à plat ventre, a fait signe à Nate de l'imiter et ils se sont tortillés comme Holiday pour se frayer un chemin sous le cache-sommier de mon lit, jusque dans mes réserves secrètes.

Parmi les objets éparpillés sous les ressorts, il y avait un espace vide où je fourrais les choses que personne ne devait voir. Il me fallait les protéger de Holiday, qui, sinon, aurait grattouillé et fouiné jusqu'à les éparpiller. Et c'est exactement ce qui est arrivé vingt-quatre heures après que j'ai été portée disparue. Mes parents avaient fouillé ma chambre dans l'espoir d'y découvrir une lettre d'explication ; en partant, ils avaient laissé la porte ouverte. Holiday avait trouvé la réglisse que j'y cachais. Tous mes secrets étaient répandus sous mon lit. Buckley n'en a identifié qu'un seul. Il a défait un vieux mouchoir de mon père dans lequel se trouvait la brindille tachée de sang.

L'année précédente, alors qu'il avait trois ans, Buckley l'avait avalée. Avec Nate, dans le jardin, ils jouaient à s'enfoncer des pierres au fond des narines, puis Buckley avait trouvé la petite brindille sous le chêne auquel ma mère attachait la corde à linge. Il l'avait mise dans sa bouche comme une cigarette. Je le regardais depuis le balcon, devant la fenêtre de ma chambre, où j'étais occupée à me faire les ongles de pieds avec le vernis Magenta de Clarissa tout en lisant *Seventeen*.

C'est à moi qu'on confiait le plus souvent la tâche de surveiller mon petit frère. On estimait probablement que Lindsey n'était pas assez grande. De plus, son esprit en constante effervescence exigeait qu'elle ait du temps pour autre chose, du genre passer l'après-midi à dessiner en détail un œil de mouche sur du papier millimétré avec sa boîte de crayons aux cent trente couleurs.

Il ne faisait pas trop chaud dehors, c'était l'été, et j'allais passer ma réclusion domestique à me faire une beauté. J'avais commencé par une douche, un shampooing et un bain de vapeur. Je m'étais séchée sur la terrasse, à l'air libre et, à présent, je me faisais les ongles.

J'avais déjà passé deux couches de Magenta quand une mouche a atterri sur l'applicateur du flacon. J'ai entendu Nate crier sur le mode « fais-le si tu l'oses », et j'ai louché sur la mouche pour observer toutes les facettes de ces yeux que Lindsey était en train de colorier, dans la maison. La brise s'est levée, soufflant la frange de mon jean coupé contre mes cuisses.

« Susie, Susie ! » a hurlé Nate.

J'ai baissé les yeux et vu Buckley par terre.

C'est de ce jour-là dont je parle toujours à Holly quand nous discutons de sauvetage. J'y croyais ; elle non.

J'ai pivoté et j'ai filé en trombe par ma fenêtre ouverte, posant d'abord un pied sur le tabouret puis le second, pour finir à genoux sur la natte et foncer hors des starting-blocks comme un athlète. J'ai traversé le couloir en courant et j'ai glissé sur la rampe comme on nous avait défendu de le faire. J'ai appelé Lindsey puis je l'ai oubliée, courant vers le jardin en passant par la véranda, après quoi, j'ai sauté par-dessus la barrière pour le chien et bondi jusqu'au chêne.

Buckley étouffait, son corps se convulsait, je l'ai traîné avec Nate dans le garage où se trouvait la précieuse Mustang de mon père. J'avais observé mes parents au volant, et ma mère m'avait montré comment passer les vitesses. J'ai mis Buckley derrière et me suis emparée des clés cachées par mon père dans le vieux pot de fleurs en terre. J'ai foncé vers l'hôpital. Le frein à main bloqué chauffait mais personne ne s'en souciait.

« Sans elle votre petit garçon serait mort », a dit ensuite le médecin à ma mère.

Grand-Maman Lynn a prédit que je vivrais longtemps pour avoir sauvé la vie de mon frère. Une fois de plus, elle se trompait.

« Oh ! a dit Nate en tenant la brindille, surpris de voir comment, avec le temps, le sang rouge était devenu noir.

– Oui », a fait Buckley. Ce souvenir lui donnait des nausées. Il se rappelait sa souffrance, le changement sur le visage des adultes entourant son énorme lit d'hôpital. Il n'y avait eu qu'une seule autre occasion où il les avait vus aussi sérieux. À l'hôpital, leurs regards avaient été soucieux, puis plus du tout, puis remplis d'une lumière de soulagement dont il s'était senti enveloppé. Voici que, maintenant, les regards de nos parents s'étaient encore éteints, mais ils ne retrouvaient plus leur lumière.

Dans mon paradis, ce jour-là, j'ai manqué défaillir. Je suis presque tombée à la renverse dans le kiosque, et mes yeux se sont ouverts brutalement. Il faisait sombre et un grand bâtiment où je n'étais jamais entrée se dressait en face de moi.

J'avais lu *James et la grosse pêche* quand j'étais petite. Le bâtiment ressemblait à la maison des tantes de Jacques. Énorme, sombre et victorienne. Il y avait un belvédère. Tandis que mes yeux se réhabituaient à l'obscurité, il m'a semblé voir, l'espace d'un instant, une longue file de femmes debout sur ce belvédère ; elles me montraient du doigt. Puis j'ai vu autre chose : une rangée de corbeaux tenant dans le bec des brindilles tordues. Quand je me suis levée pour me diriger vers le duplex, ils se sont envolés et m'ont suivie. Mon frère m'avait-il vraiment vue, ou bien n'était-il qu'un petit garçon qui racontait de beaux mensonges ?

8

Pendant trois mois d'affilée, Mr. Harvey rêva de constructions. Il était en Yougoslavie, où des maisons au toit de chaume montées sur pilotis cédaient la place à des torrents impétueux jaillis du sol. Au-dessus, il y avait des ciels bleus. Le long des fjords et d'une vallée secrète de Norvège, il voyait des églises en rondins dont les boiseries avaient été sculptées par des constructeurs de bateaux vikings. Des dragons et des héros locaux en bois. Mais ce dont il rêvait le plus, c'était d'une construction de la Vologda : l'église de la Transfiguration. Ce fut ce rêve-là – son préféré – qui l'avait visité la nuit où il m'avait assassinée, et les nuits suivantes jusqu'à ce que reviennent les autres, les rêves *agités*, ceux de femmes et d'enfants.

J'arrivais à voir Mr. Harvey jusque dans les bras de sa mère ; il contemplait une table jonchée de morceaux de verre colorés. Son père les empilait selon leur forme, leur taille, leur épaisseur et leur poids. Son œil de joaillier examinait scrupuleusement chaque spécimen pour y déceler des failles ou des crapauds. Et l'attention de George Harvey était attirée vers l'unique bijou de sa mère, un pendentif, un gros morceau d'ambre ovale serti d'argent, au cœur duquel se trouvait une mouche intégralement et parfaitement conservée.

Jeune, le qualificatif de « constructeur » était le seul qu'il avait eu pour définir son père. Puis il arrêta de répondre aux questions qu'on lui posait sur le métier de son père. Comment aurait-il pu raconter qu'il travaillait dans le désert pour édifier des huttes de verre brisé et de bois ancien ? Il expliquait à George Harvey les éléments d'une bonne construction, la certitude que l'on pouvait avoir de bâtir durablement.

Ainsi c'étaient les anciens cahiers de croquis de son père que Mr. Harvey regardait quand revenaient les rêves agités. Il se plongeait dans les images d'autres lieux et d'autres mondes, essayant d'aimer ce qu'il n'aimait pas. Puis il se mettait à faire des rêves sur sa mère, lorsqu'il l'avait vue, cette dernière fois, traverser en courant un champ en bordure de la route. Elle était tout en blanc, pantalon corsaire blanc et vareuse blanche ajustée, son père et elle s'étaient encore bagarrés dans la voiture étouffante, à la sortie de Truth or Consequences, au Nouveau-Mexique. Il l'avait obligée à sortir de la voiture. George Harvey était resté assis à l'arrière, pétrifié, impassible, les yeux écarquillés, observant tout comme il le faisait alors, c'est-à-dire au ralenti. Elle avait couru sans s'arrêter, sa mince silhouette blanche et fragile s'évanouissant tandis que son fils agrippait le collier d'ambre qu'elle avait arraché à son cou pour le lui donner. Son père avait contemplé la route. « La voilà partie à présent, fiston. Et elle ne reviendra plus jamais. »

9

Ma grand-mère débarqua la veille de ma messe commémorative, dans son style habituel. Elle aimait louer des limousines et arriver de l'aéroport en sirotant du champagne, vêtue de ce qu'elle nommait « son animal épais et fabuleux », un vison qu'elle avait acheté d'occasion à la vente de charité de l'église. Mes parents ne l'avaient pas franchement invitée mais plutôt intégrée au cas où elle aurait désiré venir. Fin janvier, Mr. Caden, le principal, avait lancé l'idée. « Ce sera bien pour vos enfants et les élèves », avait-il dit. Il avait pris la responsabilité d'organiser l'événement dans notre église. Mes parents ressemblaient à des somnambules, acquiesçant à tout, acceptant d'un hochement de tête fleurs et orateurs. Quand ma mère en avait parlé à la sienne au téléphone, elle avait été surprise d'entendre un : « J'arrive !

– Mais tu n'es pas obligée, maman. »

Silence du côté de ma grand-mère. Puis : « Abigail, a-t-elle rétorqué, il s'agit de l'enterrement de Susan. »

Grand-Maman Lynn gênait ma mère, à toujours porter ses vieilles fourrures même pour faire le tour du pâté de maisons ; une fois, elle avait assisté à une fête de quartier outrageusement maquillée. Elle questionnait ma mère pour savoir qui était qui, se faisait préciser le métier du mari, la marque de la voiture, la description de leur maison pièce par pièce. Elle dressait un catalogue complet des voisins. Je me rendais compte à présent que c'était une méthode pour mieux comprendre sa fille. Un encerclement mal calculé, une triste danse sans cavalier.

« Jacky, a lancé ma grand-mère quand elle est arrivée près de mes parents sous le porche, un remontant s'impose ! » Elle a alors vu Lindsey essayer de se défiler dans l'escalier pour gagner quelques minutes avant la visite de rigueur. « Cette gamine me déteste », a dit Grand-Maman Lynn. Son sourire s'est figé sur ses dents parfaites.

« Maman », a fait ma mère. Et j'ai eu envie de me précipiter au fond de ses yeux, océan de perte. « Lindsey est sans doute montée se rendre présentable, voilà tout.

– Ce qui est inconcevable, dans cette maison ! a lancé ma grand-mère.

– Lynn, a dit mon père, les choses ont changé ici depuis votre dernière visite. Je veux bien aller vous chercher à boire, mais je vous prie de respecter le changement.

– Toujours diablement classe, ce Jack », a dit ma grand-mère.

Ma mère lui a pris son manteau. Dès que Buckley avait hurlé depuis son poste d'observation à la fenêtre d'en haut : « Grand-Maman est là ! » Holiday avait été enfermé dans le bureau de mon père. Mon frère se vantait auprès de Nate et des autres que sa grand-mère possédait les plus grosses voitures de tout l'univers.

« Tu es superbe, maman, a dit ma mère.

– Hmmmm. » Quand mon père a été hors de portée de voix, ma grand-mère a demandé : « Comment va-t-il ?

– On fait face, mais c'est dur.

– Est-ce qu'il parle encore de ce supposé meurtrier ?

– Oui.

– Ça peut vous mener en justice, tu sais.

– Il ne l'a dit à personne, sauf à la police. »

Elles n'avaient pas vu ma sœur, assise en haut de l'escalier.

« Ça vaut mieux. Je comprends qu'il lui faille s'en prendre à quelqu'un mais…

– Lynn, un whisky soda ou un Martini ? a demandé mon père en revenant dans le couloir.

– Qu'est-ce que vous prenez, vous ?

– Ces jours-ci je ne bois pas, en fait.

– C'est ça votre problème. Je vais donner l'exemple. Inutile de me montrer le chemin ! »

Dépouillée de son animal épais et fabuleux, ma grand-mère était maigre comme un clou. « Affame-toi », voilà ce qu'elle me conseillait quand j'avais onze ans. « Tu as besoin de t'affamer, ma chérie, pour ne pas conserver ta graisse trop longtemps. C'est pas très joli d'être un gros bébé. » Avec ma mère, elles s'étaient disputées pour savoir si j'étais assez vieille pour prendre de la benzédrine, son sauveur personnel disait-elle, comme dans la phrase : « J'offre à ta fille mon sauveur personnel et tu le lui refuses ? »

Lorsque j'étais en vie, tout ce que faisait ma grand-mère était mal. Mais ce jour-là, quelque chose d'étrange s'est passé. Son arrivée toutes voiles dehors en limousine de location a réouvert notre maison. Avec toute sa parure tape-à-l'œil, elle faisait à nouveau entrer chez nous de la lumière.

« Abigail, tu as besoin d'aide », a dit ma grand-mère après avoir mangé le premier vrai repas cuisiné depuis ma disparition. Ma mère était sidérée. Elle avait enfilé ses gants de ménage bleus, rempli l'évier d'eau savonneuse et se préparait à faire la vaisselle. Lindsey essuierait. Elle supposait que sa mère appellerait Jack pour qu'il lui verse le verre du soir.

« Maman, c'est très gentil à toi.

– Ce n'est rien. Je vais simplement aller dans l'entrée chercher mon sac à malices.

– Oh non ! entendis-je murmurer ma mère.

– Oh oui ! le sac à malices ! lança Lindsey, qui n'avait pas ouvert la bouche de tout le repas.

– Je t'en prie, maman ! protesta ma mère quand Grand-Maman Lynn revint.

– O.K. les enfants, débarrassez-moi la table et amenez-moi votre mère. Je vais faire un ravalement.

– Maman, c'est ridicule ! J'ai toute la vaisselle à faire.

– Abigail, a fait mon père.

– Ah non ! Elle peut peut-être te faire boire, mais elle ne va pas s'approcher de moi avec ses instruments de torture.

– Je ne suis pas ivre, a-t-il précisé.

– Tu souris, a dit ma mère.

– Fais-lui un procès alors, a suggéré Grand-Maman Lynn. Buckley, prends ta mère par la main et amène-la jusqu'ici. » Mon frère s'est empressé. C'était amusant de voir sa mère commandée et asticotée.

« Grand-Maman Lynn ? » a demandé timidement Lindsey.

Buckley a tiré ma mère vers une chaise de cuisine que ma grand-mère avait retournée pour lui faire face.

« Quoi ?

– Tu pourrais m'apprendre à me maquiller ?

– Dieu tout-puissant, que le Seigneur soit loué, mais oui ! »

Ma mère s'est assise et Buckley s'est installé sur ses genoux. « Qu'est-ce qui ne va pas, maman ?

– Tu ris, Abbie ? » Mon père souriait.

Et elle riait effectivement. Elle riait et pleurait à la fois.

« Susie était une bonne petite, ma chérie, a dit Grand-Maman Lynn. Comme toi. » Et dans la foulée : « Maintenant, lève ton menton et laisse-moi voir ces poches sous tes yeux. »

Buckley est descendu pour s'asseoir sur une chaise. « Voici un recourbe-cils, Lindsey, lui a expliqué ma grand-mère. J'ai appris tout ça à ta mère.

– Clarissa s'en sert aussi », a renchéri Lindsey.

Ma grand-mère a placé les extrémités en caoutchouc de l'instrument de chaque côté des cils de ma mère et cette dernière, qui connaissait l'astuce, a levé les yeux.

« Tu as parlé à Clarissa ? a demandé mon père.

– Pas vraiment, a répondu Lindsey. Elle est toujours fourrée avec Brian Nelson. Ils ont tellement séché les cours qu'ils sont renvoyés pendant trois jours.

– Je n'aurais pas cru ça de Clarissa, a dit mon père. Ce n'était peut-être pas la plus maligne du lot, mais ce n'était vraiment pas une fauteuse de troubles non plus.

– Quand je lui suis tombée dessus, elle puait le hash.

– J'espère que tu ne t'y mets pas », a dit Grand-Maman Lynn. Elle a terminé les dernières gouttes de son whisky soda et reposé bruyamment le grand verre sur la table. « Maintenant, regarde un peu, Lindsey, tu vois comment les cils recourbés élargissent le regard de ta mère ? »

Lindsey a essayé de se représenter ses propres yeux, mais à leur place, elle a vu ceux de Samuel Heckler qui s'étaient emplis d'étoiles lorsque son visage s'était approché du sien pour l'embrasser. Ses pupilles dilatées palpitaient comme deux petites olives féroces.

« Je n'en reviens pas », a dit Grand-Maman Lynn en posant les mains, dont l'une tenait encore la poignée inconfortable du recourbe-cils sur ses hanches.

– De quoi tu n'en reviens pas ?

– Lindsey Salmon, tu as un petit ami ! » a claironné ma grand-mère à la ronde.

Mon père a souri. Tout d'un coup il l'aimait bien, Grand-Maman Lynn. Et moi aussi.

« Mais pas du tout ! » s'est défendue Lindsey.

Ma grand-mère allait répliquer, lorsque ma mère a murmuré : « Mais si.

– Bravo, ma chérie, a dit ma grand-mère, il t'en faut un. Dès que j'en aurai fini avec ta mère, je te fais le supertraitement de Grand-Maman Lynn. Jack, préparez-moi un apéro.

– Un apéritif se boit avant… commença ma mère.

– Épargne-moi ton laïus, Abigail. »

Ma grand-mère s'est pris une cuite. Elle a transformé Lindsey en clown ou plutôt, selon l'intéressée, en « pute de première ». Mon père était ce qu'elle appelait « fin saoul ». Le plus étonnant a été que ma mère soit allée se coucher en laissant la vaisselle sale dans l'évier.

Pendant que tout le monde dormait, Lindsey, debout devant le miroir de la salle de bains, se regardait. Elle a enlevé un peu de rouge à joues, tamponné ses lèvres et laissé courir ses doigts sur les parties fraîchement épilées et gonflées de ses sourcils naguère broussailleux. Dans le miroir, elle voyait quelque chose de différent, et moi aussi : une adulte. Sous le maquillage, il y avait le visage qu'elle avait toujours su être le sien, jusqu'à ce que, récemment, il devienne évocateur du mien. Grâce au pinceau à lèvres et à l'eye-liner, elle voyait maintenant que les contours de ses traits s'étaient précisés ; ils ressortaient sur son visage comme des joyaux importés de quelque pays lointain aux couleurs plus somptueuses que ne l'avaient jamais été celles de notre maison. Ce que notre grand-mère disait était vrai : le maquillage soulignait le bleu de ses yeux. L'épilation des sourcils avait modifié la forme de son visage. Le rouge modelait le creux des joues, sous les pommettes (« des creux qui gagneraient à ce qu'on les creuse encore un peu plus », avait remarqué notre grand-mère). Pour les lèvres, elle essayait des expressions diverses. Faisait la moue, embrassait, souriait largement comme si elle aussi avait pris un cocktail, baissait les yeux en affectant de prier, brave petite, mais relevait un œil pour voir quel effet cela faisait d'avoir l'air bien. Elle est partie se coucher et a dormi sur le dos pour ne pas abîmer son nouveau visage.

Mrs. Bethel Utemeyer était la seule morte que nous ayons jamais vue, ma sœur et moi. Elle avait emménagé dans notre quartier quand j'avais six ans et Lindsey cinq.

Ma mère disait qu'elle n'avait plus tous ses esprits. Parfois, elle quittait la maison de son fils puis ne savait plus où elle était. Elle atterrissait souvent dans notre jardin de devant, debout sous le cornouiller, le regard tourné vers la rue, comme si elle attendait un bus. Ma mère l'emmenait alors dans la cuisine et faisait du thé ; puis, une fois qu'elle l'avait calmée, elle téléphonait chez son fils pour lui dire que sa mère était là. Parfois, ça ne répondait pas et Mrs. Utemeyer restait pendant des heures assise à la table de cuisine, à contempler le napperon. De retour de l'école, on la trouvait assise là, qui nous souriait. Elle appelait parfois Lindsey « Natalie » et tendait le bras pour toucher ses cheveux.

À sa mort, son fils encouragea ma mère à venir aux funérailles avec nous. « Ma mère semblait beaucoup aimer vos enfants », a-t-il écrit.

« Elle ne connaissait même pas mon prénom, maman », se lamenta Lindsey tandis que ma mère boutonnait les innombrables boutons ronds de son manteau long. *Encore un de ces cadeaux vraiment pas pratiques de Grand-Maman Lynn*, pensait ma mère.

« Oui, mais au moins elle t'en a donné un, à toi, de prénom », dis-je.

C'était après Pâques et une vague de chaleur printanière avait déferlé cette semaine-là. Presque toute la neige de l'hiver précédent avait fondu mais, dans le cimetière de l'église des Utemeyer, elle restait accrochée autour des pierres tombales tandis que, tout près de là, des boutons-d'or pointaient leur nez.

L'église des Utemeyer était sophistiquée. « Catholique grand style », dit mon père dans la voiture. Avec Lindsey, on trouvait ça très amusant. Mon père ne voulait pas y aller, mais la grossesse de ma mère était trop avancée pour qu'elle puisse conduire. Pendant les tout derniers mois où elle attendait Buckley, elle était incapable de se glisser derrière le volant. Elle se sentait lourde, la plupart du temps ; et nous, on se tenait à l'écart pour ne pas lui servir d'esclaves.

En tout cas, sa grossesse lui a permis de se dispenser de ce dont Lindsey et moi n'arrêtions pas de parler depuis des jours et dont j'ai rêvé pendant longtemps après coup : voir le corps. Je sentais bien que mon père et ma mère n'étaient pas partants, mais Mr. Utemeyer nous a foncé dessus quand ça a été le moment de défiler devant le cercueil. « Laquelle de vous deux appelait-elle Natalie ? » a-t-il demandé. On l'a regardé fixement. J'ai tendu le doigt vers Lindsey.

« J'aimerais que tu viennes lui dire au revoir », a-t-il suggéré. Son parfum était plus suave que celui de ma mère, et ce picotement dans les narines, doublé d'un sentiment d'exclusion, m'a donné envie de pleurer. « Tu peux venir aussi », m'a-t-il lancé en tendant les mains de façon à ce que, dans l'allée centrale, nous soyons chacune d'un côté.

Ce n'était pas Mrs. Utemeyer. C'était autre chose. Mais c'était elle *aussi*. J'ai essayé de me concentrer sur les bagues qui brillaient à ses doigts.

« Mère, a dit Mr. Utemeyer, je t'ai amené la fillette que tu appelais Natalie. »

Avec Lindsey, on a dû reconnaître plus tard qu'on s'attendait vaguement à ce que Mrs. Utemeyer se mette à parler ; on avait décidé, sans s'être consultées d'ailleurs, que si cela arrivait, on s'attraperait par la main et on prendrait nos jambes à notre cou. Ça a duré une ou deux terribles secondes puis ç'a été fini : on nous a rendues à nos parents.

Je n'ai pas été très surprise, la première fois que j'ai vu Bethel Utemeyer dans mon paradis, et encore moins quand, Holly et moi, on l'a trouvée se promenant main dans la main avec une petite fille blonde qu'elle nous a présentée comme étant sa fille Natalie.

Au matin de ma messe commémorative, Lindsey est restée dans sa chambre le plus longtemps possible. Elle préférait que ma mère ne remarque le maquillage que lorsqu'il serait trop tard pour l'enlever. Elle s'était aussi dit que ce serait pas mal d'aller piquer une robe dans mon armoire. Que cela ne me dérangerait pas.

Mais c'était étrange à regarder.

Elle a ouvert la porte du caveau qu'était devenue ma chambre ; vers février, ce caveau était violé et dérangé de plus en plus souvent bien que ni mes parents, ni Buckley ni Lindsey n'admettent y avoir pénétré ou y avoir pris des choses sans la moindre intention de les remettre. Ils étaient aveugles aux indices prouvant que chacun d'eux était venu m'y rendre visite. Holiday, pourtant pas toujours responsable, était systématiquement accusé du désordre ainsi créé.

Lindsey voulait se faire belle pour Samuel. Elle a ouvert les doubles portes de mon placard et inspecté le capharnaüm. Je n'étais pas vraiment du genre ordonné. Quand ma mère nous disait de ranger, je fourrais tout ce qui se trouvait sur le plancher ou sur le lit dans mon placard.

Lindsey m'avait toujours envié mes vêtements neufs, dont elle héritait une fois que je ne pouvais plus les mettre.

« Bon sang », a-t-elle dit à voix basse dans l'obscurité de mon placard. Elle se rendait compte avec culpabilité et satisfaction que tout ce qu'elle voyait était à présent à elle.

« Coucou ? Toc, toc, toc », a dit Grand-Maman Lynn.

Lindsey a sursauté.

« Désolée de te déranger, ma chérie. Mais il me semblait bien t'avoir entendue ici. »

Ma grand-mère portait ce que ma mère appelait une de ses robes Jackie Kennedy. Celle-ci n'avait jamais compris pourquoi, à la différence de nous toutes, Grand-Maman Lynn n'avait pas de hanches ; elle pouvait se glisser dans une robe droite et, à soixante-deux ans encore, l'emplir juste assez pour qu'elle lui aille comme un gant.

« Qu'est-ce que tu fais ici ? a demandé Lindsey.

– Aide-moi avec cette fermeture Éclair. » Grand-Maman Lynn s'est retournée et Lindsey a vu ce qu'elle n'avait jamais vu sur notre propre mère : l'arrière d'un soutien-gorge noir et le haut d'un jupon. Elle a fait un pas ou deux vers notre grand-mère et, essayant de ne toucher rien d'autre que la tirette de la fermeture Éclair, elle l'a remontée entièrement.

« Et l'agrafe tout en haut ? a demandé Grand-Maman Lynn. Tu y arrives ? »

Ça sentait la poudre et le Chanel N° 5 aspergé tout autour du cou de notre grand-mère.

« Voilà qui suffit à justifier la présence d'un homme, impossible d'y arriver toute seule. »

Lindsey était aussi grande que notre grand-mère et sa croissance n'était pas terminée. Prenant le crochet d'une main et l'œilleton de l'autre, elle vit les fines bouclettes de cheveux blonds décolorés frisottant au bas du crâne. Elle agrafa la robe et resta là.

« J'ai oublié à quoi il ressemblait, a dit Lindsey.

– Qui donc ? a demandé Grand-Maman Lynn en se retournant.

– Impossible de m'en souvenir. Je veux dire son cou, je me demande si je l'ai même jamais regardé ?

– Oh ! ma chérie, a dit Grand-Maman Lynn, viens donc ici ! » Elle a ouvert les bras mais Lindsey s'est tournée vers le placard.

« Je dois impérativement avoir l'air jolie, a-t-elle dit.

– Mais tu l'es ! » a rétorqué Grand-Maman Lynn.

Lindsey en eut le souffle coupé. S'il était une chose que Grand-Maman Lynn ne faisait jamais, c'était bien des compliments. Si bien que, quand elle en faisait un, c'était un joyau inattendu.

« On va te trouver une jolie tenue là-dedans », a dit Grand-Maman Lynn en se dirigeant à grands pas vers mon placard. Son art de trier les vêtements sur une tringle était inégalable. Les rares fois où elle nous rendait visite en début d'année scolaire, elle nous sortait toutes les deux. On était émerveillées par ses doigts agiles qui faisaient des gammes sur les portemanteaux. Tout à coup, après une petite hésitation, elle choisissait une robe ou une chemise et nous la tendait. « Qu'en penses-tu ? » demandait-elle. Et c'était toujours parfait.

Elle parlait tout en examinant mes hauts et mes bas, qu'elle sélectionnait et plaçait tour à tour contre le buste de ma sœur :

« Ta mère est une épave, Lindsey. Je ne l'ai encore jamais vue dans cet état-là.

– Grand-Maman…

– Chut ! je réfléchis. » Elle tenait devant elle ma tenue du dimanche préférée. C'était une robe en tissu écossais foncé avec un col claudine. Je l'aimais surtout parce que la jupe était si ample que l'ourlet traînait par terre quand je m'asseyais sur un banc les jambes croisées. « D'où sort-elle ce *sac* ? » s'est étonnée ma grand-mère. « Ton père aussi est une loque, mais lui, ça le rend fou furieux.

– C'était qui cet homme dont tu parlais à maman ? »

Elle s'est raidie à la question. « Quel homme ?

– Tu as demandé à maman si papa parlait toujours de *cet* homme, le meurtrier. C'est qui, cet homme ?

– Nous y voilà ! » Grand-Maman Lynn tenait à bout de bras une minirobe bleu foncé que ma sœur n'avait jamais vue. Elle appartenait à Clarissa.

« Elle est drôlement courte, a remarqué Lindsey.

– Là, ta mère m'impressionne, a dit Grand-Maman Lynn. Elle a laissé sa gamine acheter un vêtement classe ! »

Mon père a crié depuis le couloir qu'il attendait tout le monde en bas dans dix minutes.

Grand-Maman Lynn s'est mise à l'ouvrage à fond de train. Elle a aidé Lindsey à enfiler la robe bleu foncé, puis elles se sont précipitées dans sa chambre pour les chaussures ; pour finir, sous le lustre du couloir, elle a essuyé le fard à paupières et le mascara qui avaient coulé. Et elle a posé la touche finale : de la poudre, qu'elle a appliquée fermement en remontant le coton de part et d'autre du visage de Lindsey. Ce ne fut que lorsque nous sommes arrivées en bas, après que ma mère a fait une remarque sur la robe trop courte de Lindsey tout en regardant Grand-Maman d'un air soupçonneux, que ma sœur et moi nous sommes alors rendu compte que Grand-Maman Lynn n'avait pas une once de maquillage. Buckley était assis entre elles deux à l'arrière de la voiture ; comme on approchait de l'église, il a regardé Grand-Maman Lynn et lui a demandé ce qu'elle faisait.

« Quand on n'a pas le temps de se passer du rouge, ça donne un peu de vivacité », a-t-elle expliqué, et Buckley l'a imitée, se pinçant les joues.

*
**

Samuel Heckler se tenait près des piliers qui marquaient l'allée menant au porche de l'église. Il était entièrement vêtu de noir, et son frère aîné, Hal, se tenait à côté de lui, dans la veste en cuir avachie que Samuel portait le jour de Noël.

Son frère ressemblait à une copie de Samuel en plus sombre. Il était bronzé, le visage tanné par ses folles courses à moto sur les routes de campagne. Voyant ma famille approcher, Hal a fait rapidement demi-tour et s'est éloigné.

« Vous devez être Samuel, a dit ma grand-mère. Bonjour, je suis la méchante grand-mère.

– On entre ? a suggéré mon père. Content de te voir, Samuel. »

Lindsey et lui ont ouvert la marche, tandis que ma grand-mère se reculait pour se placer de l'autre côté de ma mère. Un front uni.

L'inspecteur Fenerman était près de l'entrée, vêtu d'un costume miteux. Il a fait un signe de tête à mes parents, et son regard a semblé s'attarder sur ma mère. « Vous nous accompagnez ? lui a demandé mon père.

– Merci, mais j'ai juste envie de rester dans les parages.

– C'est gentil à vous. »

Ils ont pénétré sous le porche bondé de notre église. J'avais envie de me faufiler dans le dos de mon père, d'enlacer son cou et de murmurer à son oreille. J'étais déjà présente dans ses moindres pores et interstices.

Réveillé avec la gueule de bois, il s'était tourné sur le côté pour observer le souffle ténu de ma mère sur le traversin. Son adorable femme, son adorable fille. Il avait envie de poser la main sur sa joue, d'écarter ses cheveux de son visage d'une caresse et de l'embrasser mais, endormie, elle était paisible. Depuis ma mort, il ne s'était pas réveillé un seul matin sans imaginer l'épreuve qu'allait être la traversée de la journée à venir. À vrai dire, la messe commémorative n'était pas ce qu'il y avait de pire. Au moins, c'était honnête. Au moins, c'était un jour centré autour de ce qui les obsédait : mon absence. Aujourd'hui, ils n'auraient pas à affecter un retour à la normale, quelle que soit « la normale ». Aujourd'hui, il pouvait avancer grandi par le chagrin, et Abigail aussi. Mais il savait que, une fois réveillée, il ne la regarderait pas du restant de la journée, il ne la regarderait pas vraiment au plus profond d'elle ; il ne verrait pas la femme qu'il connaissait avant que ma mort ne leur soit annoncée. Deux mois et quelques plus tard, ce n'était plus très neuf, sauf dans les cœurs de ma famille et dans celui de Ruth.

Elle est arrivée avec son père. Ils étaient debout dans l'angle où se trouvait la vitrine contenant le calice utilisé pendant la guerre d'Indépendance, lorsque l'église avait servi d'hôpital. Mr. et Mrs. Dewitt ont parlé un peu avec eux. Sur son bureau, chez elle, Mrs. Dewitt avait un poème de Ruth. Lundi elle l'apporterait au conseiller pédagogique. C'était un poème sur moi.

« Ma femme est du même avis que monsieur le principal, disait le père de Ruth, la messe commémorative permettra aux élèves de mieux accepter.

– Qu'en pensez-vous, vous ? a demandé Mr. Dewitt.

– Pour moi, ce qui est fait est fait, et il faut laisser la famille tranquille. Mais Ruthie voulait venir. »

Ruth a regardé ma famille saluer les gens, et elle a été horrifiée par le nouveau style de ma sœur. Elle ne croyait pas au maquillage. Elle trouvait que ça avilissait les femmes. Samuel Heckler tenait Lindsey par la main. Un mot provenant de ses lectures a jailli dans son esprit : *subjugation*. Mais j'ai vu alors qu'elle remarquait Hal Heckler, par la fenêtre. Il était à côté des tombes les plus anciennes et tirait sur un mégot.

« Ruthie, a demandé son père, qu'est-ce qui se passe ? »

Elle a tourné le regard vers lui.

« Comment ça ?

– Tu regardais dans le vague.

– J'aime bien le style de ce cimetière.

– Ah ! ma chérie… tu es mon petit ange, a-t-il dit. Fonçons sur un siège avant que les meilleurs ne soient pris. »

Clarissa était là avec un Brian Nelson à l'air niais dans un costume de son père. Elle s'est dirigée vers ma famille, et, quand le principal et Mr. Botte l'ont vue ils se sont écartés pour la laisser approcher.

Elle a d'abord serré la main de mon père.

« Bonjour, Clarissa. Ça va ?

– Bien. Et vous et Mrs. Salmon ?

– Bien, Clarissa. » *Quel drôle de mensonge !* me suis-je dit.

« Tu veux venir avec nous sur le banc réservé à la famille ?

– Euh… » Elle a baissé les yeux sur ses mains. « Je suis avec mon copain. »

Ma mère dévisageait Clarissa dans une espèce d'état de transe. Cette fille était en vie alors que moi, j'étais morte. Clarissa a fini par sentir ces yeux qui la traversaient et elle a eu envie de partir. Puis elle a vu la robe.

« Hé ! a-t-elle lancé en direction de ma sœur.

– Qu'est-ce qu'il y a, Clarissa ? a demandé sèchement ma mère.

– Abigail ? » a fait mon père. Il avait été alerté par sa voix, sa colère. Quelque chose n'allait plus.

Grand-Maman Lynn, qui se trouvait juste derrière ma mère, a fait un signe à Clarissa.

« Je remarquais simplement le chic de Lindsey », a dit Clarissa.

Ma sœur a rougi.

Les gens sous le porche ont bougé puis se sont séparés. Le révérend Strick en habit s'est dirigé vers mes parents.

Clarissa s'est fondue dans la foule à la recherche de Brian Nelson. Quand elle l'a découvert, elle est allée le rejoindre parmi les tombes.

Ray Singh n'était pas là. Il me disait au revoir à sa façon : en regardant une photo – en l'occurrence mon portrait ; je l'avais fait faire chez le photographe et le lui avais donné l'automne précédent. Il a plongé dans les yeux de la photographie. Puis il a vu au travers du fond en suédine devant lequel on pose toujours, sous le projecteur. Qu'est-ce que ça signifiait, être mort ? Ça signifiait être perdu, glacé, disparu. Il savait que personne ne ressemblait réellement à sa photo. Il savait qu'il n'avait pas vraiment cet air sauvage et effrayé qu'on voyait sur la sienne. Il en est venu à comprendre ça, en regardant la mienne – que ce n'était pas moi. J'étais dans l'air tout autour de lui. J'étais dans les froides matinées qu'il passait maintenant avec Ruth, j'étais dans les moments calmes qu'il passait tout seul quand il n'étudiait pas. J'étais la fille qu'il avait choisi d'embrasser. Il voulait me libérer, en quelque sorte. Il ne voulait pas brûler ma photo ni la jeter, mais il ne voulait plus me voir non plus. Je l'ai regardé la ranger dans un des énormes volumes de poésie hindoue, où sa mère et lui avaient pressé des dizaines de fleurs fragiles qui tombaient lentement en poussière.

Au cours du service, ils ont dit sur moi des choses charmantes. Le révérend Strick. Le principal Caden et Mrs. Dewitt. Mais mon père et ma mère ont assisté à tout ça dans un état second. Samuel pressait la main de Lindsey, qui ne paraissait pas le remarquer. Elle se contentait de cligner des yeux. Buckley était assis dans un costume étroit emprunté à Nate, qui, cette année-là, avait assisté à un mariage. Il s'agitait nerveusement et regardait mon père. Ce jour-là, c'est Grand-Maman Lynn qui a fait quelque chose d'important.

Pendant l'hymne final, alors que ma famille se levait, elle s'est penchée vers Lindsey et lui a murmuré : « Près de la porte, c'est lui. »

Lindsey a tourné la tête.

Debout juste derrière Len Fenerman, qui était maintenant dans l'entrée et chantait avec les autres, se tenait un voisin. Il portait des vêtements bien plus négligés que les autres, un pantalon kaki doublé de flanelle et une épaisse chemise en flanelle aussi. Un instant, Lindsey a cru le reconnaître. Leurs yeux se sont croisés. Et elle s'est évanouie.

Profitant du remue-ménage qui s'était fait autour d'elle, George Harvey s'est glissé derrière l'église, entre les tombes de la guerre d'Indépendance, et s'est éloigné sans se faire remarquer.

10

Chaque été, lors du Symposium régional des surdoués, les élèves de la cinquième à la troisième se rassemblaient pour une colo d'un mois, dans le seul but, selon moi, de grimper dans les arbres et de se piquer les uns aux autres leurs idées géniales. Autour du feu de camp, ils chantaient des oratorios au lieu de chansons folks. Dans les douches des filles, on se pâmait sur le physique de Jacques d'Amboise, le body builder, mais aussi sur le lobe frontal de John Kenneth Galbraith, l'économiste.

Mais même les surdoués avaient leurs cliques. Il y avait les Crétins scientifiques et les Cerveaux matheux. Sur leur échelle, ils représentaient l'échelon supérieur, même s'ils étaient quelque peu handicapés sociaux. Puis venaient les Forts en histoire, qui connaissaient les dates de naissance et de décès du moindre personnage historique. Ils passaient devant les autres en déclamant des durées de vie énigmatiques, apparemment dépourvues de sens : « 1769-1821 », « 1770-1831 ». Quand Lindsey passait à côté des Forts en histoire, elle se donnait intérieurement les réponses : « Napoléon », « Hegel ».

Il y avait aussi les Maîtres en arcanes du savoir. Tout le monde critiquait leur présence parmi les surdoués. Il s'agissait des gamins capables de démonter un moteur et de le remonter sans avoir besoin de plan ni de mode d'emploi. Ils comprenaient les choses pratiques, pas les théoriques. Et se fichaient pas mal de leurs notes.

Samuel était un Maître. Richard Feynman et son frère Hal étaient ses héros. Hal avait abandonné le secondaire et faisait marcher maintenant la boutique de motos près de la doline. Il servait tout le monde, des Hell's Angels jusqu'aux personnes âgées qui faisaient le tour du parking de leur maison de retraite en scooter. Hal fumait, vivait au-dessus du garage des Heckler, et entretenait tout un tas de liaisons amoureuses dans son arrière-boutique.

Lorsque les gens lui demandaient quand il allait enfin être adulte, il répondait : « Jamais. » Se rappelant ce mot, Samuel répondait aux profs qui lui demandaient ce qu'il voulait faire plus tard : « Je ne sais pas. J'ai à peine quatorze ans. »

À presque quinze ans, Ruth Connors savait, elle. Dehors, derrière sa maison, dans la cabane à outils en tôle, entourée de poignées de portes et de quincaillerie trouvées par son père dans les vieilles maisons condamnées à la démolition, Ruth était assise dans le noir et se concentrait jusqu'à la migraine. Puis elle fonçait dans la maison en courant, traversait le salon où son père lisait, et montait dans sa chambre. Là, par à-coups, elle écrivait sa poésie. *Être Susie*, *Après la mort*, *En morceaux*, *Maintenant près d'elle*, et sa préférée, celle dont elle était la plus fière, qu'elle avait emportée avec elle au symposium, si souvent pliée et repliée qu'elle en était presque coupée aux plis, *Au bord de la tombe*.

Il avait fallu conduire Ruth en voiture au symposium, parce que ce matin-là, au moment du départ du bus, elle était encore chez elle avec une gastrite aiguë. La veille, elle avait mangé un chou entier pour dîner – elle suivait d'étranges régimes entièrement végétariens. Sa mère refusait de s'incliner devant cette manie, apparue après ma mort.

« Ce n'est pas Susie que tu manges, pour l'amour du ciel ! » disait-elle en flanquant devant sa fille une tranche d'aloyau d'un bon doigt d'épaisseur.

Son père l'a d'abord conduite à l'hôpital, à trois heures du matin, puis au symposium, après un passage à la maison pour embarquer le sac que sa mère avait préparé et laissé au bout de l'allée.

Lorsque son père est arrivé dans le camp, Ruth a scruté la foule des jeunes, alignés pour recevoir leurs badges. Elle a repéré ma sœur dans le groupe entièrement masculin des Maîtres. Lindsey avait évité d'écrire son nom de famille sur le badge, préférant le remplacer par un poisson. Ainsi elle ne mentait pas tout à fait, mais espérait rencontrer des jeunes des écoles environnantes qui ne seraient pas au courant de ma mort ou, du moins, ne feraient pas de lien avec elle.

Tout le printemps, elle avait porté en pendentif le demi-cœur dont Samuel portait l'autre moitié. Ils se montraient réservés sur leur affection réciproque. Dans les couloirs du collège, ils ne se tenaient pas par la main, et ils ne se passaient pas de billets doux non plus. Ils prenaient leurs repas ensemble ; Samuel la raccompagnait à la maison. Pour son quatorzième anniversaire, il lui avait apporté un petit four orné d'une bougie. Autrement, ils se confondaient dans le monde sexué de leurs pairs.

Le lendemain matin, Ruth se leva de bonne heure. Comme Lindsey, elle flottait entre deux eaux, au camp des surdoués. Elle n'appartenait à aucun groupe. Elle avait participé à une promenade botanique et ramassé des plantes dont elle devait demander le nom. Quand elle n'aimait pas les réponses fournies par un des Crétins scientifiques, elle décidait de choisir le nom toute seule. Elle dessinait la feuille et la fleur dans son journal, indiquait ensuite leur sexe supposé, puis désignait par « Jim » les plantes à feuille simple, et « Pasha » les fleurs duveteuses.

Quand Lindsey est entrée dans le réfectoire, d'un pas hésitant, Ruth faisait la queue pour du rab de saucisses et d'œufs. Chez elle, comme elle avait protesté haut et fort contre la consommation de viande, il fallait bien qu'elle s'y tienne, mais au symposium, personne n'était au courant.

Ruth n'avait pas parlé à ma sœur depuis ma mort sauf pour les « pardon » murmurés en passant dans le couloir du collège. Mais après, elle avait vu Lindsey souriante, raccompagnée chez elle par Samuel. Elle regardait ma sœur accepter les *pancakes* et refuser tout le reste. Elle s'est efforcée de s'imaginer à sa place, après avoir passé du temps à s'imaginer à la mienne.

Comme Lindsey fonçait tête baissée vers une place libre, Ruth est intervenue. « Que signifie le poisson ? lui a-t'elle demandé en indiquant le badge d'un signe de tête. Tu es croyante ?

– Regarde dans quel sens il est », lui a répondu Lindsey tout en espérant qu'il y aurait de la crème à la vanille pour le petit déjeuner. Ça accompagnerait splendidement ses *pancakes*.

« Ruth Connors, poétesse, a lancé Ruth en guise de présentation.

– Lindsey, a répondu Lindsey.

– Salmon, n'est-ce pas ?

– Je t'en prie, tais-toi », l'a suppliée Lindsey, et en une seconde, Ruth a pu éprouver avec plus d'acuité ce que cela signifiait de se réclamer de moi. Parce que en regardant Lindsey, les gens voyaient automatiquement une adolescente couverte de sang.

Même parmi les surdoués, qui se distinguaient pourtant par leur façon de faire les choses différemment, les gens se mettaient par paires dès les premiers jours. Essentiellement des paires unisexes – peu de relations sérieuses débutaient vers quatorze ans – mais il y avait une exception, cette année-là : Lindsey et Samuel.

Le cri : « U-N B-A-I-S-E-R ! » les accueillait où qu'ils aillent. Sans chaperon, la chaleur de l'été aidant, quelque chose poussait en eux comme de mauvaises herbes. C'était le désir. Je ne l'avais jamais vu à l'état pur, ni se développer avec autant d'intensité chez quelqu'un de ma connaissance. Quelqu'un dont je partageais le capital génétique.

Ils étaient prudents et obéissaient au règlement. Aucun moniteur ne pouvait se vanter, après avoir fouillé de sa torche les épais massifs d'arbustes du côté des dortoirs des garçons, d'y avoir trouvé Salmon et Heckler en pleine action. Ils se fixaient des petits rendez-vous à l'extérieur, derrière la cafétéria, ou sous un arbre bien particulier avec leurs initiales gravées tout en haut. Ils s'embrassaient. Ils auraient aimé aller plus loin mais ne le pouvaient pas. Samuel voulait que ce soit exceptionnel. Il avait conscience que ce devait être parfait. Lindsey, elle, voulait simplement que ce soit fait. Que ce soit du passé. Que ce soit derrière elle afin d'être définitivement adulte, de transcender l'espace et le temps. Elle pensait au sexe comme à une « téléportation » de style *Star Trek*. On s'évaporait et on se retrouvait à naviguer sur une autre planète en moins d'une seconde ou deux, le temps qu'il fallait pour s'en rendre compte.

« Ils vont le faire », écrivait Ruth dans son journal. J'avais placé grand espoir dans ses écrits. Elle y avait noté aussi mon passage auprès d'elle, dans le parking, comment ce soir-là je l'avais touchée, littéralement touchée, elle l'avait senti. Senti ce à quoi je ressemblais à ce moment-là. Comment elle rêvait de moi. L'idée qu'elle s'était faite : un esprit, c'était comme une seconde peau, une espèce de couche protectrice. Que si elle s'y tenait, elle pouvait peut-être nous libérer toutes les deux. Je lisais par-dessus son épaule au fur et à mesure qu'elle écrivait ses pensées, et je me demandais si quelqu'un arriverait à la croire un jour.

Quand elle m'imaginait, elle se sentait mieux, moins seule, reliée à autre chose, d'extérieur. À quelqu'un d'extérieur. Dans ses rêves, elle voyait le champ de maïs et un monde nouveau s'ouvrir, un monde où, peut-être, elle pourrait aussi prendre pied.

« Tu es vraiment une bonne poétesse, Ruth » ; elle m'imaginait dire ça, et son journal lui ouvrait la voie d'un rêve éveillé, où elle était une si grande poétesse que les mots avaient le pouvoir de me ressusciter.

J'arrivais à voir un après-midi où la petite Ruth, assise sur le tapis de la salle de bains, regardait sa cousine, une adolescente, se déshabiller pour entrer dans la baignoire. Sa cousine avait fermé la porte à clé, pour pouvoir la surveiller, comme on le lui avait demandé. Ruth avait eu très envie de toucher sa peau et ses cheveux, d'être serrée dans ses bras. Je me demandais si cette envie, chez une enfant de trois ans, avait été une étincelle annonçant ce qui surviendrait cinq ans plus tard. Ce sentiment flou de différence, cette certitude que les élans qui la poussaient vers ses professeurs femmes et vers sa cousine étaient plus vrais que les béguins des autres filles. Les siens englobaient un désir qui dépassait la simple douceur et l'attention ; ça nourrissait une envie qui s'épanouissait en un désir jaune et vert, comme un crocus dont les doux pétales s'ouvraient en une adolescence difficile. Ainsi qu'elle l'écrivait dans son journal, ce n'était pas tant un désir de relations sexuelles avec des femmes qu'elle éprouvait, mais plutôt le désir de disparaître en elles à tout jamais. Pour se cacher.

La dernière semaine du symposium était toujours consacrée à la réalisation d'un projet final, objet d'une compétition entre les écoles la veille du jour où les parents venaient récupérer leurs enfants. Le concours n'était pas annoncé avant le petit déjeuner du samedi de la dernière semaine, mais les jeunes avaient néanmoins déjà commencé à dresser leurs plans. C'était généralement un concours de souricières perfectionnées, et d'année en année, on en relevait les enjeux, personne n'ayant envie de copier un piège déjà existant.

Samuel était parti à la recherche de gamins porteurs d'appareils dentaires. Il avait besoin des minuscules élastiques distribués par les orthodontistes. Ils seraient efficaces pour régler précisément la tension du bras de guidage de sa souricière. Lindsey quémandait du papier alu propre auprès du cuisinier, un ancien de l'armée. Afin de déconcerter les souris, leur piège exigeait que la lumière s'y reflète. « Et qu'est-ce qu'il va se passer, si elles se trouvent jolies ? a demandé Lindsey.

– Elles ne pourront pas se voir clairement », a répondu Samuel.

Il allait dans la réserve de sacs-poubelles, arracher le papier qui entourait les attaches métalliques. Quand un des jeunes du camp jetait un regard bizarre sur un objet ordinaire de la vie quotidienne, c'était vraisemblalement qu'il envisageait de l'utiliser pour son piège.

« Elles sont si mignonnes », a dit Lindsey, un après-midi.

Elle avait passé la plus grande partie de la nuit précédente à attraper des souris des champs pour les mettre dans une cage à lapins vide. Samuel les regardait intensément : « Je pourrais être véto je crois, mais je ne pense pas que j'aimerais les disséquer.

– Est-ce qu'on doit vraiment les tuer ? a demandé Lindsey. C'est la meilleure souricière qu'on doit construire, pas le meilleur camp de concentration.

– Artie fabrique des petits cercueils en balsa, a dit Samuel en riant.

– C'est écœurant.

– C'est du Artie.

– Il paraît qu'il avait un béguin pour Susie.

– Je sais.

– Est-ce qu'il parle d'elle ? » Lindsey a pris une longue baguette mince et l'a introduite à travers le grillage.

« En fait, il a demandé de tes nouvelles.

– Qu'est-ce que tu lui as répondu ?

– Que tu vas bien, que ça va aller. »

Les souris n'arrêtaient pas de courir de la baguette vers le coin du fond, où elles s'entassaient les unes sur les autres en un vain effort de fuite.

« Construisons une souricière avec un petit divan de velours pourpre et on pourra l'équiper d'un cliquet d'arrêt qui, lorsqu'elles se trouveront sur le divan, déclenchera la chute d'une porte et libérera des boulettes de fromage. On pourra appeler ça le royaume des rongeurs sauvages. »

Samuel ne mettait pas de pression sur ma sœur, à la différence des autres. Il préférait détailler les divans pour souris.

Cet été-là je m'étais mise à passer moins de temps à veiller depuis le haut de mon kiosque, car j'arrivais à voir la Terre tout en parcourant les champs célestes. La nuit tombait ; les lanceuses de javelot et de poids partaient pour d'autres paradis. Des paradis où une fille comme moi n'avait pas sa place. Étaient-ils abominables, ces autres paradis ? Pires que de se sentir solitaire parmi ses pairs en pleine croissance ? Ou bien étaient-ils au contraire exactement ce dont je rêvais ? Où l'on était éternellement englué dans un monde d'images d'Épinal, avec la dinde sur la table familiale, découpée par un père moqueur et bienveillant.

Si je m'éloignais trop et réfléchissais à voix assez haute, les champs changeaient. En baissant les yeux, je voyais du maïs et je pouvais alors entendre un chant, une espèce de sifflotement et de grognement qui m'avertissait que je devais m'éloigner du bord. Ma tête palpitait, le ciel s'obscurcissait et la nuit du meurtre se répétait, cet autrefois perpétuel revivait. Mon âme était solidifiée, alourdie. Je suis ainsi remontée plusieurs fois jusqu'au bord de ma tombe, alors que c'est vers le fond que je devais regarder.

J'ai vraiment commencé à me demander ce que signifiait le mot *paradis*. Je me disais que si c'était vraiment ça, le paradis, mes grands-parents y seraient. Le père de mon père, mon préféré, me soulèverait et danserait avec moi. Je n'éprouverais que joie, je n'aurais plus de souvenirs, que ce soit de champ de maïs ou de tombe.

« Tu peux y arriver, m'a dit Franny. Plein de gens y sont parvenus.

– Comment on opère le changement ? ai-je demandé.

– Ce n'est pas si facile. Tu dois cesser de vouloir à tout prix certaines réponses.

– Je ne comprends pas.

– Si tu arrêtes de te demander pourquoi c'est toi qui as été tuée et non quelqu'un d'autre, si tu arrêtes d'explorer le vide que ta perte a laissé, si tu arrêtes de te demander ce que ressent toute personne laissée sur Terre, tu pourras être libre. Dit plus simplement, il te faut abandonner la Terre. »

Ça me semblait impossible.

Cette nuit-là, Ruth s'est glissée dans le dortoir de Lindsey.

« J'ai rêvé d'elle », a-t-elle murmuré à ma sœur.

Lindsey l'a regardée, à moitié endormie. « Susie ? a-t-elle demandé.

– Je regrette, pour le coup du réfectoire », a dit Ruth.

Lindsey était tout en bas d'un lit superposé métallique à trois étages. La voisine du dessus a bougé.

« Je peux me coucher à côté de toi ? » a demandé Ruth.

Lindsey a acquiescé.

Ruth s'est glissée près de Lindsey, dans le lit étroit.

« Qu'est-ce qui s'est passé dans ton rêve ? » a murmuré Lindsey.

Ruth le lui a raconté, le visage tourné de telle sorte que Lindsey pouvait deviner les contours de son nez, de ses lèvres et de son front. « J'étais à l'intérieur de la terre et Susie marchait au-dessus de moi, dans le champ de maïs. Je sentais ses pas au-dessus de ma tête. Je l'ai appelée mais ma bouche s'est emplie de boue. J'ai hurlé mais elle ne pouvait pas m'entendre. Puis je me suis réveillée.

– Je ne rêve pas d'elle, a dit Lindsey. Je fais des cauchemars pleins de rats qui grignotent la pointe de mes cheveux. »

Ruth appréciait le bien-être qu'elle ressentait auprès de ma sœur, la chaleur que créaient leurs corps.

« Tu es amoureuse de Samuel ?

– Oui.

– Susie te manque ? »

Parce qu'il faisait nuit, parce que Ruth avait détourné le visage, parce qu'elle était presque une étrangère, Lindsey a exprimé ce qu'elle ressentait : « À un point que personne ne peut imaginer. »

Le principal du collège de Devon Junior High ayant été rappelé pour raisons familiales, ç'a été la principale adjointe de l'école de Chester Springs, récemment nommée, qui a eu à trouver au pied levé le défi de cette année-là. Elle voulait faire quelque chose qui change des pièges à souris.

UN CRIMINEL PEUT-IL S'EN TIRER IMPUNÉMENT ? OU L'ART DE COMMETTRE LE CRIME PARFAIT, annonçait son affichette rédigée à la sauvette.

Les gamins ont adoré. Musiciens et poètes, les Forts en histoire et les artistes fourmillaient d'idées et brûlaient de s'y mettre. Ils ont engouffré leurs œufs et *bacon* du petit déjeuner et entrepris de comparer les grandes énigmes criminelles non résolues du passé, ou ont passé en revue les objets quotidiens susceptibles de servir d'armes. Ils se sont mis à conspirer sur la personne à abattre. Tout s'est passé dans la bonne humeur, jusqu'à l'entrée de ma sœur, à sept heures quinze.

Artie l'a regardée prendre place dans la queue. Elle ne se méfiait pas encore, sentant simplement l'excitation qui flottait dans l'air, imaginant juste que le concours de souricières avait été annoncé.

Il a fixé Lindsey et vu que l'affichette la plus proche se trouvait à l'extrémité de la rangée de plats, de l'autre côté du plateau à couverts. Il écoutait une histoire sur Jack l'Éventreur remise sur le tapis par une des personnes attablées. Il attendait pour rendre son plateau.

Quand il est arrivé au niveau de ma sœur, il s'est raclé la gorge. Tous mes espoirs étaient cristallisés sur ce garçon tremblant. « Rattrape-la ! » ai-je dit, prière qui est descendue sur Terre.

« Lindsey », a fait Artie.

Elle l'a regardé. « Oui ? »

Derrière le comptoir, l'ancien cuisinier des armées avançait une cuillerée d'œufs brouillés avec l'intention de la jeter dans son assiette.

« Artie. J'étais dans la même classe que ta sœur.

– Je n'ai aucun besoin de cercueils, a rétorqué Lindsey en faisant glisser son plateau le long des barres métalliques jusqu'à l'endroit où se trouvaient les grands pichets en plastique contenant jus d'orange et jus de pomme.

– Quoi ?

– Samuel m'a dit que cette année tu construisais des petits cercueils de balsa pour les souris. Je n'en ai pas besoin.

– Ils ont changé le sujet du concours », a-t-il dit.

Ce matin-là, Lindsey avait décidé de découdre le bas de la robe de Clarissa. Ce serait parfait pour le divan de la souris.

« Et à la place ?

– Tu veux sortir ? » Artie se servait de son corps pour lui masquer le mur et l'empêcher de s'avancer vers les couverts. « Lindsey, a-t-il finalement laissé échapper, le thème du concours de cette année, c'est le meurtre. »

Lindsey l'a dévisagé.

Elle se raccrochait à son plateau. Ses yeux étaient rivés à ceux d'Artie.

« Je voulais te prévenir avant que tu lises l'affichette », a-t-il dit.

Samuel s'est précipité sous la tente.

« Qu'est-ce qui se passe ? a demandé Lindsey avec un regard désespéré.

– Le concours de cette année porte sur l'art de commettre le crime parfait », lui a expliqué Samuel.

Lui et moi avons perçu le tremblement. La violente secousse intérieure de son cœur. Elle était devenue tellement experte que fentes et fissures s'amenuisaient. Bientôt, tel un tour de prestidigitation parfait, personne ne la verrait faire. Elle pouvait tenir à distance le monde entier. Y compris elle-même.

« Ça va aller », a-t-elle dit.

Mais Samuel savait que ça n'irait pas.

Artie et lui l'ont regardée partir, les yeux rivés sur son dos qui s'éloignait.

« J'essayais juste de l'avertir », a bafouillé Artie.

Il a repris sa place à table, dessinant inlassablement des seringues hypodermiques. Sa plume pressait de plus en plus fort pour en emplir l'intérieur de liquide d'embaumement coloré, tout en perfectionnant la trajectoire des trois gouttes qui en jaillissaient.

On est aussi seul sur Terre qu'au paradis, me suis-je dit.

« On tue à coups de poignard, de couteau et de fusil, a dit Ruth, c'est écœurant.

– D'accord », a acquiescé Artie.

Samuel avait emmené ma sœur pour parler avec elle. Artie avait vu Ruth dehors, assise à l'une des tables de pique-nique, avec son grand carnet d'esquisses vide.

« Mais il y a de bonnes raisons de tuer, a ajouté Ruth.

– Qui a fait ça à ton avis ? » a demandé Artie. Installé sur le banc, il avait tendu ses pieds sur la barre d'appui de la table.

Ruth était immobile, jambe droite croisée sur la gauche, sauf un pied qui gigotait sans arrêt.

« Comment tu sais ? a-t-elle demandé.

– C'est mon père qui nous l'a dit, a répondu Artie. Il m'a appelé avec ma sœur dans le salon et nous a fait asseoir.

– Merde, et qu'est-ce qu'il a dit ?

– D'abord, qu'il se passait des choses abominables dans le monde ; ma sœur a lancé : "Le Vietnam" et il est resté calme parce qu'ils se disputent systématiquement quand ça vient sur le tapis. Il a donc rétorqué : "Non, ma chérie, des choses abominables près de chez nous, qui arrivent à des gens que nous connaissons." Elle a cru qu'il s'agissait d'une de ses amies. »

Ruth a senti une goutte de pluie.

« Puis mon père a lâché le morceau et annoncé qu'une petite fille avait été tuée. C'est moi qui ai demandé qui. C'est-à-dire que, quand il a parlé de petite fille, je me l'imaginais toute petite, tu vois. Pas de notre âge. »

C'était bel et bien une goutte de pluie ; d'autres tombèrent sur la table en séquoia.

« Tu veux rentrer ? a demandé Artie.

– Tous les autres vont être à l'intérieur, a dit Ruth.

– Je sais.
– Je préfère me mouiller, alors. »

Ils sont restés assis un certain temps et ont regardé tomber les gouttes tout autour d'eux, écoutant le bruit sur les feuilles de l'arbre, au-dessus d'eux.

« Je savais qu'elle était morte. Je le sentais, a dit Ruth, puis le journal de mon père en a parlé et là j'en ai été sûre. D'abord, ils n'ont pas donné son nom. Ils ont juste écrit "Fille de quatorze ans". J'ai demandé la page à mon père mais il n'a pas voulu me la donner. Pourtant, en dehors d'elle et de sa sœur, qui d'autre avait manqué les cours cette semaine-là ?

– Je me demande qui l'a annoncé à Lindsey… » s'est interrogé Artie. La pluie a redoublé. Artie s'est glissé sous la table. « On va être trempés », a-t-il hurlé.

Et puis la pluie s'est arrêtée, aussi brutalement qu'elle avait commencé. Le soleil a traversé les branches de l'arbre, au-dessus de sa tête, et le regard de Ruth les a transpercées. « Je pense qu'elle écoute », a-t-elle dit, trop bas pour qu'on l'entende.

Au symposium, à présent, chacun savait qui était ma sœur et comment j'étais morte.

« Imagine ce que c'est que d'être poignardée, a suggéré quelqu'un.

– Sans façon.
– Moi je trouve ça cool.
– Regarde comme elle est célèbre maintenant.
– Tu parles d'une façon de devenir célèbre ! Je préférerais avoir le prix Nobel.
– Quelqu'un sait ce qu'elle voulait faire plus tard ?
– Je te mets au défi de le demander à Lindsey. »

Et ils dressèrent la liste des morts qu'ils connaissaient.

Grand-mère, grand-père, oncle, tante, un des parents pour quelques-uns, plus rarement une sœur ou un frère, emportés jeunes par une maladie, une anomalie cardiaque, une leucémie, ou une maladie au nom imprononçable. Personne ne connaissait qui que ce soit qui ait été assassiné. Mais maintenant, ils me connaissaient, moi.

Sous un canot trop vieux et trop abîmé pour flotter, Lindsey s'est étendue à même le plancher avec Samuel Heckler qui la serrait contre lui.

« Tu sais que je vais bien, a-t-elle dit les yeux secs. Je pense qu'Artie essayait de m'aider.

– Tu peux arrêter maintenant, Lindsey. Restons simplement étendus ici et attendons que les choses se tassent. »

Le dos de Samuel était au ras du plancher et il a attiré ma sœur tout contre lui pour la protéger de l'humidité de la brève averse estivale. Leurs souffles ont commencé à réchauffer l'espace réduit sous le bateau et, sans qu'il y puisse rien, son pénis s'est durci dans son jean.

Lindsey a approché la main.

« Je suis désolé..., a-t-il dit.

– Je suis prête », a répondu ma sœur.

À quatorze ans, elle s'est éloignée de moi pour aller là où je n'étais jamais allée. Entre les murs de mon sexe se trouvaient sang et horreur, alors que dans les murs du sien il y avait des fenêtres.

« Comment commettre le meurtre parfait » était un vieux jeu, au paradis. Je choisissais toujours la stalactite parce que l'arme fond.

11

Quand mon père s'est réveillé, à quatre heures du matin, la maison était calme. Allongée à côté de lui, ma mère ronflait doucement. Seul enfant à la maison puisque ma sœur était au symposium, mon frère dormait comme une masse, le drap tiré par-dessus les oreilles. Mon père, tout comme moi, s'émerveillait de le voir dormir si profondément. Quand j'étais encore en vie, Lyndsey et moi on s'amusait à applaudir, à laisser choir des livres, et même à faire claquer des couvercles pour voir si Buckley se réveillerait.

Avant de quitter la maison, mon père est allé le voir – pour être sûr, sentir son haleine chaude sur sa paume. Puis il a enfilé ses tennis à fines semelles et son jogging léger. En dernier lieu, il a mis son collier à Holiday.

Il était encore assez tôt pour qu'il arrive presque à voir la vapeur de sa respiration. Au petit matin, il pouvait prétendre que c'était encore l'hiver. Que les saisons n'avaient pas bougé.

La promenade matinale du chien lui fournissait une excuse pour passer devant la maison de Mr. Harvey. Comme il avait à peine ralenti, personne ne se serait douté de quoi que ce soit, sauf moi ou Mr. Harvey s'il avait été éveillé. Mon père était persuadé que s'il regardait assez intensément et assez longtemps, il trouverait les indices nécessaires, que ce soit dans les croisées des fenêtres, la peinture verte qui protégeait les bardeaux, ou le long de l'allée du garage délimitée par deux grosses pierres peintes en blanc.

Vers la fin de l'été 1974, mon affaire n'avait pas progressé d'un iota. Pas de corps. Pas de tueur. Rien.

Mon père a songé à Ruana Singh : « Une fois certaine, je trouverais une méthode sûre et je le tuerais. » Il n'en avait rien dit à Abigail, parce que le côté basique du conseil pouvait l'effrayer et la pousser à en parler à quelqu'un, qui pourrait bien être Len.

Depuis le jour où il avait vu Ruana Singh, juste avant de trouver Len chez lui qui l'attendait, il avait senti que ma mère s'en remettait fortement à la police. Si mon père affirmait quelque chose en contradiction avec leurs théories – ou plutôt avec leur absence de théorie, selon lui – ma mère se précipitait immédiatement pour combler la brèche ouverte. « D'après Len, ça ne veut rien dire », ou « Je suis sûre que la police découvrira ce qui est arrivé. »

Mon père se demandait pourquoi les gens lui faisaient tellement confiance. Pourquoi ne pas plutôt faire confiance à l'instinct ? C'était Mr. Harvey, il en était certain. Ruana avait dit *Une fois certaine*. Cette certitude, ce savoir venu du fond de l'âme que détenait mon père n'était pas, dans l'esprit le plus littéral de la loi, une preuve irréfutable.

J'étais née dans la même maison que celle où j'avais grandi. Comme celle de Mr. Harvey il s'agissait d'une simple boîte, et c'est pour cela que je nourrissais des envies inutiles chaque fois que je visitais les maisons des autres. Je rêvais de bow-windows et de coupoles, de balcons et de chambres mansardées. J'adorais l'idée qu'il pouvait y avoir dans un jardin des arbres plus grands et plus larges que les gens, des espaces pentus sous les escaliers, des haies si épaisses qu'à l'intérieur, les branches mortes offraient des trous où l'on pouvait ramper et se cacher. Dans mon paradis il y avait des vérandas et des escaliers en colimaçon, circulaires, des rebords de fenêtres avec des balustrades en fer, et un campanile abritant une cloche qui sonnait les heures.

Je connaissais le plan au sol de chez Mr. Harvey par cœur. J'avais laissé une tache chaude par terre dans le garage avant de refroidir. Mon sang était entré chez lui sur ses vêtements et sur sa peau. Je connaissais la salle de bains. Je savais comment ma mère, pour accueillir l'arrivée tardive de Buckley, avait essayé de décorer la nôtre avec une frise de navires de guerre posée en haut des murs roses. Dans la maison de Mr. Harvey, salle de bains et cuisine étaient impeccables. L'émail était jaune et les carrelages du sol verts, ce qui la rendait fraîche. En haut, là où Buckley, Lindsey et moi avions nos chambres, lui n'avait pratiquement rien. À part une chaise droite, où il s'asseyait parfois pour regarder le collège par la fenêtre et écouter le son des répétitions de l'orchestre dérivant à travers champs ; en fait, il passait la plupart de son temps à l'arrière du rez-de-chaussée, dans la cuisine, à bâtir des maisons de poupée ou dans le séjour, à écouter la radio ou encore, quand il lui en prenait l'envie, à dessiner des plans pour des folies comme le trou ou la tente.

Personne ne l'avait ennuyé à mon sujet depuis des mois. Il avait simplement vu de temps à autre une voiture de police ralentir devant chez lui. Il était assez intelligent pour ne rien modifier à son comportement. S'il sortait alors du garage ou se dirigeait vers la boîte aux lettres, il continuait l'air de rien.

Il remontait la sonnerie de plusieurs pendules. Une pour lui signaler quand ouvrir les stores, l'autre quand les fermer. En fonction d'elles, il allumait ou éteignait les lumières dans toute la maison. Quand un enfant sonnait pour lui proposer des barres chocolatées au profit d'une compétition scolaire, ou lui demander s'il aimerait souscrire un abonnement à l'*Evening Bulletin*, il était amical mais formel ; il ne laissait rien filtrer qui puisse attirer l'attention.

Il conservait des objets à compter, ce qui le rassurait. Il s'agissait d'objets simples. Une alliance, une lettre sous enveloppe scellée, un talon de chaussure, une paire de lunettes, une gomme représentant un personnage de dessin animé, une petite bouteille de parfum, un bracelet en plastique, ma breloque porte-bonheur de Pennsylvanie, le pendentif en ambre de sa mère. Il les sortait le soir, une fois qu'il était bien sûr qu'un voisin ou un livreur de journaux ne viendraient plus frapper à sa porte. Il les comptait comme les grains d'un chapelet. Il avait oublié certains prénoms. Moi, je les connaissais. Le talon de chaussure appartenait à Claire, une fille de Nutley, New Jersey, qu'il avait persuadée de monter à l'arrière de sa camionnette. Elle était plus jeune que moi (il me plaît de penser que je ne serais pas montée dans une camionnette, que j'avais plutôt été poussée par ma curiosité pour le trou qu'il avait creusé dans la terre sans qu'il s'effondre). Il lui avait arraché le talon de sa chaussure avant de la relâcher. Rien de plus. Il l'avait fait monter dans la camionnette et lui avait enlevé ses chaussures. Elle s'était mise à pleurer et les sons s'étaient enfoncés en lui comme des vis. Il l'avait suppliée de se calmer et de sortir. Sortir comme par magie de la camionnette, pieds nus et sans lamentations, tandis que lui conservait ses chaussures. Mais elle ne voulait pas. Elle pleurait. Il a attaqué un des talons, le décollant avec son canif jusqu'à ce qu'on tambourine à l'arrière du véhicule. Il a entendu des voix d'hommes et une femme hurlant quelque chose à propos de la police. Il a ouvert la portière.

« Mais qu'est-ce que vous faites à cette gamine ? » a aboyé un des hommes. Son copain a rattrapé la fillette qui s'enfuyait par l'arrière en beuglant.

« J'essaie de réparer sa chaussure. »

La gamine était hystérique, alors que Mr. Harvey respirait le calme et la raison. Mais Claire avait vu ce que j'avais vu, son regard vainqueur, son désir pour quelque chose d'inexprimable ; le lui donner conduisait au néant.

Alors qu'hommes et femmes restaient perplexes, incapables de voir ce que Claire et moi avions vu, Mr. Harvey a tendu les chaussures à la hâte à l'un des hommes puis a tiré sa révérence. Il a conservé le talon en cuir. Ça lui plaisait de le tenir et de le frotter entre le pouce et le majeur – le parfait grigri.

Je connaissais l'endroit le plus sombre de notre maison. J'avais expliqué à Clarissa que j'y étais restée une journée entière, alors qu'en réalité, ça n'avait duré que quarante-cinq minutes environ : c'était le vide sanitaire, au sous-sol. Dans le nôtre, descendaient des tuyaux, visibles si l'on pointait une torche dessus, ainsi que des tonnes et des tonnes de poussière. C'était tout. Il n'y avait pas d'insectes. Ma mère, tout comme celle de Clarissa, utilisait un super-insecticide dès la moindre invasion de fourmis.

Quand la sonnerie s'était déclenchée pour lui rappeler de fermer les stores, puis une autre pour éteindre les lumières – c'était l'heure où ce genre de quartier s'endormait, Mr. Harvey est descendu au sous-sol, où n'existait pas la moindre fissure susceptible de laisser filtrer la lumière ni de le faire remarquer des gens qui auraient pu le décréter bizarre. Vers l'époque où il m'a tuée, il s'était lassé d'explorer le vide sanitaire, mais il aimait encore traîner au sous-sol, installé dans un relax, face au trou noir à mi-hauteur du mur montant jusqu'aux poutrelles apparentes du sol de sa cuisine. Il lui arrivait souvent de s'assoupir, et c'était là qu'il était, endormi, quand mon père est passé devant la maison verte, à quatre heures quarante.

Joe Ellis était un sale petit voyou. À la piscine, il nous avait pincées, Lindsey et moi, sous l'eau, et à cause de lui, on n'allait pas aux soirées piscine tellement on le détestait. Il avait un chien qu'il traînait partout avec lui, bon gré mal gré. C'était un petit chien incapable de courir très vite mais Ellis s'en moquait. Il le frappait ou le soulevait, brutalement, par la queue. Et puis un jour, celui-ci a disparu, de même qu'un chat qu'on avait vu Ellis taquiner. Après quoi, tous les animaux du quartier se sont mis à disparaître.

En suivant le regard fixe de Mr. Harvey dirigé vers le vide sanitaire, j'ai découvert ces animaux disparus depuis plus d'un an. Les gens croyaient que ça s'était arrêté parce que le fils Ellis était parti pour l'école militaire. Quand, le matin, ils laissaient leurs animaux domestiques en liberté, le soir, ils revenaient. Pour eux c'était une preuve. Personne ne pouvait imaginer une voracité à la hauteur de celle qui habitait la maison verte. Quelqu'un qui répandait de la chaux sur les cadavres de chats et de chiens pour en récupérer les os au plus vite. En les comptant, en s'obligeant à rester loin de la lettre scellée, de l'alliance et de la bouteille de parfum, il s'interdisait ce qu'il désirait le plus au monde – monter dans l'obscurité pour s'asseoir sur la chaise et contempler le collège, imaginer les corps des majorettes, dont il n'entendait que les voix, ces voix qui, les soirs d'automne, accompagnaient en vagues palpitantes les matches de foot, ou encore pour regarder les autobus scolaires se vider, deux maisons plus bas. Une fois, il avait longuement regardé Lindsey, seule fille de l'équipe de foot de garçons, qui, à l'approche de la nuit, faisait un footing dans notre quartier. Moi, c'était ça que j'avais du mal à comprendre : à chaque fois, il avait essayé d'arrêter. Il avait tué des animaux, il avait pris des vies inférieures pour s'empêcher de tuer un enfant.

Vers le mois d'août, Len a voulu fixer certaines limites, tant pour lui-même que pour mon père. Ce dernier avait un peu trop souvent appelé le commissariat et joué avec les nerfs des policiers, ce qui n'aiderait à découvrir personne et pouvait même finir par dresser tout le service contre lui.

La goutte d'eau avait été un coup de fil durant la première semaine de juillet. Jack Salmon avait raconté en détail à la standardiste comment, lors de sa promenade matinale, son chien s'était arrêté devant la maison de Mr. Harvey et s'était mis à hurler. Refusant d'obéir à son maître, le chien ne voulait pas quitter l'endroit d'un pouce ni s'arrêter de hurler. Au commissariat, Mr. Poisson et son chien de chasse étaient devenus sujet de plaisanterie.

Len s'est planté sous le porche de notre maison pour terminer sa cigarette. Il était encore tôt mais l'humidité du jour précédent s'était accrue. Toute la semaine on avait annoncé de la pluie, le genre de tempête avec tonnerre et éclairs qui était la spécialité du pays, mais jusqu'à maintenant, la seule humidité dont Len avait conscience était celle qui couvrait son corps d'une sueur moite. Il venait effectuer sa dernière visite informelle chez mes parents.

Il entendit fredonner une voix féminine à l'intérieur. Il écrasa sa cigarette contre le ciment sous la haie et souleva le lourd heurtoir de cuivre. La porte s'ouvrit avant qu'il ne le laisse retomber.

« J'avais senti votre cigarette, a dit Lindsey.

– C'est toi qui fredonnais ?

– Le tabac tue.

– Ton père est là ? »

Lindsey s'est écartée pour le laisser passer.

« Papa ! a hurlé ma sœur dans la maison. C'est Len !

– Tu étais partie, non ? a demandé Len.

– Je viens juste de rentrer. »

Ma sœur portait le maillot de foot de Samuel et une paire de pantalons de jogging bizarres. Ma mère l'avait accusée de revenir à la maison sans le moindre vêtement à elle.

« Je suis sûr que tu as manqué à tes parents.

– Oh ! c'est pas dit ! Je crois qu'ils étaient surtout bien contents de ne plus m'avoir dans les pattes. »

Len savait qu'elle avait raison. Il était pratiquement certain que ma mère avait l'air moins déboussolé, lors de sa dernière visite.

Lindsey a ajouté : « Dans la ville qu'il a construite sous son lit, Buckley vous a transformé en chef de la police.

– En voilà une promotion. »

Ils ont tous deux entendu le pas de mon père dans le couloir au premier, suivi des supplications de Buckley. Lindsey a bien senti que, quoi qu'il ait demandé, notre père le lui avait finalement accordé.

Ils ont descendu l'escalier, tout sourire.

« Len, a-t-il dit, et ils se sont serré la main.

– Bonjour Jack. Comment ça va ce matin, Buckley ? »

Mon père a pris mon frère par la main et l'a planté devant Len, qui s'est incliné cérémonieusement.

« J'ai appris que tu m'avais transformé en chef de la police, a dit Len.

– Oui, m'sieur.

– Je ne pense pas être digne de ce poste.

– Vous l'êtes plus que quiconque », a dit mon père cordialement. Il adorait quand Len Fenerman passait les voir. Chaque fois, cela confirmait à mon père l'existence d'un consensus, d'une équipe derrière lui – il n'était donc pas tout seul, dans cette affaire.

« Les enfants, je dois parler à votre père. »

Lindsey a ramené Buckley dans la cuisine en lui promettant des céréales. Elle pensait au gin-fizz avec une cerise au marasquin que Samuel lui avait montré. Lindsey et Samuel avaient sucé les cerises après avoir bu jusqu'à en avoir la tête lourde et les lèvres tachées de rouge.

« Je dois aller chercher Abigail ? Vous voulez un café, ou autre chose ?

– Jack, je ne suis pas venu apporter des nouvelles, au contraire. On s'assied ? »

J'ai regardé mon père et Len pénétrer dans le living. En fait de vie, le « living » paraissait n'en avoir jamais connu. Len s'assit sur le bord d'une chaise et attendit que mon père l'imite.

« Écoutez, Jack. C'est à propos de George Harvey. »

Le visage de mon père s'est illuminé. « Je croyais que vous aviez dit que vous n'aviez pas de nouvelles.

– Je n'en ai pas. Mais j'ai quelque chose à vous dire me concernant, moi, ainsi que le commissariat.

– Bien.

– Il faut que vous cessiez de nous appeler au sujet de George Harvey.

– Mais…

– Vous *devez* arrêter. On a beau regarder ça sous tous les angles, il n'a rien à voir avec la mort de Susie. Des chiens qui hurlent et des tentes nuptiales ne constituent pas des preuves.

– Je suis sûr que c'est lui.

– Il est bizarre, j'en conviens, mais d'après ce qu'on sait de lui, ce n'est pas un tueur.

– Comment pouvez-vous le savoir ? »

Len Fenerman a parlé mais tout ce que mon père entendait c'était ce que lui avait dit Ruana Singh, et que lorsqu'il se trouvait à l'extérieur de la maison de Mr. Harvey, il sentait les radiations l'atteindre, il sentait la froideur au plus profond de cet homme impénétrable et le seul susceptible de m'avoir tuée. Plus Len le niait, plus mon père en était convaincu.

« Vous allez arrêter d'enquêter sur lui », a dit ce dernier sur un ton monocorde.

Lindsey était sur le pas de la porte, hésitante, rôdant là comme le jour où Len et l'officier de police avaient rapporté mon bonnet à clochettes, dont elle possédait un exemplaire identique. Ce jour-là, elle avait tranquillement fourré ce second bonnet dans une boîte de vieilles poupées, au fond de son placard. Elle ne voulait pas que ma mère réentende jamais le son de ces clochettes qui ressemblaient à des grains de chapelet.

Et il y avait mon père, dont le cœur nous accueillait tous, nous le savions, nous enserrait pesamment et désespérément, ses portes s'ouvrant et se refermant avec la rapidité des changements de registre sur un instrument, des fermetures calmement ressenties, un doigté spectral, de l'entraînement et encore de l'entraînement puis, incroyablement, le son, la mélodie et la chaleur. Lindsey quitta le pas de la porte.

« Rebonjour, Lindsey, dit Len.

– Inspecteur Fenerman.

– Je disais juste à ton père…

– Que vous laissiez tomber.

– S'il y avait une seule bonne raison de soupçonner cet homme…

– Vous avez fini ? » a demandé Lindsey. Tout d'un coup, elle était pour mon père une épouse autant qu'une fille, son aînée, la plus responsable.

« Je voudrais juste que vous sachiez que nous avons exploré toutes les pistes possibles et imaginables. »

Mon père et Lindsey l'ont entendue, et je l'ai vue. Ma mère descendait l'escalier. Buckley s'est lancé au galop depuis la cuisine jusque dans les jambes de mon père.

« Len, a dit ma mère en tirant sur son peignoir, Jack vous a-t-il offert du café ? »

Mon père a regardé sa femme et Len Fenerman.

« Les flics rament, a dit Lindsey en prenant doucement Buckley par les épaules et en le serrant contre elle.

– Rament ? a interrogé mon frère. Il faisait toujours rouler les sons dans sa bouche comme un bonbon acidulé, jusqu'à ce qu'il en sente le goût.

– Quoi ?

– L'inspecteur Fenerman est venu demander à papa qu'il arrête de leur casser les pieds.

– Lindsey, a fait Len, je n'ai pas dit ça comme ça.

– Peu importe », a-t-elle répondu.

Ma sœur voulait maintenant aller quelque part où le camp des surdoués continuerait, où Samuel et elle – ou même Artie qui, à la dernière minute, avait gagné le concours du crime parfait en adoptant l'idée de la stalactite comme arme du crime – gouverneraient son monde.

« Allez viens, papa », a-t-elle dit. Mon père mettait doucement quelque chose en place. Cela n'avait rien à voir avec George Harvey, rien à voir avec moi. C'était dans les yeux de ma mère.

Cette nuit-là, comme il le faisait de plus en plus souvent, mon père est resté éveillé dans son bureau. Il se refusait à croire que le monde s'effondrait autour de lui – combien tout cela était inattendu, après la première rafale de la mort. « J'ai l'impression de me trouver sous le choc d'une éruption volcanique, a-t-il écrit dans son journal. Abigail pense que Len Fenerman a raison, pour Harvey. »

Pendant qu'il écrivait, la bougie à la fenêtre n'a cessé de vaciller et, malgré la lampe de bureau, ce vacillement le dérangeait. Il s'est redressé sur sa vieille chaise qui le suivait depuis ses années d'université, et a entendu le craquement rassurant du bois sous son poids. Au bureau, il n'arrivait même pas à retenir ce que l'on attendait de lui. Jour après jour, maintenant, il affrontait des colonnes de chiffres dépourvus de sens qu'il était supposé faire coller avec les desiderata de l'entreprise. La fréquence de ses erreurs était effrayante, et il craignait, encore plus que dans les premiers jours suivant ma disparition, de ne plus être à même de subvenir aux besoins des deux enfants qui lui restaient.

Il s'est levé et a étiré les bras au-dessus de la tête, essayant de se concentrer sur les quelques exercices que notre médecin de famille avait suggérés. Je regardais son corps se plier en des positions difficiles et surprenantes que je n'avais jamais vues auparavant. Il aurait dû être danseur plutôt qu'homme d'affaires. Il aurait pu danser à Broadway avec Ruana Singh.

Il a éteint la lampe de bureau et n'a laissé que la bougie.

C'est dans son relax vert qu'il se sentait maintenant le plus à l'aise. C'est là que je le voyais souvent dormir. La pièce telle une crypte, la chaise telle une matrice, et moi veillant sur lui. Il a posé la bougie devant la fenêtre, puis il a réfléchi à ce qu'il fallait faire ; comment il avait essayé de toucher ma mère, qui s'était écartée à l'autre bord du lit. Alors qu'en présence de la police, elle paraissait s'épanouir.

Il s'était habitué à la lumière fantomatique visible derrière la flamme de la bougie, ce reflet tremblant et frémissant dans la vitre. Il regardait les deux – la flamme réelle et la flamme fantôme – et se préparait à somnoler, mettant en veilleuse la pensée, la tension et les événements de la journée.

Alors qu'il était sur le point de s'assoupir pour la nuit, on a vu tous les deux la même chose en même temps : une autre lumière. Dehors.

De loin, ça ressemblait à un pinceau lumineux. Un rayon blanc se déplaçant lentement à travers les pelouses, vers le collège. Mon père a dirigé son regard dans cette direction. Il était minuit passé maintenant, et on ne peut pas dire que la pleine lune brillait, comme cela arrivait, au point de pouvoir discerner les contours des arbres et des maisons. Mr. Stead – qui faisait souvent de la bicyclette tard la nuit avec son phare avant clignotant au rythme des pédales – n'aurait jamais abîmé les pelouses de ses voisins de cette manière. De toute façon, c'était trop tard pour Mr. Stead.

Dans son relax vert, mon père s'est penché en avant et a regardé le pinceau lumineux de la lampe de poche se déplacer en direction du champ de maïs en jachère.

« Salaud, a-t-il murmuré. Espèce de salaud d'assassin. »

Il s'est habillé à la va-vite, enfilant une veste qu'il n'avait plus jamais mise depuis une sortie de chasse qui s'était mal terminée, dix ans plus tôt. En bas, il a ouvert le placard de l'entrée et trouvé la batte de base-ball achetée pour Lindsey avant qu'elle ne préfère le foot.

D'abord, il a coupé l'éclairage du porche qu'ils laissaient allumé toute la nuit, pour moi, bien que cela fasse huit mois que la police avait dit qu'on ne me retrouverait pas vivante. La main posée sur la poignée de la porte, il a pris une profonde inspiration.

Il a ouvert et s'est retrouvé debout sous le porche plongé dans l'obscurité. Il a fermé la porte et s'est retrouvé debout dans le jardin de devant avec une batte de base-ball à la main et ces mots dans la tête : *trouver une méthode sûre.*

Il a traversé son jardin, puis la rue, puis il est passé dans le jardin des O'Dwyer, où il avait d'abord vu la lumière. Il a dépassé leur piscine plongée dans le noir et le portique aux balançoires rouillées. Son cœur battait la chamade mais il n'éprouvait rien si ce n'est cette certitude au fond de son cerveau : George Harvey venait de tuer sa dernière victime.

Il a atteint le terrain de foot. Sur sa droite, au fond du champ de maïs et non dans les environs qu'il connaissait par cœur – dans cette zone qui avait été balisée, déblayée, passée au peigne fin et au bulldozer – il a vu la faible lumière. Il a resserré les doigts sur la batte, contre lui. L'espace d'une brève seconde, il a eu du mal à croire à ce qu'il était sur le point de faire puis, de toute la force de son être, il a su.

Le vent l'a aidé qui balayait le terrain de foot en bordure du champ de maïs et fouettait son pantalon collé à ses jambes, le poussant en avant malgré lui. Tout s'effondra. Une fois au milieu des rangées de maïs, il s'est concentré uniquement sur la lumière tandis que le vent camouflait sa présence. Le bruit de ses pas écrasant les épis était emporté par le sifflement de l'air.

Des pensées insensées lui inondaient la tête – le bruit dur du caoutchouc des patins à roulettes des enfants sur le trottoir, l'odeur du tabac de la pipe de son père, le sourire d'Abigail quand il avait fait sa connaissance, comme une lumière transperçant son cœur bouleversé – puis la lampe de poche s'éteignit et tout redevint calme et sombre.

Il avança de quelques pas et s'arrêta.

« Je sais que vous êtes là », a-t-il dit.

J'ai illuminé le champ de maïs et lancé des signaux de feux pour l'éclairer, j'ai envoyé des orages de grêle et de fleurs pour l'avertir mais rien n'y a fait. J'étais condamnée à rester au ciel : j'observais.

« Je suis ici pour en finir », a lancé mon père d'une voix tremblante. Ce cœur qui éclatait en battements, ce sang qui engorgeait les rivières de sa poitrine puis coulait vite. Souffle, feu, poumons contractés puis relâchés ; l'adrénaline ferait le reste. Le sourire de ma mère a disparu de son esprit, remplacé par le mien.

« Tout le monde dort, a dit mon père. Je suis ici pour en finir. »

Il a entendu des gémissements. J'avais envie de diriger la lumière d'un spot, comme ils le faisaient dans l'auditorium du collège, maladroitement, la lumière n'atteignant d'ailleurs pas toujours le bon endroit sur la scène. Elle était là, accroupie en lamentations et voilà que, malgré son ombre à paupières bleue et ses bottes de cow-boy de chez Baker, elle mouillait sa culotte.

Une enfant.

Elle n'a pas reconnu la voix de mon père emplie de haine. « Brian ? » a demandé la voix chevrotante de Clarissa. « Brian ? » C'était l'espoir en guise de bouclier.

La main de mon père a relâché sa prise sur la batte, qu'il a laissée tomber.

« Hein ? Qui est là ? »

Le vent dans les oreilles, Brian Nelson, l'épouvantail-échalas, a garé la décapotable de son frère aîné dans le parking du collège. En retard, toujours en retard, sommeillant en classe ou pendant les repas mais jamais quand un copain avait un *Playboy* ni quand une minette se promenait dans les parages, et jamais les nuits où une fille l'attendait dans un champ de maïs. Malgré tout, il prenait son temps. Le vent, couverture et protection magnifiques pour ce qu'il avait prévu de faire, sifflait à ses oreilles.

Brian s'est dirigé vers le champ de maïs avec sa torche géante empruntée au nécessaire de survie maternel, sous l'évier. Il finit par entendre ce qu'il appellerait plus tard les appels au secours de Clarissa.

Le cœur de mon père était une lourde pierre à l'intérieur de sa poitrine, alors qu'il courait et trébuchait en direction des gémissements de la fille. Sa mère lui tricotait des mitaines, Susie voulait des gants, il faisait si froid dans le champ de maïs, l'hiver. Clarissa ! L'amie fofolle de Susie. Maquillage, sandwiches surchargés de confiture, faux hâle tropical.

Il fonça sur elle et, dans l'obscurité, il la fit tomber. Ses hurlements emplirent ses oreilles et se déversèrent dans les espaces vides, ricochant à l'intérieur. « Susie ! » cria-t-il en guise de réponse.

Entendant mon nom, Brian se précipita à fond de train. Sa lampe sautillait sur le champ de maïs et, tout à coup, Mr. Harvey était là. Personne à part moi ne le vit. La torche de Brian éclaira fugitivement son dos comme il rampait entre les hautes tiges, en écoutant les gémissements.

Elle l'a éclairé pleinement ensuite et Brian a dégagé Clarissa puis il a traîné mon père sur le sol pour le frapper. Le frapper sur la tête, le dos et le visage avec l'énorme lampe torche du nécessaire de survie de sa mère. Mon père s'est mis à crier, glapir et gémir.

Puis Brian a vu la batte.

J'ai poussé et repoussé sans trêve les limites rigides de mon paradis. Je voulais tendre la main et soulever mon père dans les airs, vers moi.

Clarissa s'est enfuie en courant et Brian a vacillé. Le regard de mon père a croisé celui de Brian mais il pouvait à peine respirer.

« Espèce d'enculé ! » Brian bouillonnait.

J'ai entendu des gémissements dans la poussière. J'ai entendu mon nom. J'ai cru sentir le sang sur le visage de mon père, j'ai cru pouvoir étendre la main afin d'effleurer ses lèvres entaillées de mes doigts, m'étendre avec lui dans ma tombe.

Mais, dans les cieux, il fallait que je me détourne. Je ne pouvais rien faire – j'étais enfermée dans mon monde parfait. Le sang que je goûtais était amer. Acide. J'avais envie de la vigilance de mon père, de son amour enveloppant. Mais je voulais aussi qu'il s'en aille et me laisse exister. Il me fut accordé une petite grâce. Je suis retournée dans la pièce où le fauteuil vert conservait encore la chaleur de son corps, et j'ai soufflé sur la chandelle vacillante et solitaire.

12

J'étais dans la pièce, à côté de lui, et je le regardais dormir. Au cours de la nuit, à force de retourner l'histoire dans tous les sens, la police avait fini par comprendre : fou de chagrin, Mr. Salmon était parti dans le champ de maïs en quête de vengeance. Cela correspondait à ce qu'ils savaient de lui, ses incessants appels téléphoniques, son obsession pour le voisin, et la visite faite ce jour-là par l'inspecteur Fenerman pour informer mes parents que l'enquête sur le meurtre était entrée dans une sorte d'impasse. Il ne restait plus de pistes à suivre. Aucun corps n'avait été retrouvé.

Le chirurgien avait opéré le genou de mon père pour remplacer la capsule synoviale par une suture en forme de bourse qui invalidait partiellement l'articulation. En regardant l'opération, je me suis dit que cela ressemblait beaucoup à de la couture, et j'ai espéré que mon père se retrouvait entre des mains plus compétentes que les miennes en la matière. Aux cours d'arts ménagers, elles avaient été si maladroites. Fermeture Éclair ou faufilage, je mélangeais tout.

Mais le chirurgien avait été patient. Pendant qu'il se lavait et se frottait les mains, une infirmière lui avait raconté en détail toute l'histoire. Il se rappelait avoir lu dans les journaux ce qui m'était arrivé. Il avait l'âge de mon père et lui aussi avait des enfants. Il frémit tout en enfilant ses gants. Comme cet homme lui ressemblait. Et comme ils étaient différents.

Dans la sombre chambre d'hôpital, un néon fluorescent bourdonnait, juste derrière le lit de mon père. Avant le lever du jour, c'était l'unique lumière de la pièce, jusqu'à ce que ma sœur entre.

Ma mère, ma sœur et mon frère avaient été réveillés par le bruit des sirènes de police ; ils étaient descendus de leurs chambres dans la cuisine sombre.

« Va réveiller ton père, a dit ma mère à Lindsey. Je n'arrive pas à croire qu'il puisse dormir avec tout ça. »

Ma sœur était donc montée. Maintenant, tout le monde savait où aller le chercher : en moins de six mois, le fauteuil vert était devenu son véritable lit.

« Papa n'est pas là ! a hurlé ma sœur. Papa est parti. Maman ! Maman ! Papa est parti ! » Pendant un instant, Lindsey a été une enfant terrifiée.

« Merde ! a fait ma mère.

– Maman ? » a interrogé Buckley.

Lindsey s'est précipitée dans la cuisine. Ma mère était face au poêle. Son dos était une masse de nerfs énigmatique tandis qu'elle entreprenait de faire du thé.

« Maman ? a demandé Lindsey. Il faut faire quelque chose.

– Tu ne comprends pas...? a répondu ma mère en s'immobilisant un instant avec une boîte d'Earl Grey à la main.

– Quoi ? »

Elle a posé le thé, allumé le gaz et fait demi-tour. Elle a vu alors quelque chose de ses propres yeux : Buckley était allé s'agripper à ma sœur tout en suçant anxieusement son pouce.

« Il est parti à la poursuite de cet homme et s'est fourré dans de sales draps.

– On devrait sortir, maman, a dit Lindsey. On devrait aller l'aider.

– Non.

– Maman, on doit aider papa.

– Buckley, arrête de sucer ton pouce ! »

Mon frère a éclaté en larmes de panique et ma sœur a baissé les bras pour le serrer davantage contre elle. Elle a regardé notre mère.

« Je pars à sa recherche, a-t-elle lancé.

– Pas question, a rétorqué ma mère. Il rentrera à la maison en temps voulu. On reste en dehors de tout ça.

– Maman, et s'il était blessé ? »

Buckley s'est arrêté de pleurer assez longtemps et son regard est allé de ma sœur à ma mère. Il savait ce que voulait dire le mot blessé, et qui était absent de la maison.

Ma mère a jeté à Lindsey un regard qui en disait long. « On n'en parle plus. Tu peux monter attendre dans ta chambre ou rester ici avec moi. À toi de choisir. »

Lindsey en a été soufflée. Elle a fixé notre mère et elle a su ce dont elle avait le plus envie : s'enfuir, courir dans le champ de maïs où se trouvait mon père, où je me trouvais, moi, où elle sentait tout à coup que le cœur de sa famille s'était déplacé. Mais elle a senti la chaleur de Buckley tout contre elle.

« Buckley, on remonte. Tu peux dormir dans mon lit. »

Il commençait à comprendre : d'abord tu as droit à un traitement à part, puis on t'apprend quelque chose d'horrible.

Quand la police a téléphoné, ma mère s'est dirigée immédiatement vers le placard de l'entrée. « On l'a frappé avec notre batte de base-ball ! » s'est-elle écriée en saisissant son manteau, ses clés et son rouge à lèvres. Ma sœur se sentait plus seule que jamais, mais aussi plus responsable. On ne pouvait laisser Buckley tout seul et elle ne savait même pas conduire. De plus, il était évident que la place d'une femme était aux côtés de son mari, non ?

Mais après que ma sœur a réussi à avoir la mère de Nate au bout du fil – le remue-ménage dans le champ de maïs avait réveillé tout le quartier –, elle a su ce qu'elle avait à faire. Elle a appelé Samuel. En moins d'une heure, la mère de Nate est arrivée pour emmener Buckley, et Hal Heckler a arrêté sa moto devant chez nous. Cela aurait dû être excitant – s'accrocher au merveilleux frère aîné de Samuel pour sa première sortie à moto – mais elle ne pensait qu'à notre père.

Ma mère n'était pas dans la chambre d'hôpital quand Lindsey est entrée ; il n'y avait que mon père et moi. Elle s'est plantée de l'autre côté du lit et s'est mise à pleurer doucement.

« Papa ? Tu vas bien, papa ? »

La porte a craqué en s'ouvrant. C'était Hal Heckler, beau grand jeune homme aux traits taillés à la serpe.

« Lindsey, a-t-il dit, je serai dans la salle d'attente au cas où tu aurais besoin qu'on te ramène chez toi. »

Il a vu ses larmes quand elle s'est retournée. « Merci, Hal. Si tu vois ma mère…

– Je lui dirai que tu es ici. »

Lindsey a pris la main de mon père et regardé son visage pour voir s'il bougeait. Ma sœur grandissait sous mes yeux. Je l'écoutais murmurer la comptine qu'il nous chantait à toutes deux, avant la naissance de Buckley.

Pierres et os ; neige et gel ;
Graines, haricots et têtards.
Sentiers et rameaux, baisers assortis,
Nous savons tous qui manque le plus à papa !
Ses deux fillettes, grenouillettes.
Elles savent où elles sont, mais vous, le savez-vous ?

J'aurais aimé que la courbe d'un sourire vienne se dessiner sur le visage de mon père, mais il était très loin, aux prises avec les cachets, le cauchemar et le rêve éveillé. L'anesthésie avait lesté de plomb les quatre coins de sa conscience. Telle une rigide couverture paraffinée, elle l'avait hermétiquement enfermé, enclos, loin de tout, dans les bienheureuses heures où il n'y avait ni fille morte ni genou disparu, et où il n'y avait pas non plus de fille aimante lui murmurant des comptines.

« Quand les morts en ont fini avec les vivants, me dit Franny, ceux-ci peuvent passer à autre chose.

– Et les morts ? ai-je demandé. À quoi nous passons, nous ? »

Elle refusa de me répondre.

Len Fenerman s'était précipité vers l'hôpital dès qu'on lui avait passé l'appel. Abigail Salmon le réclamait, avait dit la standardiste.

Mon père était en salle d'opération et ma mère faisait les cent pas devant le bureau des infirmières. Elle avait conduit jusqu'à l'hôpital vêtue de son imperméable passé sur sa fine chemise de nuit d'été. Elle était chaussée de ballerines qui avaient arpenté le jardin. Elle n'avait pas pensé à ramener ses cheveux en arrière, et elle n'avait pas d'élastique dans sa poche ni dans son porte-monnaie. Dans le parking obscur et brumeux de l'hôpital, elle s'était arrêtée pour jeter un coup d'œil à son visage et appliquer son rouge à lèvres d'une main experte.

Quand elle a vu Len se diriger vers elle depuis l'autre extrémité du couloir, elle s'est détendue.

« Abigail, a-t-il murmuré une fois à ses côtés.

– Oh ! Len ! » Son visage est devenu perplexe à l'idée de ce qu'elle pourrait dire. Son nom avait été le soupir dont elle avait besoin. Tout ce qui est venu ensuite ne s'exprimait pas en mots.

Les infirmières dans leur bureau ont détourné la tête quand Len et ma mère se sont touché les mains. Elles avaient l'habitude de tendre ce voile d'intimité, mais même ainsi, elles voyaient bien que cet homme signifiait quelque chose pour cette femme.

« Allons discuter dans la salle d'attente », a dit Len. Ma mère et lui ont longé le couloir.

Tout en marchant, elle l'a informé que mon père était en salle d'opération. Il lui a expliqué en détail ce qui s'était passé dans le champ de maïs.

« Apparemment, il a pris la fille pour George Harvey.

– Il a cru que Clarissa était George Harvey ? » Ma mère s'arrêta, incrédule, juste devant la salle d'attente.

« Il faisait noir, Abigail. Je pense qu'il a simplement vu la lampe de poche de la fille. Ma visite d'aujourd'hui n'a pas dû arranger les choses. Il est persuadé que Harvey est impliqué.

– Clarissa va bien ?

– On l'a soignée pour des égratignures puis on l'a laissée repartir. Elle était hystérique. Pleurs et hurlements. Le fait qu'elle ait été l'amie de Susie est une horrible coïncidence. »

Hal était avachi dans un coin sombre de la salle d'attente, les pieds reposant sur le casque qu'il avait apporté pour Lindsey. Quand il a entendu des voix s'approcher, il s'est redressé.

C'était ma mère et un flic. Il s'est laissé lourdement retomber ; ses cheveux longs jusqu'aux épaules lui cachaient le visage. Il était pratiquement sûr que ma mère ne se souviendrait pas de lui.

Mais elle a reconnu la veste de Samuel et s'est dit un instant, *Samuel est là*, puis elle a réfléchi et s'est ravisée. *Non, c'est son frère.*

« Asseyons-nous, a suggéré Len en indiquant les chaises, à l'autre extrémité de la pièce.

– Je préférerais continuer de marcher. Le médecin dit qu'on ne saura rien de neuf avant une bonne heure.

– Dans quelle direction ?

– Vous avez des cigarettes ?

– Vous savez bien que oui », a répondu Len en souriant d'un air coupable. Il a dû chercher son regard, qui ne le fixait pas. Elle avait l'air préoccupé mais il souhaitait le croiser tout de même, s'en emparer, le diriger vers le moment présent. Vers lui.

« Cherchons une sortie, alors. »

Ils ont trouvé une porte donnant sur un petit balcon en ciment, près de la chambre de mon père. C'était un surplomb desservant une unité de chauffage ; bien que l'endroit soit encombré et frais, l'extracteur de chaleur du système d'air pulsé ronronnant à côté d'eux les enfermait dans une sorte de capsule. Ils ont fumé des cigarettes et se sont regardés comme s'ils venaient brutalement, sans la moindre préparation, de tourner une page nouvelle où les affaires urgentes avaient déjà été soulignées afin d'attirer plus facilement l'attention.

« Comment est morte votre femme ? lui a demandé ma mère.

– Suicide. »

Ses cheveux cachaient la presque totalité de son visage ; elle me rappelait Clarissa au summum de sa frime, quand elle regardait les garçons au centre commercial, par exemple. Elle riait trop, des petits rires, gloussait trop et leur jetait des coups d'œil rapides pour voir s'ils regardaient. Mais je fus aussi frappée par la bouche rouge de ma mère, la cigarette proche ou lointaine, et la fumée qui en sortait. Cette mère-là, je ne l'avais vue qu'une fois auparavant, sur la photo. Cette mère-là ne nous avait jamais mis au monde.

« Pourquoi elle s'est tuée ?

– C'est la question qui me préoccupe quand je ne suis pas préoccupé par le meurtre de votre fille. »

Un étrange sourire a traversé le visage de ma mère.

« Répétez-moi ça.

– Quoi ? Len a regardé son sourire et a eu envie d'en suivre les coins du bout des doigts.

– Le meurtre de ma fille, a dit ma mère.

– Abigail, vous allez bien ?

– Personne ne met de mot dessus. Personne dans le voisinage n'en parle. Les gens appellent ça "l'horrible tragédie" ou quelque chose du genre. Je veux simplement que quelqu'un le dise à voix haute. Que ce soit dit à voix haute. Maintenant je suis prête. Alors qu'avant, je ne l'étais pas. »

Ma mère a jeté sa cigarette sur le ciment et l'a laissée se consumer. Elle a pris le visage de Len entre ses mains.

« Redites-le-moi, a-t-elle imploré.

– Le meurtre de votre fille.
– Merci. »

Et j'ai vu cette bouche rouge aplatie traverser une ligne invisible qui la séparait du reste du monde. Elle a attiré Len contre elle et l'a embrassé doucement sur la bouche. Il a paru d'abord hésiter. Son corps s'est tendu, lui a dit NON, mais ce NON est devenu vague, brumeux ; il a été aspiré par l'extracteur de chaleur du système d'air pulsé qui ronronnait. Elle s'est redressée et a déboutonné son imperméable. Il a posé les mains sur le fin tissu diaphane de sa chemise de nuit.

Ma mère, dans son malheur, était irrésistible. Enfant, j'avais vu l'effet qu'elle produisait sur les hommes. Quand on était dans une épicerie, les employés s'empressaient pour lui trouver les articles de sa liste et nous les porter jusqu'à la voiture. Comme Ruana Singh, elle faisait partie des plus jolies mamans du quartier ; les hommes qui la croisaient ne pouvaient s'empêcher de sourire. Quand elle leur posait une question, leurs cœurs fondaient.

Pourtant, il n'y avait jamais eu que mon père pour faire résonner son rire à travers les pièces de notre maison, pour l'encourager à s'y laisser aller.

En ajoutant des heures supplémentaires ici et là et en sautant des repas, mon père s'était arrangé pour rentrer de son travail plus tôt le jeudi, quand nous étions petites. Mais, alors que les week-ends étaient consacrés à la famille, ils appelaient ce jour-là « les moments de papa et maman ». Lindsey et moi pensions que c'était aussi celui d'être de gentilles petites filles. Ce qui voulait dire rester muettes et tranquilles dans l'autre aile de la maison, dans le bureau alors chichement meublé, qui servait de salle de jeu.

Ma mère commençait à nous préparer vers quatorze heures.

« Le bain », chantait-elle comme si elle avait annoncé qu'on pouvait sortir s'amuser. Et au début, on le vivait comme ça. On se précipitait toutes les trois dans nos chambres respectives pour enfiler nos peignoirs. On se retrouvait dans le couloir – trois gamines – et notre mère nous prenait par la main pour nous conduire dans la salle de bains rose.

À l'époque elle nous parlait de mythologie, qu'elle avait étudiée en fac. Elle aimait nous raconter des histoires sur Perséphone et Zeus. Elle nous achetait des livres illustrés sur des dieux nordiques qui nous donnaient des cauchemars. Elle avait décroché une maîtrise d'anglais – après s'être battue bec et ongles avec Grand-Maman pour poursuivre ces études-là – et se raccrochait encore à quelque vague projet d'enseignement, réalisable quand ses deux filles seraient assez âgées pour se débrouiller seules.

Ces bains se brouillent dans ma tête comme les dieux et les déesses, mais ce dont je me souviens très clairement, c'est d'avoir vu la vie heurter peu à peu ma mère tandis que je la contemplais, comment ses rêves et ses échecs l'atteignaient par vagues. Étant l'aînée, je me disais que c'était moi qui avais emporté tous les rêves de ce qu'elle aurait aimé être.

Ma mère sortait d'abord Lindsey du bain, la séchait et écoutait son babil sur ses canards et ses bobos. Puis elle me sortait à mon tour et, même si je m'évertuais à rester tranquille, voilà que l'eau chaude nous enivrait, ma sœur et moi, et que nous parlions à ma mère de tout ce qui nous intéressait. Des garçons qui nous taquinaient, ou d'une autre famille plus loin dans le quartier qui avait un chiot et pourquoi on n'en aurait pas un nous aussi. Elle écoutait avec sérieux, comme si elle notait mentalement chaque point de nos récriminations sur un bloc sténo auquel elle se référerait ultérieurement.

« Bien, commençons par le commencement, résumait-elle. Disons, un bon petit somme pour toutes les deux ! »

Elle et moi bordions Lindsey. Je restais à côté du lit tandis qu'elle embrassait ma sœur sur le front en écartant les cheveux de son visage. Je pense que pour moi, la concurrence a commencé là. Qui aurait le meilleur baiser et le plus long moment avec maman après le bain.

Heureusement, je gagnais tout le temps. Quand je regarde en arrière, aujourd'hui, je vois que peu de temps après notre emménagement dans cette maison, ma mère s'est trouvée très seule. Parce que j'étais l'aînée, je suis devenue sa meilleure amie.

J'étais trop petite pour comprendre vraiment ce qu'elle me disait, mais j'adorais être endormie par l'apaisante berceuse de ses paroles. Un des avantages d'être au paradis, c'était de pouvoir revenir vers ces moments, de les revivre, et d'être avec ma mère comme je n'aurais jamais pu l'être autrement. À travers l'Entre-deux, je tends la main et je prends celle de ma jeune maman solitaire.

À une enfant de quatre ans elle disait d'Hélène de Troie : « Une femme fougueuse qui flanquait le bazar. » Sur Margaret Sanger : « On la jugeait sur son apparence, Susie, parce qu'on aurait dit une petite souris, personne ne pensait qu'elle tiendrait le coup. » Gloria Steinem : « C'est moche à dire, mais j'aimerais qu'elle se fasse les ongles. » Nos voisins : « Une imbécile en fuseaux ; écrasée par son poseur de mari ; provinciale typique, avec une opinion sur tout le monde. »

« Tu sais qui était Perséphone ? » m'a-t-elle demandé distraitement un vendredi. Mais je n'ai pas répondu. À cette époque-là, j'avais appris à me taire quand elle me conduisait dans ma chambre. Mon moment à moi et celui de ma sœur, c'était dans la salle de bains, quand on nous séchait avec la serviette. Lindsey et moi pouvions alors parler de n'importe quoi. Dans ma chambre, c'était le moment de maman.

Elle prenait la serviette et la drapait sur une des extrémités fuselées de mon lit à baldaquin. « Imagine notre voisine Mrs. Tarking en Perséphone », disait-elle. Elle ouvrait le tiroir de ma commode et me tendait ma culotte. Elle me donnait toujours mes vêtements au compte-gouttes, soucieuse de ne pas me bousculer. Elle avait compris très tôt mes besoins. Si je m'étais rendu compte qu'il me faudrait faire mes lacets, je n'aurais pas pu enfiler mes chaussettes.

« Elle porte une longue toge blanche, on dirait un tissu drapé sur l'épaule, mais un joli tissu brillant ou léger, comme de la soie. Elle porte des sandales dorées, elle est entourée de torches qui sont des lumières composées de flammes… »

Elle allait prendre mon maillot de corps dans le tiroir et me l'enfilait distraitement au lieu de me laisser faire. Une fois que ma mère était lancée, je pouvais en profiter, redevenir le bébé. Je ne protestais jamais en prétendant avoir grandi ou être devenue une grande fille. Ces après-midi étaient consacrés à l'écoute de ma mystérieuse mère.

Elle tirait le dessus-de-lit en velours côtelé de chez Sears tandis que je filais à l'autre bord du lit, côté mur. Alors elle n'arrêtait pas de regarder sa montre et disait ensuite : « Juste pour un petit moment », enlevait ses chaussures et se glissait entre les draps avec moi.

Pour nous deux, il était question de se perdre. Elle dans son histoire, moi dans sa parole.

Elle me racontait la mère de Perséphone, Déméter, ou Cupidon et Psyché, et je m'endormais en l'écoutant. Parfois le rire de mes parents dans la pièce voisine ou les bruits de leurs amours de fin d'après-midi me réveillaient. Je restais étendue là, à demi endormie, à l'écoute. J'aimais jouer à être dans la cale tiède d'un bateau, comme dans les histoires que mon père nous lisait, et prétendre que nous étions tous sur un océan, avec les vagues qui roulaient doucement contre les flancs du navire. Le rire, les légers bruits de plaintes étouffées, m'ouvraient à nouveau les portes du sommeil.

Mais l'évasion de ma mère, son semi-retour au monde extérieur, avaient été réduits à néant lorsque j'eus dix ans et Lindsey neuf. Ne voyant pas venir ses règles, elle avait effectué l'incontournable visite chez le médecin. Derrière son sourire, derrière son annonce joyeuse à ma sœur et à moi, s'ouvraient des fissures qui plongeaient au plus profond d'elle-même. Mais parce que je ne le voulais pas, parce que j'étais une enfant, j'ai choisi de ne pas suivre leur tracé. Je me suis emparée du sourire comme d'un trophée et je suis entrée au pays des suppositions : serais-je la sœur d'une petite fille ou d'un petit garçon ?

Si j'avais fait attention, j'aurais remarqué des signes. Maintenant je vois le glissement, comment la pile de livres sur la table de nuit de mes parents est passée des prospectus pour des universités de la région, des encyclopédies de mythologie et des romans de James, Eliot, et Dickens aux ouvrages du docteur Spock. Puis sont arrivés les livres de jardinage et de cuisine, jusqu'à ce que pour son anniversaire, deux mois avant ma mort, je décide que le cadeau parfait était *Guide pour l'entretien des plus beaux intérieurs et jardins*. Quand elle s'est rendu compte qu'elle était enceinte pour la troisième fois, elle a enfoui la mère si mystérieuse qu'elle était alors et l'a fait disparaître. Mise en bouteille pendant des années, cette partie exigeante de son être s'est développée, et non rétrécie. Avec Len, l'ardent désir de sortir, de pulvériser, de détruire et de casser l'envahissait. Son corps menait la danse, et dans son sillage, se trouvaient les morceaux qui lui restaient.

Pour moi, cela n'a pas été facile d'en être le témoin, mais je l'ai été.

Leur première étreinte fut brusque, hâtive, gauche et passionnée.

« Abigail », dit Len dont les mains lui enserraient la taille sous le manteau, la chemise de nuit transparente n'étant plus qu'un voile entre eux. « Pense à ce que tu fais.

– Je suis lasse de penser. » Ses cheveux flottaient au-dessus de sa tête à cause du ventilateur voisin, on aurait dit une auréole. Il cligna des yeux en la regardant. Merveilleuse, dangereuse, sauvage.

« Ton mari, a-t-il dit.

– Embrasse-moi. Je t'en prie. »

J'observais de la part de ma mère une requête en clémence. Elle traversait physiquement le temps pour me fuir. J'étais incapable de la retenir.

Len embrassa violemment son front et ferma les yeux. Elle saisit sa main et la posa sur son sein. Elle murmura à son oreille. Je savais ce qui était en train de se passer. Sa fureur, sa perte, son désespoir et toute sa vie gâchée jaillissaient en arc de cercle sur ce toit, colmatant tout son être. Il fallait que Len chasse hors d'elle sa fille morte.

Ses baisers la poussèrent contre la surface en stuc du mur, et ma mère s'est accrochée à lui comme si, de l'autre côté de son baiser, il pouvait y avoir une nouvelle vie.

⁂

De retour à la maison, après le collège, je m'arrêtais parfois pour regarder ma mère tondre la pelouse avec le minitracteur en faisant des huit entre les pins, et alors je me rappelais ces matins où elle préparait son thé en sifflotant, les retours précipités de mon père le jeudi, un bouquet de soucis dans les mains, et son visage qui s'illuminait d'un plaisir doré. Ils avaient été profondément et totalement amoureux l'un de l'autre – loin de ses enfants ma mère aurait pu retrouver ce sentiment, mais avec eux, elle s'en était éloignée. C'était mon père qui se rapprochait de nous au cours des ans ; et ma mère qui dérivait au loin.

Au chevet de son lit d'hôpital, Lindsey s'était assoupie, la main dans celle de mon père. Dans la salle d'attente, ma mère est passée devant Hal Heckler, encore tout ébouriffée, et Len est apparu un moment plus tard. Pour Hal, il n'en fallait pas plus. Il s'est emparé de son casque et s'est levé.

Après une courte visite aux toilettes pour dames, ma mère s'est dirigée vers la chambre de mon père. C'est là que Hal l'a arrêtée.

« Votre fille est là », lui a-t-il dit. Elle s'est retournée.

« Hal Heckler, le frère de Samuel. J'ai assisté à la messe commémorative.

– Ah oui ! désolée. Je ne vous avais pas reconnu.

– Ce n'est pas votre boulot. »

Il y eut un silence gêné.

« Lindsey m'a téléphoné et je l'ai amenée ici il y a une heure.

– Oh !

– Buckley est chez une voisine.

– Oh ! » Elle le dévisageait. Dans ses yeux, on la voyait refaire surface. Elle se servait du garçon pour remonter.

« Ça va ?

– Je suis un peu bouleversée, ça peut se comprendre, non ?

– Parfaitement, répondit-il lentement. Je voulais simplement que vous sachiez que votre fille est là avec votre mari. Si vous avez besoin de moi, je suis dans la salle d'attente.

– Merci. » Elle le regarda disparaître au coin et s'arrêta un instant pour écouter le bruit des talons usés du motard résonner sur le lino du couloir.

Elle se ressaisit, alors ; elle revint sur terre, sans deviner un instant quelle avait été l'intention de Hal en la saluant.

Dans la chambre, il faisait sombre, maintenant, la lumière fluorescente était si faible qu'elle n'éclairait que les formes les plus massives de la pièce. Ma sœur se trouvait sur une chaise qu'elle avait tirée près du lit, la tête reposant sur un des accoudoirs et la main étendue pour toucher mon père allongé sur le dos. Impossible pour ma mère de deviner que j'étais là avec eux, que nous étions là tous les quatre, si différents de l'époque où elle nous bordait dans notre lit, Lindsey et moi, avant d'aller faire l'amour avec son époux, notre père. Maintenant, elle voyait les morceaux. Elle voyait que ma sœur et mon père, ensemble, formaient une unité. Elle en fut contente.

Tout en grandissant, j'avais joué à un jeu de cache-cache amoureux avec ma mère, recherchant son attention et son approbation comme je ne l'avais jamais fait avec mon père.

Je n'avais plus besoin de jouer à cache-cache avec quiconque. Alors qu'elle était debout dans la chambre obscure à regarder mon père et ma sœur, j'eus conscience de l'une des significations du paradis. J'avais un choix à faire, et ce n'était certainement pas de séparer ma famille dans mon cœur.

Tard le soir, au-dessus des hôpitaux et des maisons de retraite, l'air grouillait d'âmes. Avec Holly, on les observait, pendant les nuits d'insomnie. On avait fini par se rendre compte que ces morts étaient comme chorégraphiées depuis un endroit lointain qui n'était pas notre paradis. Ainsi, on avait commencé à soupçonner qu'il existait un lieu plus habité que le nôtre.

Au début, Franny était venue regarder avec nous.

« C'est un de mes plaisirs secrets, admit-elle. Après tant d'années, j'aime toujours regarder les âmes flotter et tourbillonner en masse, chacune jetant sa clameur dans les airs.

– Je ne vois rien, dis-je cette première fois.

– Regarde de très près, mais motus. »

Je les sentis avant de les voir, tièdes petites étincelles le long de mes bras. Et puis les voilà, lucioles s'allumant et se déployant en hurlements et en tourbillons au moment d'abandonner leur chair humaine.

« Comme des flocons de neige, dit Franny, chacun différent et pourtant chacun, de là où nous sommes, exactement semblable au précédent. »

13

Quand elle revint au collège en automne 1974, Lindsey était non seulement la sœur d'une fille assassinée mais l'enfant d'un « fêlé », d'un « fou », d'un « zinzin », et c'étaient ces qualificatifs qui la blessaient le plus car ils étaient faux.

Les rumeurs entendues par Lindsey et Samuel au cours des premières semaines de l'année scolaire s'enroulaient et se déroulaient entre les rangées de casiers comme un serpent tenace. Maintenant, le tourbillon en était venu à inclure Brian Nelson et Clarissa qui, Dieu merci, étaient tous deux passés au lycée cette année-là. À Fairfax, ils s'accrochaient l'un à l'autre, exploitant ce qui leur était arrivé, utilisant le dérapage de mon père comme un vernis cool dont se parer lorsqu'ils racontaient dans tout le lycée les événements de cette nuit-là dans le champ de maïs.

Ray et Ruth longeaient la paroi vitrée qui donnait sur le hall extérieur. De là, ils voyaient Brian tenir salon sur les faux rochers où s'asseyaient les supposés sales gosses. Sa démarche, cette année-là, était passée du style épouvantail anxieux au style paon vaniteux. Glousante de peur et de désir, Clarissa avait ouvert ses parties intimes et couché avec Brian. Au petit bonheur la chance, tous les gens que je connaissais grandissaient.

Cette même année, Buckley est entré à la maternelle. Dès les premiers jours, il est tombé amoureux de sa maîtresse, Miss Koekle. Elle lui tenait si affectueusement la main pour le conduire aux cabinets, pour lui expliquer une consigne… son pouvoir était irrésistible. Et il en profitait, en un sens – discrètement ; elle lui passait souvent un biscuit supplémentaire ou un coussin plus doux – mais d'un autre côté, il se trouvait placé au-dessus et à part de ses camarades de maternelle. À cause de ma mort, on en avait fait un enfant différent dans un groupe où il aurait pu être anonyme.

Samuel raccompagnait Lindsey à la maison puis redescendait la grand-rue en faisant du stop jusqu'au magasin de motos de Hal. Il espérait bien que les copains de son frère le reconnaîtraient ; il arrivait donc à destination sur diverses motos rafistolées ou dans des camions que Hal révisait pendant que le conducteur se reposait.

Il n'est pas entré chez nous pendant quelque temps. C'était réservé à la famille. Ce n'est que vers octobre que mon père a commencé à se lever et à marcher. Ses médecins l'avaient prévenu que sa jambe droite resterait raide mais que, s'il faisait des élongations et restait souple, il n'aurait pas trop de difficultés. « Pas de sprint, mais tout le reste, oui », lui a dit le chirurgien le lendemain matin de son intervention quand, au réveil, mon père avait trouvé Lindsey à côté de lui et ma mère près de la fenêtre, les yeux fixés sur le parking.

Buckley, qui lézardait sous le soleil de Miss Koekle, est allé se terrer droit dans la caverne vide du cœur de mon père. Il posait d'incessantes questions sur le « faux genou » et mon père le réconfortait.

« Ce genou vient de l'espace, ils ont rapporté des morceaux de lune et les ont taillés, puis maintenant, ils les utilisent pour ce genre de choses.

– Super, a fait Buckley en souriant. Quand est-ce que Nate pourra le voir ?

– Bientôt, Buck, bientôt », a répondu mon père. Mais son sourire pâlissait.

Quand Buckley rapportait ces conversations à notre mère – « le genou de papa est en os de lune », ou « Miss Koekle a dit que mes couleurs étaient vraiment bien » –, elle acquiesçait. Elle avait pris conscience de ses gestes. Elle coupait carottes et céleris en longueurs mangeables. Elle lavait nos Thermos et nos boîtes à goûter. Quand Lindsey a décidé qu'elle était trop grande pour ces dernières, ma mère a été tout heureuse de dénicher des sachets paraffinés qui empêcheraient les aliments de suinter et de tacher ses vêtements. Qu'elle lavait. Qu'elle pliait. Qu'elle repassait quand nécessaire et qu'elle lissait sur des cintres. Qu'elle ramassait sur le plancher, récupérait dans la voiture ou séparait des serviettes humides abandonnées sur les lits qu'elle faisait chaque matin, bordant les draps, retapant les oreillers, redressant les peluches et ouvrant les stores pour laisser pénétrer la lumière.

Quand Buckley recherchait sa présence, elle opérait un troc mental. Elle se concentrait sur lui quelques minutes puis elle dérivait de nouveau loin de sa maison, de son foyer, et pensait à Len.

Vers novembre, mon père avait maîtrisé ce qu'il appelait un « habile clopinement », et quand Buckley le lui demandait, il effectuait un petit saut qui, dans la mesure où cela faisait rire son fils, l'empêchait de penser combien il pouvait paraître bizarre, désespéré, à un étranger ou à ma mère.

Buckley et mon père passaient les frais après-midi d'automne dans le jardin grillagé, en compagnie de Holiday. Mon père s'asseyait sur la vieille chaise en fer, la jambe tendue devant lui, légèrement soutenue par un ostentatoire décrottoir que Grand-Maman Lynn avait trouvé chez un antiquaire du Maryland.

Buckley jetait la vache couinante à Holiday pour qu'il s'amuse à courir après. Mon père se régalait à regarder le corps agile de son fils de cinq ans et ses joyeux éclats de rire quand Holiday le renversait et le poussait de la truffe, ou encore lui léchait le visage avec sa longue langue rose. Mais il ne pouvait s'ôter de l'idée que ce petit garçon sans défauts pouvait, lui aussi, lui être enlevé.

Suite à sa blessure, il était obligé de rester à la maison pour un congé maladie prolongé, loin de l'entreprise. Après ma mort, son patron et ses collègues avaient changé d'attitude. Ils passaient devant son bureau à pas feutrés et s'arrêtaient à quelques mètres de sa table comme si, pour peu qu'ils soient trop décontractés en sa présence, ce qui lui était arrivé leur arriverait aussi, comme si avoir un enfant mort pouvait être contagieux. Confusément, ils se demandaient comment il pouvait continuer à travailler tout en souhaitant qu'il cache tout signe de douleur, les range dans un classeur et les fourre dans un tiroir décrété interdit. Depuis l'histoire de son genou, il passait régulièrement au bureau, et son patron ne voyait pas d'inconvénient à ce qu'il prenne une autre semaine, un autre mois s'il le fallait – du coup il se félicitait d'avoir toujours été à l'heure et d'avoir toujours accepté de travailler tard. Mais il se tenait à distance de Mr. Harvey et essayait même d'en détourner sa pensée. Il n'employait pas son nom, excepté dans son carnet, qu'il gardait caché dans son bureau où, par un accord tacite, ma mère ne faisait plus le ménage. Il s'était excusé auprès de moi : « Il me faut du repos, ma chérie. Je dois essayer de voir comment poursuivre cet homme. J'espère que tu comprendras. »

Mais il avait fixé sa reprise du travail au 2 décembre, juste après la fête de Thanksgiving. Il voulait être de retour au bureau pour l'anniversaire de ma disparition. Fonctionner et rattraper le travail en souffrance en un lieu aussi public et aussi « distrayant » que possible. Et loin de ma mère, pour être honnête avec lui-même.

Comment nager vers elle, comment l'atteindre à nouveau ? Elle s'éloignait de plus en plus, toute son énergie tournée contre la maison, alors que toute son énergie à lui était à l'intérieur. Il se fixa comme but la restauration de ses forces et la mise au point d'une stratégie anti-Mr. Harvey. Il était plus facile de désigner un coupable que de faire le compte sans cesse plus lourd de ce qu'il avait perdu.

Grand-Maman Lynn devait être là pour Thanksgiving, et Lindsey avait suivi le régime embellissant qu'elle lui avait établi par correspondance. Elle s'était sentie toute bête la première fois où elle s'était mis des concombres sur les yeux (pour réduire le gonflement) ou de l'avoine sur le visage (pour nettoyer les pores et absorber l'excès de sébum), ou des jaunes d'œufs sur les cheveux (pour les faire briller). Cette utilisation des provisions avait fait rire ma mère, puis elle s'était demandé si, elle aussi, ne devait pas se mettre à embellir. Mais l'idée n'avait fait que l'effleurer, parce qu'elle pensait à Len ; non parce qu'elle était amoureuse de lui mais parce que être avec lui était, à sa connaissance, le moyen le plus rapide d'oublier.

Un jour, deux semaines avant l'arrivée de Grand-Maman Lynn, Buckley et mon père étaient dehors, dans le jardin, avec Holiday. Lui et Buckley sautaient d'un gros tas de feuilles de chêne brunies vers un autre, dans un super jeu déchaîné de chat. « Attention, Buck, l'a prévenu mon père. Holiday va te mordre. » Et c'est ce qui arriva.

Mon père a dit vouloir essayer quelque chose.

« Voyons un peu si ton vieux papa peut à nouveau te porter sur les épaules. Bientôt tu seras trop grand. »

Ainsi, maladroitement, dans le splendide isolement du jardin, où, si mon père tombait, il n'y aurait qu'un petit garçon et un chien qui l'aimaient pour le voir, ils unirent tous deux leurs efforts pour réaliser leur désir, ce retour à la normalité père/fils. Quand Buckley fut monté sur la chaise en fer – « Et maintenant saute sur mon dos, a dit mon père en se baissant en avant, et accroche-toi à mes épaules », en ignorant s'il aurait la force de le soulever –, j'ai croisé les doigts bien fort dans mon paradis, et j'ai retenu mon souffle. Plus encore que dans le champ de maïs, mon père est devenu mon héros en ce moment-là précis où il s'acharnait à réparer la trame de leur vie quotidienne, où il mettait sa blessure au défi : oui, malgré elle, il revivrait des instants comme celui-là.

« Baisse la tête, maintenant, baisse-la encore », a-t-il lancé tandis qu'ils franchissaient les portes du bas. Puis ils ont monté l'escalier en caracolant, chaque marche étant une acrobatie délicatement négociée, une souffrance qui faisait grimacer mon père de douleur. Avec Holiday devant eux et Buckley sur sa monture, ravi, il savait que, dans ce défi jeté à sa résistance, il avait fait ce qu'il fallait faire.

Quand tous deux – plus le chien – découvrirent Lindsey dans la salle de bains du haut, elle poussa un long gémissement.

« *Paaaapaaaa !* »

Mon père s'est redressé. Buckley a tendu la main et touché l'ampoule de sa main.

« Qu'est-ce que tu fais ? lui a demandé mon père.

– À ton avis ? »

Elle était assise sur le siège des W.-C., enroulée dans une grande serviette blanche (serviettes que ma mère passait à l'eau de Javel, étendait sur le fil de l'étendoir, pliait, rangeait dans un panier et montait à la lingerie…). Sa jambe gauche, couverte de crème à raser, était appuyée sur le rebord de la baignoire. Elle tenait à la main le rasoir de mon père.

« Ne t'énerve pas, lui dit-il.

– Excuse-moi, mais j'aimerais bien qu'on me laisse tranquille » répondit ma sœur.

Mon père fit passer Buckley par-dessus sa tête. « La commode, fiston, la commode » dit-il, et Buckley fut tout excité de la transgression que cela représentait de pouvoir aller s'y asseoir avec des pieds boueux qui salissaient le carrelage.

« Maintenant, saute. » Ce qu'il fit. Holiday l'attaqua aux chevilles.

« Tu es trop jeune pour te raser les jambes, ma chérie, dit mon père.

– Grand-Maman Lynn a commencé à se les raser à onze ans.

– Buckley, tu veux bien aller dans ta chambre avec le chien ? J'arrive dans une minute.

– Oui, papa. »

Buckley était encore un petit garçon que mon père pouvait, avec patience et quelques manœuvres, asseoir sur ses épaules pour offrir l'image d'un père et

d'un fils modèles. Mais il voyait maintenant en Lindsey ce qui lui causait une double peine. J'avais été une petite fille dans son bain, une gamine qu'il fallait soulever pour qu'elle atteigne le lavabo, une fillette arrêtée à tout jamais avant de pouvoir se tenir comme le faisait ma sœur à présent. Une fois Buckley parti, il reporta son attention sur elle. En se faisant du souci pour une de ses filles, il s'en ferait pour deux :
« Est-ce que tu fais bien attention ? lui demanda-t-il.

– Je viens juste de commencer. Et j'aimerais bien être seule, papa.

– Est-ce que c'est la même lame que celle qui était sur mon rasoir quand tu l'as pris ?

– Oui.

– Attention, parce que les piquants de ma barbe l'émoussent. Je vais t'en chercher une neuve.

– Merci, papa », a dit ma sœur, redevenue la douce petite Lindsey qu'il prenait à califourchon sur ses épaules.

Il a quitté la pièce et descendu le couloir vers l'autre aile de la maison et la grande salle de bains qu'il partageait encore avec ma mère, bien qu'ils fassent chambre à part. Comme il tendait le bras pour attraper un paquet de lames neuves dans le placard, il sentit couler une larme. Il l'ignora délibérément et se concentra sur son geste. Seulement, une lueur traversa son esprit : *C'est Abigail qui devrait faire ça.*

Il rapporta les lames de rasoir, montra à Lindsey comment les changer, et lui donna quelques astuces sur la meilleure façon de se raser.

« Fais attention à la cheville et aux genoux, lui dit-il. D'après ta mère, ce sont des points dangereux.

– Tu peux rester si tu veux, dit-elle, disposée maintenant à le laisser entrer. Mais ça va sans doute saigner. » Elle aurait voulu se gifler. « Désolée, papa. Viens ici, je vais bouger pour te faire de la place. »

Elle se leva et s'installa sur le rebord de la baignoire. Elle ouvrit le robinet et mon père s'assit plus bas, sur le siège des W.-C.

« Ça va, ma chérie, dit-il. On n'a pas parlé de ta sœur depuis un bon moment.

– Pas besoin, elle est partout.

– Ton frère semble être en forme.

– Il te lâche pas.

– Oui », et il se rendit compte qu'il aimait ça, ce fils qui faisait la cour à son père.

« Aïe ! » fit Lindsey tandis qu'une mince traînée de sang commençait à se mélanger à la mousse blanche de la crème à raser. « C'est vraiment chiant.

– Presse sur la coupure avec ton pouce. Ça arrêtera le saignement. Tu pourrais te raser seulement jusqu'au genou, suggéra-t-il. C'est ce que fait ta mère, sauf quand on va à la plage. »

Lindsey s'arrêta.

« Vous y allez jamais.

– On y allait, avant. »

Mon père avait rencontré ma mère quand ils travaillaient tous les deux chez Wanamaker, l'été, durant leurs années d'étudiants. Il venait de faire une réflexion désagréable sur l'odeur de cigarette qui empuantissait le foyer quand elle avait sorti son paquet, alors familier, de Pall Mall.

« Touché », avait-il dit et il était resté à côté d'elle malgré cette vilaine odeur qui l'enveloppait de la tête aux pieds.

« J'ai essayé de décider à qui je ressemblais, dit Lindsey, Grand-Maman Lynn ou maman.

– J'ai toujours pensé que toi et ta sœur vous ressembliez à ma mère.

– Papa ?

– Oui.

– Tu es toujours convaincu que Mr. Harvey a quelque chose à voir là-dedans ? »

C'était comme un bâton frotté contre un autre qui finirait par faire des étincelles un jour ou l'autre.

« Ça ne fait aucun doute dans mon esprit, ma chérie. Aucun.

– Alors pourquoi Len l'arrête pas ? »

Elle a fait remonter le rasoir de manière gauche et terminé sa première jambe. Elle hésitait, la main en l'air.

« J'aimerais que ce soit facile à expliquer », dit-il, les mots sortant comme en volutes de sa bouche. Il n'avait jamais parlé de ses soupçons en détail à qui que ce soit. « Quand je l'ai rencontré, ce jour-là, dans son jardin où nous avons construit cette tente – celle qu'il prétendait dresser en hommage à sa femme Sophie que Len croyait s'appeler Leah – il y a eu quelque chose dans ses mouvements qui a confirmé mes doutes.

– Tout le monde est d'accord pour dire qu'il est plutôt bizarre.

– C'est vrai, et ça se comprend. Mais personne alors n'avait eu vraiment affaire à lui non plus. Ils ne savent pas si sa bizarrerie est bénigne ou non.

– Bénigne ?

– Inoffensive.

– Holiday ne l'aime pas.

– Exactement. Je n'ai jamais vu ce chien aboyer si fort. Ce matin-là, sa fourrure s'est hérissée sur son dos.

– Mais les flics pensent que tu es barjo.

– Tout ce qu'ils peuvent dire, c'est qu'il n'y a pas de preuves. Sans preuves et sans – excuse-moi ma chérie

– sans corps, ils n'ont aucune piste et aucune raison de l'arrêter.

– Qu'est-ce qui en constituerait une ?

– Un élément qui le relierait à Susie. Quelqu'un qui l'aurait vu dans le champ de maïs, ou même traînant autour de l'école. Quelque chose comme ça.

– Ou s'il avait quelque chose à elle ? » Mon père et Lindsey parlaient avec chaleur, son autre jambe couverte de mousse mais pas encore rasée, parce que ce qui ressortait de leur conversation de manière lumineuse, c'était que j'étais là quelque part dans cette maison. Mon corps était au sous-sol, au premier étage, au second, au grenier. Pour ne pas avoir à admettre cette horrible idée qui pouvait être si évidente, parfaite ou concluante si elle était vraie, ils se sont remémoré ce que je portais ce jour-là, se sont rappelé ce que j'avais emporté, la gomme Frito Bandito que j'adorais, le badge de David Cassidy épinglé à l'intérieur de mon sac, celui de David Bowie épinglé à l'extérieur. Ils ont énuméré tout le fatras et les accessoires qui entouraient ce qui aurait été la meilleure et la plus horrible preuve que l'on puisse trouver : mon cadavre découpé en morceaux et mes yeux vides en voie de putréfaction.

Mes yeux : le maquillage que Grand-Maman Lynn avait suggéré aidait mais ne résolvait pas le problème, qui était que tout un chacun les voyait dans ceux de Lindsey. Quand cette dernière avait l'occasion de les croiser – que ce soit dans le miroir de poche de sa voisine de classe, ou, reflet inattendu, dans la vitrine d'un magasin –, elle détournait le regard. C'était particulièrement pénible avec mon père. Ce qu'elle comprenait en parlant avec lui, c'était que tant qu'ils étaient sur ce sujet – Mr. Harvey, mes habits, mon cartable, mon corps, moi – la fidélité de mon père à mon souvenir s'effilochait : il voyait Lindsey comme Lindsey, et non comme un assemblage tragique de ses deux filles.

« Alors comme ça, tu aimerais bien pouvoir entrer dans sa maison ? » demanda-t-elle.

Ils se sont regardés, reconnaissant tous deux en un éclair le danger de cette idée. Pendant son hésitation, avant qu'il se résolve à dire que ce serait illégal et que, non, il n'y avait pas pensé, elle a su qu'il mentait. Elle a su aussi qu'il avait besoin de quelqu'un qui le ferait à sa place.

« Tu devrais terminer ton épilation, ma chérie », lui a-t-il dit.

Elle a acquiescé et s'est détournée, message compris.

Grand-Maman Lynn arriva le lundi avant Thanksgiving. Avec le même rayon laser qui recherchait immédiatement quelque invisible souillure chez ma sœur, elle vit alors quelque chose sous la surface du sourire de sa fille, dans ses mouvements satisfaits, apaisés, et dans la façon dont son corps réagissait chaque fois que l'inspecteur Fenerman ou les forces de police arrivaient.

Quand ma mère refusa que mon père l'aide ce soir-là pour la vaisselle, les yeux laser furent sûrs et certains. Sur un ton inflexible, à l'immense surprise de tous les convives et au grand soulagement de ma sœur, Grand-Maman Lynn annonça :

« Abigail, je vais t'aider à faire la vaisselle. Ce sera une espèce de truc mère/fille.

– Quoi ? »

Ma mère avait calculé qu'elle pourrait se débarrasser de Lindsey facilement et de bonne heure, puis passer le reste de la soirée devant l'évier à faire lentement la vaisselle en regardant par la fenêtre jusqu'à ce que l'obscurité lui renvoie son propre reflet. Les bruits de la télé s'atténueraient et elle serait à nouveau seule.

« J'ai fait mes ongles hier, a dit Grand-Maman Lynn après avoir noué un tablier autour de sa petite robe beige, alors j'essuierai.

– Maman, franchement. Je peux y arriver seule.

– Mais non, crois-moi, ma chérie », a dit ma grand-mère. Il y avait quelque chose de sobre et de coupant dans ce *ma chérie*.

Buckley a conduit mon père par la main dans la pièce voisine où trônait la télé. Ils se sont assis et Lindsey, profitant de ce sursis, est montée téléphoner à Samuel.

C'était un spectacle tellement étrange. Tellement hors du commun. Ma grand-mère en tablier, tenant un torchon tel un matador son tissu rouge, et attendant le premier plat à essuyer.

Elles travaillaient en silence – les seuls bruits provenaient des mains que ma mère plongea dans l'eau brûlante, du crissement des assiettes et du cliquetis des couverts – et le silence rendait insupportable la tension qui emplissait la pièce. Les bruits de match provenant de la pièce voisine étaient tout aussi étranges pour moi. Mon père n'avait jamais regardé le foot, son seul et unique sport était le basket. Grand-Maman Lynn n'avait jamais essuyé la vaisselle : repas congelés et traiteur étaient ses armes préférées.

« Oh ! mon Dieu ! finit-elle par dire. Prends donc ça. » Et elle rendit à ma mère le plat qu'elle venait juste de laver. « J'ai envie d'une vraie conversation mais j'ai peur de laisser tomber ces objets. Allons nous promener.

– Maman, j'ai besoin de…

– Tu as besoin d'aller te promener.
– Après la vaisselle.
– Écoute, dit ma grand-mère, je sais que je suis ce que je suis et que tu es ce que tu es, qui n'est pas moi, ce qui te rend heureuse, mais il y a des choses que je comprends très clairement quand j'ai le nez dessus, et je sais qu'il s'en passe une en ce moment qui n'est pas catholique. *Capisce* ? »

Le visage de ma mère était changeant, doux et malléable – presque aussi souple et malléable que son reflet flottant sur l'eau sale de l'évier.

« Quoi ?
– J'ai des doutes et je n'ai pas envie d'en parler ici. »

Bien reçu, Grand-Maman Lynn, me suis-je dit. Je ne l'avais jamais vue nerveuse auparavant.

Elles n'auraient pas de mal à s'éclipser seules de la maison. Avec son genou, mon père ne penserait jamais à les accompagner, et ces jours-ci, là où mon père allait ou n'allait pas, Buckley le suivait.

Ma mère demeurait silencieuse. Elle ne voyait aucune autre option. Après réflexion, elles ôtèrent leurs tabliers au garage et les posèrent sur le toit de la Mustang. Ma mère se baissa pour soulever la porte du garage.

Il était encore suffisamment tôt pour qu'il fasse jour au début de leur promenade. « On pourrait prendre Holiday, tenta ma mère.
– Toi et ta mère, c'est tout, dit ma grand-mère. Le couple le plus effrayant que l'on puisse imaginer. »

Elles n'avaient jamais été proches. Elles le savaient, mais ce n'était pas quelque chose qu'elles admettaient volontiers. Elles plaisantaient là-dessus comme deux enfants qui ne s'aiment pas particulièrement mais qui sont les seuls enfants dans un grand quartier désert. Alors qu'elle avait toujours laissé sa fille courir aussi vite que possible dans la direction de son choix, ma grand-mère s'apercevait maintenant que, sans même essayer, voilà brutalement qu'elle la rattrapait.

Elles avaient dépassé la maison des O'Dwyer et il leur fallut attendre d'arriver au niveau de celle des Tarking pour que ma grand-mère dise ce qu'elle avait à dire.

« C'est l'humour qui m'a sauvée, a dit ma grand-mère. Ton père a eu une longue liaison dans le New Hampshire. L'initiale de son prénom était F ; je n'ai jamais su à qui ça correspondait. J'ai envisagé une centaine de possibilités, des années durant.

– Maman ? »

Ma grand-mère a continué de marcher, sans se retourner. Elle trouvait que l'air froid et mordant l'aidait, emplissant ses poumons jusqu'à ce qu'ils se sentent plus propres qu'avant.

« Tu savais ?

– Non.

– Je pense ne te l'avoir jamais dit. Je ne trouvais pas que tu avais besoin de savoir. Maintenant si, tu ne crois pas ?

– Je ne vois pas très bien où tu veux en venir. »

Elles étaient arrivées à l'endroit où la route tournait pour les ramener de l'autre côté du rond-point. Si elles allaient dans cette direction et ne s'arrêtaient pas, elles finiraient par se retrouver devant la maison de Mr. Harvey. Ma mère s'immobilisa.

« Ma pauvre, pauvre chérie, dit ma grand-mère. Donne-moi la main. »

Elles étaient maladroites. Ma mère pouvait compter sur ses doigts le nombre de fois où son père, si grand, s'était baissé pour l'embrasser. La barbe râpeuse sentait une eau de Cologne qu'après des années de recherches elle n'avait pas encore réussi à identifier. Ma grand-mère lui prit la main et la tint tout en marchant dans l'autre direction.

Elles pénétrèrent dans une partie du quartier où de nouvelles familles emménageaient, en nombre apparemment de plus en plus grand. Les maisons d'ancrage, comme les nommait ma mère, bordaient la rue qui menait au gros du lotissement ; elles ancraient le quartier à une route ancienne construite avant que le canton n'en soit un. Une route qui menait à Valley Forge, à George Washington et à la guerre d'Indépendance.

« La mort de Susie m'a rappelé ton père, a dit ma grand-mère. Je ne me suis jamais autorisée à faire son deuil correctement.

– Je sais.

– Tu m'en veux ? »

Ma mère s'arrêta. « Oui. »

Ma grand-mère lui tapota le dessus de la main de sa main libre.

« C'est merveilleux.

– Quoi donc ?

– Le résultat de tout ça. Toi et moi. Un éclat de vérité entre nous deux. »

Elles dépassèrent les arpents où, depuis vingt ans, les arbres avaient poussé. S'ils n'étaient pas immenses, ils étaient quand même déjà deux fois plus grands que les pères qui les avaient plantés les premiers, qui les avaient tenus droits en tassant la terre autour avec leurs grosses chaussures du week-end.

« Tu sais combien je me suis toujours sentie seule ? a demandé ma mère à la sienne.

– C'est pour ça qu'on marche, Abigail », a répondu Grand-Maman Lynn.

Ma mère a regardé droit devant elle mais elle a continué de tenir sa mère par la main. Elle songeait à son enfance solitaire. Comment, quand elle regardait ses deux filles se murmurer des secrets au moyen de deux gobelets reliés par des ficelles, elle était bien en peine de savoir ce qu'elles éprouvaient. Excepté sa mère et son père, elle avait toujours été seule à la maison ; et puis son père était parti.

Elle fixa le sommet des arbres qui, sur des kilomètres autour de notre lotissement, étaient les objets les plus élevés. Ils se dressaient sur une colline élevée qui n'avait jamais été construite. Seuls y vivaient encore quelques vieux fermiers.

« Impossible de décrire ce que je ressens, dit-elle. À personne. »

Elles arrivèrent à l'extrémité du lotissement alors que le soleil plongeait derrière la colline en face d'elles. Il s'écoula un moment sans qu'aucune d'elles ne se retourne. Ma mère a regardé le dernier reflet de lumière dans le caniveau, au bout de la route.

« Je ne sais que faire. Tout est fini, maintenant. »

Ma grand-mère n'était pas sûre de ce qu'elle voulait dire mais elle n'insista pas.

« On rentre ? a-t-elle proposé.

– Où ?

– À la maison, Abigail. On rentre à la maison. »

Elles ont fait demi-tour et repris leur marche. Les pavillons se succédaient, à l'identique. Seuls ce que ma grand-mère appelait leurs accessoires les distinguaient. Elle n'avait jamais compris de pareils endroits – ni que sa propre fille ait choisi d'y vivre.

« Quand on arrivera au tournant du rond-point, dit ma mère, je veux passer devant.

– Sa maison ?

– Oui. »

J'ai regardé Grand-Maman Lynn aborder le virage en même temps que ma mère.

« Veux-tu me promettre de ne plus revoir cet homme ? a demandé ma grand-mère.

– Qui ?

– L'homme avec qui tu as une liaison. Voilà qui.

– Je n'ai de liaison avec personne », a rétorqué ma mère. Son esprit s'envola, tel un oiseau, du faîte d'un toit à un autre.

« Maman ? a-t-elle fait en se retournant.

– Abigail ?

– Si j'avais besoin de partir quelque temps, je pourrais utiliser le chalet de papa ?

– Est-ce que tu m'écoutes ? »

Elles sentaient quelque chose dans l'air et l'esprit anxieux et agile de ma mère avait à nouveau filé. « Il y a quelqu'un qui fume », dit-elle.

Grand-Maman Lynn a dévisagé sa fille. La maîtresse femme pragmatique et avenante que ma mère avait toujours été avait disparu. Elle était volatile et perturbée. Ma grand-mère n'avait plus rien à lui dire.

« Ce sont des cigarettes étrangères, a dit ma mère. Essayons de trouver d'où elles viennent ! »

Et, dans la lumière déclinante, ma grand-mère abasourdie a fixé ma mère qui entreprenait de remonter jusqu'à la source de l'odeur.

« Je rentre », a dit ma grand-mère.

Mais ma mère continuait de marcher.

Elle a trouvé assez rapidement l'origine de la fumée. C'était Ruana Singh, debout, appuyée contre un grand pin, dans son jardin.

« Bonjour », a fait ma mère.

Ruana n'a pas sursauté, comme j'aurais cru. Son calme lui était devenu une seconde nature. Elle pouvait retenir son souffle même pendant un événement des plus stupéfiants, que ce soit son fils accusé de meurtre ou son mari présidant un souper d'amis comme s'il s'agissait d'une réunion de comité universitaire. Elle avait dit à Ray qu'il pouvait monter dans sa chambre puis elle avait disparu par la porte de derrière, sans que personne ne la remarque vraiment.

« Mrs. Salmon », a dit Ruana, dont la cigarette exhalait un lourd parfum. Dans une bouffée soudaine de fumée et de chaleur humaine, elle a tendu la main à ma mère. « Je suis tellement contente de faire votre connaissance.

– Vous avez des invités ? a demandé ma mère.

– Mon mari en a. Moi, je suis l'hôtesse. »

Ma mère a souri.

« C'est un drôle d'endroit, où on habite toutes les deux », a dit Ruana.

Leurs yeux se sont croisés. Ma mère a acquiescé d'un signe de tête. Quelque part, là-bas sur la route, il y avait sa propre mère, tandis qu'elle et Ruana étaient à présent sur une île tranquille, loin de la terre ferme.

« Vous avez une autre cigarette ?

– Certainement, Mrs. Salmon, bien sûr. » Ruana a plongé dans la poche de son long gilet noir et tendu un paquet et son briquet. « Des Dunhill, a-t-elle dit. J'espère que ça vous convient. »

Ma mère a allumé sa cigarette et rendu à Ruana le paquet bleu et doré. « Abigail, a-t-elle dit tout en soufflant la fumée. Appelez-moi Abigail. »

Là-haut, dans sa chambre, toutes lumières éteintes, Ray sentait l'odeur des cigarettes de sa mère – elle ne l'accusait jamais de lui en avoir piqué, et il ne disait pas qu'il savait qu'elle en avait. Il entendit des voix, en bas – les sons bruyants de son père et de ses collègues parlant en six langues différentes et riant joyeusement, ravis de leurs merveilleuses vacances américaines. Il ne savait pas que ma mère était sur la pelouse, avec la sienne, ni que je le regardais, humant leur tabac blond, assis à sa fenêtre. Bientôt, il s'en écarterait et allumerait la petite lampe à côté de son lit pour lire. Mrs. MacBride leur avait demandé de trouver un sonnet sur lequel rédiger une dissert, mais alors qu'il lisait la poésie que contenait son *Anthologie Norton,* il n'arrêtait pas de revenir vers cet instant qu'il souhaitait revivre. S'il m'avait embrassée sur l'échafaudage, peut-être que tout aurait été différent.

Grand-Maman Lynn a poursuivi le trajet qu'elle s'était fixé avec ma mère, et, finalement, elle est tombée sur la demeure qu'elles s'efforçaient d'oublier, deux maisons plus loin. *Jack a raison*, s'est dit ma grand-mère. Elle pouvait même le sentir dans l'obscurité. L'endroit irradiait le mal. Elle a frissonné, entendu les criquets et vu les lucioles s'agglutiner en essaims au-dessus de ses parterres de fleurs. Elle s'est dit tout à coup qu'elle se contenterait de sympathiser avec sa fille. Celle-ci vivait dans un *no man's land* total ; aucune liaison de son propre mari ne pouvait lui offrir la moindre lumière. Dans la matinée, elle dirait à ma mère que les clés du chalet de son père seraient toujours là pour elle si elle en avait besoin.

Cette nuit-là, ma mère a eu ce qu'elle a considéré comme un rêve merveilleux. Elle a rêvé de l'Inde, où elle n'était jamais allée. Il y avait des cônes de signalisation orange et de splendides insectes en lapislazuli aux mandibules dorées. On promenait une jeune fille à travers les rues. On la conduisait vers un bûcher où on l'enveloppait et la ligotait dans un drap, après quoi on la déposait sur une plate-forme en bûches. Le feu brillant qui la consumait a plongé ma mère dans cette félicité profonde et légère du rêve. La fille était brûlée vive, mais il y avait d'abord eu son corps, blanc et entier.

14

Une semaine durant, Lindsey a surveillé la maison de mon tueur. Elle lui faisait subir exactement ce qu'il faisait subir aux autres.

Elle avait accepté de s'entraîner avec l'équipe de foot des garçons tout au long de l'année pour se préparer au défi que Mr. Dewitt et Samuel l'encourageaient à relever : se qualifier pour jouer dans l'équipe de foot masculine du lycée. Et Samuel, pour témoigner de son soutien, s'entraînait avec elle sans espoir de se qualifier pour quoi que ce soit sauf « le gars en short le plus rapide ».

Il pouvait courir, mais shooter, repérer et relancer une balle étaient au-delà de ses capacités. Ainsi, tandis qu'ils joggaient dans le quartier, chaque fois que Lindsey lançait un regard vers la maison de Mr. Harvey, Samuel courait devant, lui donnant le rythme sans se rendre compte de rien.

Dans la maison verte, Mr. Harvey veillait. Il la voyait qui regardait et commençait à avoir des boutons. Presque une année avait passé, maintenant, depuis le meurtre, mais les Salmon semblaient déterminés à le surveiller de près.

C'était arrivé auparavant dans d'autres États. La famille d'une gamine le soupçonnait, mais c'étaient les seuls. Il avait mis au point son boniment à la police, une certaine innocence obséquieuse pimentée d'étonnement sur leurs procédures ou d'idées inutiles, qu'il présentait comme si au contraire elles pouvaient être utiles. Parler du fils Ellis à Fenerman avait été un coup de génie, et le mensonge sur son veuvage aidait drôlement. Il se façonnait une épouse à partir d'une quelconque victime dont sa mémoire se régalait, et pour lui donner un corps, il y avait toujours sa mère.

Il quittait la maison pendant une heure ou deux chaque après-midi. Il récupérait les fournitures dont il avait besoin puis allait en voiture jusqu'au Parc de Valley Forge, se promener sur les routes pavées et les pistes qui ne l'étaient pas, tout à coup entouré de groupes scolaires, dans la cabane en rondins de George Washington ou dans la chapelle du mémorial. Ça le stimulait – ces moments où les enfants aspiraient à voir de l'Histoire, comme s'ils avaient une chance de retrouver un long cheveu argenté de la perruque de Washington pris dans l'extrémité grossière d'un poteau.

Parfois un des guides ou des professeurs le remarquait, planté là, inconnu distant mais aimable, et lui lançait un regard interrogateur. Il avait un millier de réponses à leur donner. « J'amenais mes enfants ici autrefois. » ; « C'est ici que j'ai rencontré ma femme. » Il savait étayer la moindre affirmation par une situation de famille qui faisait sourire les femmes. Une fois, une dame forte, attirante, essaya d'engager la conversation tandis que le guide racontait aux enfants l'hiver de 1776 et la Bataille des Nuages.

Il s'était servi de l'histoire du veuvage ; il avait parlé d'une Sophie Cichetti dont il avait fait son épouse – son seul amour, à présent décédée. Pour cette femme, cela avait été un appât savoureux et, tout en l'écoutant lui parler de ses chats, de ses chiens et de son frère qui avait trois enfants qu'elle aimait, il se la représentait dans sa cave, assise sur une chaise, morte.

Après cela, quand il croisait le regard curieux d'un professeur, il reculait timidement et filait dans un autre endroit du parc. Il regardait les mères et leurs poussettes suivre d'un pas vif les sentiers découverts. Il voyait des ados qui séchaient les cours pour se peloter dans les champs non moissonnés ou le long des sentiers intérieurs. En haut du parc, il y avait un petit bois à côté duquel il se garait parfois. Il restait assis dans sa camionnette et regardait des hommes seuls s'arrêter à côté de lui et sortir de leurs voitures. Des hommes en costume, durant la pause déjeuner, ou alors des hommes en chemise de flanelle et jean qui entraient dans les fourrés vite fait. Parfois, ils se retournaient pour lui jeter un regard interrogateur. S'ils étaient suffisamment près, ces hommes pouvaient percevoir à travers le pare-brise ce que ses victimes avaient vu : son désir, sauvage et infini.

Le 26 novembre 1974, Lindsey a vu Mr. Harvey quitter la maison verte, et elle a ralenti sa course, restant à la traîne du groupe. Elle pourrait prétendre plus tard qu'elle avait eu ses règles et ils se tairaient, peut-être même satisfaits de cette preuve que le projet peu apprécié de Mr. Dewitt – une fille aux régionales ! – ne marcherait jamais.

Je regardais ma sœur, émerveillée. Elle se transformait en tout à la fois. Une femme. Une espionne. Une athlète. L'Ostracisé : Un Homme seul.

Elle marchait, la main sur le côté simulant une crampe, et, quand les garçons se sont retournés pour voir ce qu'elle fabriquait, elle leur a fait signe de ne pas s'arrêter. Elle a continué de marcher la main à la taille jusqu'à ce qu'ils tournent au coin du pâté de maisons. Au bord de la propriété de Mr. Harvey, il y avait une rangée dense de grands pins solides que l'on n'avait pas taillés depuis des années. Elle s'est assise près de l'un d'eux, simulant encore l'épuisement, au cas où l'un des voisins regarderait puis, quand elle a senti le moment venu, elle s'est mise en boule et a roulé entre deux pins. Elle a attendu. Les garçons faisaient un tour supplémentaire. Elle les a regardés la dépasser et les a suivis des yeux alors qu'ils coupaient à travers le terrain vague pour revenir vers le collège. Elle était seule. Elle a calculé qu'il lui restait quarante-cinq minutes avant que son père ne s'étonne de son absence. L'accord était que, si elle s'entraînait avec l'équipe de football des garçons, Samuel la raccompagnerait à la maison pour dix-sept heures.

Les nuages avaient pesé sur toute la journée dans un ciel lourd, et le froid de l'automne finissant lui donnait la chair de poule sur les bras et sur les jambes. La course en équipe la réchauffait toujours, mais quand elle atteignait la salle des casiers, où elle partageait les douches avec l'équipe de hockey, elle se mettait à trembler jusqu'à ce que l'eau chaude heurte son corps. Sur la pelouse de la maison verte, sa chair de poule provenait aussi de la peur.

Quand les garçons eurent coupé le sentier, elle a rampé jusqu'à la fenêtre de la cave, sur le côté de la maison de Mr. Harvey. Elle avait déjà pensé à une excuse au cas où elle se ferait prendre. Elle poursuivait un chaton qu'elle avait vu bondir entre les pins. Elle dirait qu'il était gris, vif, qu'il avait couru vers la maison de Mr. Harvey et qu'elle l'avait suivi sans réfléchir.

Elle voyait l'intérieur de la cave, qui était sombre. Elle essaya la fenêtre, mais le verrou était tiré. Il lui faudrait casser la vitre. Son esprit tournait vite, elle s'inquiéta du bruit mais elle était allée trop loin pour s'arrêter, maintenant. Elle pensa à mon père à la maison, surveillant le réveil près de sa chaise, puis enleva son sweat et l'enroula autour de ses pieds. Elle s'assit, se protégea d'un bras puis donna un, deux, trois coups des deux pieds jusqu'à ce que la fenêtre vole en éclats dans un craquement assourdi.

Soigneusement, elle se baissa, tâtant le mur à la recherche d'une prise. Finalement, elle fut obligée de franchir les derniers mètres en sautant sur le ciment couvert de verre brisé.

La pièce semblait rangée et balayée, différente de notre cave, où des tas de caisses marquées de dates de vacances, ŒUFS DE PÂQUES, GAZON, ÉTOILE DE NOËL, GUIRLANDES ne retrouvaient jamais leur place sur les étagères que mon père avait construites.

L'air froid du dehors y pénétrait, et le courant d'air le long de son cou la poussa hors du demi-cercle scintillant de verre brisé, jusqu'au milieu de la pièce. Elle vit le relax et une petite table, à côté. Elle vit le large réveil aux chiffres lumineux posé sur l'étagère métallique. J'aurais aimé pouvoir guider ses yeux vers le conduit sanitaire, où elle trouverait les os des animaux, mais je savais aussi que, bien qu'elle sache dessiner un œil de mouche sur du papier millimétré, bien qu'elle soit, cet automne-là, la meilleure élève du cours de biologie de Mr. Botte, elle imaginerait forcément que ces os étaient les miens. Pour cette raison, j'étais contente qu'elle n'aille pas de ce côté-là.

Malgré mon incapacité à apparaître ou à murmurer, à la pousser ou à la faire entrer, Lindsey sentit d'elle-même quelque chose. Quelque chose qui alourdissait l'air du sous-sol froid et humide et la hérissait. Elle était à moins d'un mètre de la fenêtre ouverte, sachant que, peu importe la raison, elle s'avancerait parce qu'elle le devait, avec obligation de se calmer et de se concentrer sur les indices possibles ; mais à ce moment-là, l'espace d'un instant, elle a songé à Samuel qui courait en tête du groupe. Lorsqu'il ne la retrouverait pas, une fois terminé le dernier tour, il irait à sa recherche au collège, puis, avec un premier doute, il imaginerait qu'elle était à la douche et peut-être irait-il aussi ; puis il attendrait... Combien de temps attendrait-il ? Tandis que ses yeux balayaient l'escalier jusqu'au premier étage avant que ses pieds ne suivent, elle pensait qu'elle aurait bien aimé que Samuel soit là pour grimper derrière elle et suivre ses mouvements, gommant la solitude à mesure qu'il avancerait en se collant à ses gestes. Mais elle ne l'avait pas informé exprès. Elle n'avait rien dit à personne. Ce qu'elle faisait était inadmissible – criminel – et elle le savait.

Si elle devait jamais y repenser plus tard, elle se dirait qu'elle avait eu besoin d'air, que c'était ce qui l'avait poussée jusqu'en haut de l'escalier. De petites traces de poussière blanche s'amassaient à l'extrémité de ses chaussures tandis qu'elle montait les marches, mais elle ne les remarqua pas.

Elle tourna la poignée de la porte de la cave et atteignit le premier étage. Cinq minutes seulement s'étaient écoulées. Il lui en restait quarante, du moins c'était ce qu'elle pensait. Il y avait encore un peu de lumière filtrant à travers les stores fermés. Hésitante, dans cette maison identique à la nôtre, elle entendit le coup sec du *Evening Bulletin* frappant le porche puis le livreur de journaux actionna la sonnette de sa bicyclette et fila.

Ma sœur se dit qu'elle était à l'intérieur d'une série de pièces et d'espaces qui, parcourus méthodiquement, pouvaient lui révéler ce qu'elle cherchait, lui fournir le trophée qu'elle pourrait rapporter à notre père, se libérant ainsi de moi. Toujours la concurrence, même entre les vivants et les morts. Elle vit le carrelage dans l'entrée – le même que le nôtre, vert foncé et gris – et se revit rampant derrière moi, quand elle était bébé et que j'apprenais juste à marcher. Puis elle vit mon corps d'enfant faisant ses premiers pas, s'éloignant d'elle, ravi, pour entrer dans la pièce d'à côté et elle se rappela sa tentative d'alors pour me suivre.

Mais la maison de Mr. Harvey était bien plus vide que la nôtre, et il n'y avait aucun tapis pour réchauffer le décor. Lindsey passa du carrelage au plancher en pin ciré de ce qui était chez nous le living. Ça résonna dans le couloir, le bruit de chaque mouvement lui revenant en écho.

Elle ne pouvait empêcher les souvenirs de la pénétrer violemment. Brutalement. Buckley à califourchon sur mes épaules, dans l'escalier. Notre mère me tenant tandis que, sous l'œil jaloux de Lindsey, je perchais l'étoile argentée au sommet du sapin de Noël. Moi glissant sur la rampe et lui demandant de me rejoindre. Toutes deux mendiant les bandes dessinées du journal de mon père, après le dîner. Nous tous courant après Holiday qui n'en finissait pas d'aboyer. Et les innombrables sourires forcés ornant maladroitement nos visages sur les photos d'anniversaire, de vacances, et au retour de l'école. Deux sœurs aux vêtements identiques, en velours, en plaid écossais ou en jaune pascal. Nous tenions des paniers remplis de petits lapins et d'œufs que nous avions plongés dans de la teinture. Nos chaussures étaient en cuir verni, avec des brides et des boucles métalliques. Souriant très fort tandis que notre mère essayait de faire le point sur son appareil. Les photos toujours floues, nos yeux rouges et brillants. Aucune de ces œuvres artisanales laissées à ma sœur ne transmettrait à la postérité les moments d'avant et les moments d'après, lorsque nous jouions ensemble ou lorsque nous nous battions pour des jouets. Lorsque nous étions sœurs.

Puis elle le vit. Mon dos, fonçant telle une flèche dans l'autre pièce. Notre salle à manger, la pièce qui contenait ses maisons de poupée à lui, finies. J'étais une enfant qui courait juste devant elle.

Elle courut après moi.

Elle me pourchassa à travers les pièces d'en bas et, même si elle s'entraînait dur pour le foot, quand elle revint dans le couloir, elle fut incapable de reprendre son souffle. La tête lui tournait.

Je pensais à ce que ma mère disait sur un garçon, à notre arrêt de bus – deux fois plus vieux que nous, il n'était encore qu'en CE1 : « Il ne connaît pas sa force, alors faites attention quand vous êtes près de lui. » Il aimait donner de grandes accolades à tous ceux qui étaient gentils avec lui ; on voyait fondre sur ses traits cet amour abruti, et s'enflammer son désir de toucher. Avant qu'on ne l'enlève de l'école traditionnelle pour le placer dans un endroit inconnu, il avait pris dans ses bras une petite fille du nom de Daphné et l'avait tellement serrée qu'elle en était tombée par terre quand il l'avait relâchée. Et moi, j'ai poussé si fort dans l'Entre-deux pour arriver jusqu'à Lindsey que j'ai senti tout à coup que je pouvais lui faire mal, alors que je voulais seulement l'aider.

Ma sœur s'est assise sur les larges marches au fond du couloir et a fermé les yeux, concentrée sur son propre souffle à reprendre, sur le pourquoi de sa présence dans la maison de Mr. Harvey, pour commencer. Elle se sentait engluée dans quelque chose de lourd, comme une mouche piégée dans une toile d'araignée dont la soie épaisse s'enroulerait autour d'elle. Elle savait que notre père avait marché dans le champ de maïs, possédé par le sentiment qui rampait en elle à présent. Elle avait voulu rapporter des indices qu'il puisse utiliser comme autant d'échelons pour monter jusqu'à elle, l'ancrer avec des faits, donner du poids aux phrases adressées à Len. Au lieu de ça, elle se vit tomber après lui dans un gouffre sans fond.

Il lui restait vingt minutes.

Ma sœur était le seul être vivant dans cette maison, mais elle n'était pas seule, et je n'étais pas son unique compagnie. L'architecture de la vie de mon assassin, les corps des fillettes qu'il avait laissés derrière lui, commençaient à manifester leur présence à mon intention, alors que ma sœur était dans la maison. Je me mis debout dans mon paradis. J'énumérai leurs noms :

Jackie Meyer. Delaware, 1967. Treize ans.

Une chaise renversée, les pieds en l'air. Roulée en boule juste à côté, elle portait pour tout vêtement un tee-shirt à rayures. Près de sa tête, une petite flaque de sang.

Flora Hernandez. Delaware, 1963. Huit ans.

Il avait seulement voulu la toucher mais elle avait crié. Petite pour son âge. Sa chaussette et sa chaussure gauches furent découvertes ultérieurement. Le corps, jamais. Les os gisent dans le sous-sol en terre battue d'une vieille maison de rapport.

Leah Fox. Delaware, 1969. Douze ans.

Sur un divan recouvert d'une housse, sous une bretelle d'autoroute, il l'avait tuée, très tranquillement. Il s'était endormi sur elle, bercé par le bruit des voitures passant en trombe au-dessus d'eux. Ce n'est que dix heures plus tard, quand un vagabond avait frappé à la porte de la petite cabane que Mr. Harvey avait construite avec des portes abandonnées, qu'il avait commencé à rassembler ses esprits et le corps de Leah Fox.

Sophie Cichetti, Pennsylvanie, 1960. Quarante-neuf ans.

Elle avait divisé son premier étage en deux en érigeant un mur en Placoplâtre. Il aimait la fenêtre en demi-cercle ainsi créée, et le loyer n'était pas cher. Mais elle parlait trop de son fils et tenait absolument à lui lire des poèmes tirés d'un recueil. Il lui avait fait l'amour dans sa moitié de pièce à elle, lui avait fracassé le crâne quand elle s'était mise à parler, et avait transporté son corps sur la rive d'une crique voisine.

Leidia Johnson. 1960. Six ans.

Comté de Buck, Pennsylvanie. Il avait creusé une grotte voûtée dans une colline, près de la carrière, et s'était posté là. C'était la plus jeune.

Wendy Richter. Connecticut, 1971. Treize ans.

Elle attendait son père devant un bar. Il l'avait violée dans les buissons et l'avait étranglée. Cette fois-là, comme il reprenait conscience en sortant de la stupeur qui souvent s'emparait de lui, il avait entendu des bruits. Il avait tourné le visage de la morte vers lui, et comme les voix s'approchaient, il s'était penché sur son oreille. « Désolé, mon vieux », avaient dit les deux ivrognes entrés dans les fourrés pour pisser.

Je voyais maintenant cette ville de tombes flottantes, froide et battue par les vents, où les victimes des meurtres pénétraient dans les esprits des vivants. Je voyais les autres victimes qui occupaient sa maison – ces traces de souvenirs laissées derrière elles avant de fuir cette terre – mais ce jour-là je les ai laissées partir et me suis approchée de ma sœur.

Lindsey s'est redressée au moment où je la fixais à nouveau. Ensemble, nous avons monté toutes deux l'escalier. Elle se faisait l'effet d'être un de ces zombies, dans les films préférés de Samuel et Hal. Un pied devant l'autre et le regard vide fixé droit devant elle. Elle atteignit ce qui dans notre maison était la chambre à coucher de mes parents, et n'y trouva rien. Elle fit le tour du palier en haut. Rien. Puis elle alla dans ce qui, chez nous, avait été ma chambre, et elle découvrit celle de mon assassin.

C'était la pièce la moins nue de la maison, et elle s'efforça de ne rien déplacer. Sa main se glissa entre les pulls entassés sur l'étagère, prête à trouver n'importe quoi au creux de leur chaleur – un couteau, un revolver, une pointe Bic mâchonnée par Holiday. Rien. Mais alors qu'elle entendit un bruit sans pouvoir l'identifier, elle se tourna vers le lit, vit la table de nuit et, gisant dans le cercle de lumière d'une lampe de bureau, son carnet de croquis à lui. Elle se dirigea droit dessus et entendit un autre bruit, sans pour autant l'associer au précédent. Une voiture qui s'arrête. Qui freine avec un grincement. Une portière bruyamment fermée.

Elle tourna les pages du carnet de croquis et regarda les dessins à la plume représentant des poutres maîtresses, des supports, des tourelles et des contreforts, puis elle vit les mesures et les notes, dont aucune ne lui disait rien. C'est alors qu'elle tournait la dernière page qu'elle crut entendre des pas à l'extérieur qui se rapprochaient.

Comme Mr. Harvey tournait la clé dans la serrure de sa porte d'entrée, elle vit l'esquisse, sur la page qui était sous ses yeux. C'était un petit dessin représentant des tiges, au-dessus d'un trou. Un détail se détachait : une cheminée susceptible d'aspirer la fumée d'un feu, avec, en dessous, une écriture arachnéenne qui la fit sursauter : « Champ de maïs Stolfuz ». S'il n'y avait pas eu les articles de journaux, après la découverte de mon coude, elle n'aurait jamais su que le champ de maïs appartenait à un certain Mr. Stolfuz. Maintenant, elle voyait ce que je voulais qu'elle voie. J'étais morte dans ce trou ; j'y avais hurlé, j'avais lutté et j'avais perdu.

Elle déchira la page. Dans sa cuisine, Mr. Harvey se faisait à manger, son pâté de foie préféré, un bol de raisins verts sucrés. Il entendit une latte craquer. Il se raidit. Il entendit un autre bruit et, quand il comprit ce qui se passait, son dos se redressa largement.

Les raisins tombèrent sur le plancher et son pied gauche les écrasa, tandis que, dans la pièce au-dessus, ma sœur bondissait vers les stores métalliques et ouvrait une fenêtre récalcitrante. Mr. Harvey grimpa l'escalier quatre à quatre, et ma sœur brisa la moustiquaire, escalada le toit de la véranda et se laissa tomber d'une roulade alors qu'il déboulait dans le couloir du haut. Le chéneau se brisa quand son corps l'accrocha au passage. Elle tomba dans les buissons, les ronces et la boue au moment où il arrivait dans la chambre.

Mais elle ne se blessa pas. Merveilleusement indemne. Merveilleusement jeune. Elle se redressa alors qu'il arrivait à la fenêtre, prêt à l'escalader. Il s'arrêta. Il la vit courir vers le sureau. Le numéro décalqué sur son dos lui criait 5 ! 5 ! 5 !

Lindsey Salmon dans son maillot de foot.

Samuel était assis avec mes parents et Grand-Maman Lynn, quand Lindsey est arrivée à la maison.

« Oh ! mon Dieu ! » a dit ma mère, la première à la voir, par l'une des petites fenêtres carrées qui encadraient notre porte d'entrée.

Avant que ma mère ne l'ouvre, Samuel s'était précipité vers Lindsey. Elle a avancé en boitillant sans regarder ma mère ni même mon père pour se jeter tout droit dans ses bras.

« Mon Dieu ! mon Dieu ! mon Dieu ! » a dit ma mère quand elle vit la terre et les coupures.

Ma grand-mère s'est plantée à côté d'elle.

Samuel a posé la main sur sa tête et lissé ses cheveux vers l'arrière.

« Tu étais où ? »

Mais Lindsey s'est retournée vers notre père, tellement diminué maintenant, plus petit, plus faible que cette enfant furieuse. Sa vitalité m'a dévorée totalement, ce jour-là.

« Papa ?

– Oui, ma chérie.

– Je l'ai fait. Je suis entrée chez lui par effraction. » Elle tremblait légèrement et essayait de ne pas pleurer.

Ma mère a hésité : « Tu as fait quoi ? »

Mais ma sœur ne lui a pas adressé un seul regard.

« Je t'ai apporté ça. Ça me paraît important. »

Elle avait gardé le dessin froissé à la main. Il avait rendu son atterrissage plus difficile, mais elle s'en était sortie quand même.

Une phrase que mon père avait lue ce jour-là lui est alors revenue à l'esprit. Il l'a prononcée à voix haute en regardant Lindsey droit dans les yeux.

« L'état de guerre est bien celui dans lequel on s'adapte le plus vite. »

Lindsey lui a tendu le dessin.

« Je vais chercher Buckley, a dit ma mère.

– Tu ne veux même pas regarder ça, maman ?

– Je ne sais pas quoi dire. Ta grand-mère est ici. J'ai des courses à faire, une volaille à cuisiner. Personne ne semble s'apercevoir que nous avons une famille. Nous avons une famille, une famille et un fils, et moi je sors. »

Grand-Maman Lynn a accompagné ma mère jusqu'à la porte de derrière mais n'a pas essayé de l'arrêter.

Une fois ma mère partie, ma sœur a tendu la main vers Samuel. Mon père a vu ce que Lindsey avait vu dans l'écriture arachnéenne de Mr. Harvey : le possible calque de ma tombe. Il a levé la tête.

« Tu me crois maintenant ? a-t-il demandé à Lindsey.

– Oui papa. »

Mon père – tellement reconnaissant – a senti qu'il devait passer un coup de fil.

« Papa.

– Oui.

– Je pense qu'il m'a reconnue. »

Je n'aurais jamais pu imaginer joie plus grande que de voir ma sœur saine et sauve ce jour-là. Tout en rentrant du kiosque, je tremblais de la peur qui m'avait envahie, l'éventualité de sa disparition de la Terre, pas uniquement pour mon père, ma mère, Buckley et Samuel mais, égoïstement, pour moi.

Franny sortait de la cafétéria et se dirigeait vers moi. J'ai à peine levé la tête.

« Susie, j'ai quelque chose à te dire. »

Elle m'attira sous l'un des réverbères, puis loin de sa lumière. Elle me tendit un papier plié en quatre.

« Quand tu te sentiras plus forte, regarde ça et vas-y. »

Deux jours plus tard, le plan de Franny me conduisait vers un champ que je longeais chaque jour mais que, même si je le trouvais fort beau, je n'avais jamais souhaité explorer. Le sentier était indiqué par une ligne en pointillé. Scrutant nerveusement, je recherchais une brèche dans les rangées successives de blé. J'en vis une, et comme je m'avançais, le papier s'est dissous dans ma main.

Un peu plus loin, j'ai vu un vieil olivier splendide.

Le soleil était haut, et, devant l'olivier, il y avait une clairière. J'attendis un petit moment, jusqu'à ce que, de l'autre côté, je vis le blé onduler sur le passage de quelqu'un qui ne dépassait pas la hauteur des tiges.

Elle était petite pour son âge, comme elle l'avait été sur Terre, et elle portait une robe de calicot dont l'ourlet et les poignets étaient effrangés.

Elle s'est arrêtée et on s'est regardées.

« Je viens ici presque tous les jours, dit-elle. J'aime écouter les bruits. »

Je m'aperçus que, tout alentour, les épis de blé bruissaient entre eux sous la caresse du vent.

« Tu connais Franny ? » demandai-je.

La petite fille acquiesça solennellement.

« Elle m'a donné un plan pour arriver ici.

– Alors c'est que tu dois être prête », répondit-elle, mais elle était aussi dans *son* paradis, et c'est pourquoi elle faisait bouffer et tournoyer sa jupe.

Je m'assis en dessous de l'arbre et je la regardai.

Quand elle eut fini, elle vint vers moi et, essoufflée, s'assit par terre. « Je m'appelais Flora Hernandez, dit-elle. Et toi ? »

Je lui répondis, puis je me suis mise à pleurer de réconfort, celui de connaître une autre des fillettes qu'il avait tuées.

« Les autres vont bientôt arriver », dit-elle.

Et tandis que Flora virevoltait, d'autres fillettes et femmes venues de tous côtés traversèrent le champ. Nos cœurs souffrants s'épanchèrent les uns dans les autres comme de l'eau coulant de tasse en tasse.

Chaque fois que je racontais mon histoire, je perdais quelque chose, une toute petite goutte de douleur. Ce jour-là, je sus que je voulais raconter l'histoire de ma famille. Parce que l'horreur sur Terre est réelle et quotidienne. C'est comme une fleur ou le soleil ; rien ne peut l'empêcher d'être.

15

Au début, personne ne les arrêtait, et ça faisait tellement plaisir à sa mère, de lui montrer avec un rire aigu l'objet qu'elle venait de voler dans le magasin dont ils sortaient à la sauvette. George Harvey riait avec elle et, saisissant l'occasion, il la prenait alors dans ses bras tandis qu'elle était occupée avec son tout nouveau trophée.

C'était un soulagement pour tous les deux de s'éloigner du père le temps d'un après-midi, de se rendre en voiture dans la ville la plus proche pour faire des courses. Au mieux, ils faisaient de la récupération en ramassant des ferrailles et des bouteilles vides qu'ils remorquaient à l'arrière de la vieille camionnette à fond plat de l'aîné des Harvey.

Quand Harvey et sa mère se sont fait prendre, la première fois, la caissière a été sympa. « Si vous pouvez payer, faites-le. Si vous ne pouvez pas, laissez ça ici comme si vous ne le preniez pas », dit-elle vivement en faisant un clin d'œil à George Harvey qui avait alors huit ans. Sa mère a sorti le petit tube d'aspirine de sa poche et l'a déposé, l'air penaud. Son visage s'allongeait. « Tu ne vaux pas mieux que ton fils », la réprimandait souvent le père.

Être pris devenait un autre moment générateur de peur – ce sentiment de souffrance tournoyant dans son estomac comme des œufs battus dans un saladier. Rien qu'au visage fermé et au regard dur de l'employé qui descendait l'allée dans leur direction, il voyait bien qu'il avait vu une femme voler.

Elle a commencé à lui tendre les articles volés pour qu'il les cache sur lui, et il l'a fait pour lui obéir. Une fois dehors puis dans la camionnette, elle souriait et tapait sur le volant du plat de la main en l'appelant son petit complice. La cabine s'emplissait de son amour sauvage et imprévisible et, pendant quelque temps – celui que ça durait, jusqu'à ce qu'ils repèrent sur le bas-côté de la route quelque chose de brillant qu'il leur faudrait examiner pour en connaître les « possibilités », disait sa mère, il se sentait vraiment libre. Libre et au chaud.

Il se rappelait le conseil donné lors du premier long trajet, sur une route du Texas. Ils avaient vu une croix de bois blanc en bordure de la route. Autour de son socle, des bouquets de fleurs naturelles fanées. Son œil de récupératrice avait été immédiatement attiré par les couleurs.

« Surtout ne te laisse pas arrêter par les morts, lui dit-elle. Parfois on peut leur prendre de jolies petites fantaisies. »

Même à l'époque, il se doutait bien qu'ils faisaient quelque chose de mal. Ils étaient sortis de la camionnette et s'étaient dirigés vers la croix, les yeux de sa mère devenus ces deux petits points noirs qu'il lui connaissait bien lorsqu'ils étaient en chasse. Elle avait trouvé une breloque en forme d'œil et une autre en forme de cœur, qu'elle avait montrées à George Harvey.

« Je ne sais pas ce que ton père en ferait, mais nous, on peut les garder, juste toi et moi. »

Elle avait une planque secrète pour les choses qu'elle ne montrait jamais à son père.

« Tu veux l'œil ou bien le cœur ?

– L'œil.

– Je crois que ces roses sont assez fraîches pour qu'on les garde, elles feront joli dans la camionnette. »

Cette nuit-là, ils y avaient dormi, incapables de faire le voyage de retour jusqu'à l'endroit où son père, travailleur saisonnier, fendait des planches à la main ou à la hache.

Tous deux dormaient lovés l'un contre l'autre, comme cela leur arrivait assez fréquemment, faisant de la camionnette un nid malcommode. Tel un chien tournicotant dans une couverture, sa mère ne tenait pas en place. Elle se retournait sans cesse sur le siège. George Harvey s'était aperçu, après la première résistance, qu'il valait mieux devenir tout mou et la laisser le pousser à sa guise. Tant que sa mère n'était pas à l'aise, impossible de dormir.

Au milieu de la nuit, alors qu'il rêvait d'intérieurs confortables vus dans les livres d'images des bibliothèques, quelqu'un tapa du poing sur le toit. George Harvey et sa mère se sont redressés en sursaut. C'étaient trois hommes. Ils ont regardé par la portière d'une façon que George Harvey a reconnue, celle de son père quand il était saoul. Un regard à double effet : à la fois il excluait le fils, et en même temps il se concentrait sur la mère.

George Harvey savait qu'il ne devait pas crier.

« Reste tranquille, ils ne sont pas là pour toi », lui a-t-elle murmuré. Il s'est mis à trembler sous la vieille couverture militaire qui les recouvrait.

Un des trois hommes se tenait devant la camionnette. Les deux autres cognaient de part et d'autre du toit, riant, la langue pendante.

Sa mère a secoué violemment la tête, ce qui les rendait encore plus furieux. L'homme qui bloquait la camionnette s'est mis à cogner l'avant avec les hanches, et les deux autres ont ri de plus belle.

« Je vais bouger doucement, a chuchoté sa mère, et faire semblant de sortir de la camionnette. Quand je te le dirai, tu tendras le bras pour tourner la clé de contact. »

Il a compris qu'on lui disait quelque chose de très important. Qu'elle avait besoin de lui. Malgré son calme appliqué, il percevait un son métallique dans sa voix, où perçait maintenant de la peur.

Elle leur a souri et, comme ils se détendaient et criaient, d'un coup d'épaule elle a remis le levier de vitesse en place. « Vas-y », a-t-elle dit d'une voix plate, et George Harvey a tendu la main puis tourné la clé. La camionnette s'est réveillée dans un grondement de vieux moteur.

Quand ils l'ont vue faire marche arrière à bonne vitesse, les visages des hommes ont changé : ils ont viré graduellement de la joie possessive à l'incertitude. Elle est passée en première et a crié à son fils : « Sur le plancher ! » Il a senti le choc du corps de l'homme sur la camionnette, à quelques centimètres à peine de là où il s'était roulé en boule. Puis le corps a été projeté contre le toit. Il est resté là une seconde, jusqu'à ce que sa mère fasse à nouveau marche arrière. Il a eu un flash sur la façon dont la vie devait être vécue : certainement pas en tant qu'enfant ou femme, les deux situations les plus horribles au monde.

Lorsqu'il vit Lindsey filer vers la haie de sureau, son cœur battit sauvagement, mais il se ressaisit vite. C'était un art que sa mère, et non son père, lui avait enseigné – ne se lancer dans l'action qu'après avoir calculé le moindre risque découlant de chaque option possible.

Il vit le carnet déplacé et la page manquante, à l'intérieur. Il vérifia le sac contenant le couteau. Il emporta ce dernier à la cave et le laissa tomber dans l'orifice carré creusé dans les fondations. Sur l'étagère métallique, il récupéra l'ensemble des objets qu'il avait enlevés à toutes ces femmes. Il prit la breloque porte-bonheur de Pennsylvanie de mon bracelet et la tint dans la main. Bonne chance. Il étala les autres sur son mouchoir blanc dont il replia les extrémités pour former un petit baluchon. Il glissa la main dans l'orifice, sous les fondations, et se mit à plat ventre sur le plancher pour y enfoncer son bras jusqu'à l'épaule. Il tâtonna avec trois doigts, le petit sac dans son autre main, jusqu'à ce qu'il trouve une saillie de métal rouillé, sur laquelle les ouvriers avaient déversé le ciment. Il accrocha là son sac de trophées puis retira son bras et se redressa. Le livre de sonnets avait été enterré plus tôt, cette même année, dans les bois du parc de Valley Forge – il dispersait toujours les preuves de cette façon. Maintenant il lui restait à croiser les doigts et espérer.

Cinq minutes au plus s'étaient écoulées. Que l'on pouvait mettre sur le compte du choc et de la colère. Minutes passées à vérifier ce que tout le monde penserait être ses objets de valeur : ses boutons de manchettes, son argent, ses outils. Mais il savait qu'on ne pouvait guère y passer plus de temps que cela. Il lui fallait appeler la police.

Il s'énerva. Il effectua quelques pas rapides, expira puis inspira profondément, et, quand la standardiste répondit, il prit une voix aiguë.

« On a pénétré par effraction dans ma maison. Envoyez-moi la police » dit-il, élaborant ainsi le début de sa version de l'histoire tandis qu'il calculait intérieurement à quelle vitesse il pourrait filer et ce qu'il emporterait avec lui.

Quand mon père appela le commissariat, il demanda Len Fenerman. Mais ce dernier était introuvable. On l'informa que l'on avait déjà envoyé deux policiers sur les lieux. Quand Mr. Harvey ouvrit la porte, ils trouvèrent un homme en larmes, bouleversé, et qui, à part son aspect repoussant que les policiers attribuèrent au choc éprouvé, semblait réagir rationnellement aux événements rapportés.

Les informations sur le dessin emporté par Lindsey leur étaient parvenues par radio, mais les policiers étaient plus impressionnés par la proposition spontanée faite par Mr. Harvey de fouiller son domicile. Il paraissait également sincère dans sa compassion pour la famille Salmon.

Les policiers se sentaient mal à l'aise. Ils fouillèrent superficiellement la maison et n'y trouvèrent rien, mis à part les traces de ce qu'ils prirent pour une extrême solitude et, à l'étage, une pièce pleine de magnifiques maisons de poupée. Là, ils changèrent de sujet et lui demandèrent depuis combien de temps il les construisait.

Ils raconteraient plus tard avoir alors remarqué un changement immédiat dans son attitude, soudain plus amicale. Il alla dans sa chambre et en rapporta le carnet de croquis, sans mentionner le moindre dessin volé. Les policiers remarquèrent sa cordialité croissante à mesure qu'il leur montrait les esquisses de ses maisons de poupée. L'un d'eux lui posa la question suivante avec délicatesse :

« Monsieur, serait-il possible de vous emmener au commissariat pour un interrogatoire plus poussé ? Vous avez droit à la présence d'un avocat, mais… »

Mr. Harvey l'interrompit.

« Je serai très heureux de répondre à toutes vos questions, mais ici. C'est moi la victime, bien que je ne désire pas accumuler les accusations contre cette pauvre fille.

– La jeune fille qui est entrée par effraction a emporté quelque chose. Un dessin du champ de maïs et d'une espèce de construction qui s'y trouvait… »

La réaction de Harvey fut immédiate et vraiment convaincante, dirent les policiers à l'inspecteur Fenerman. Il avait une explication tellement parfaite qu'il leur fut impossible de le voir comme un fugitif potentiel, et, *a fortiori*, comme un meurtrier potentiel.

« Oh ! la pauvre fille ! » dit-il. Il porta les doigts à ses lèvres pincées, puis revint à son carnet de croquis et le feuilleta jusqu'à ce qu'il tombe sur un dessin qui ressemblait beaucoup à celui que Lindsey avait pris.

« Voilà, c'était un dessin comme celui-ci, hein ? » Les policiers – à présent auditeurs – acquiescèrent. « J'essayais de me le représenter, confessa Mr. Harvey. Je reconnais que cette abomination m'a obsédé. Tout le monde, dans le quartier, a dû réfléchir à la façon dont on aurait pu empêcher ça. Pourquoi est-ce qu'on n'a rien entendu ni rien vu ? Je suppose que la fillette a crié.

« Regardez, ici, dit-il aux deux hommes en montrant son dessin à la plume. Pardonnez-moi, mais je pense toujours en termes de structures, et après avoir entendu dire qu'il y avait beaucoup de sang dans le champ de maïs et que la terre y avait été retournée, j'ai imaginé que, peut-être... »

Il les regarda attentivement. Les deux policiers buvaient ses paroles. D'autant qu'ils n'avaient aucune piste, aucun cadavre, aucun indice. Peut-être cet homme bizarre avait-il une théorie valable. « Que peut-être que la personne qui a fait ça avait construit un souterrain, un trou ; puis j'avoue que j'ai commencé à y penser souvent. J'ai dessiné les détails en procédant comme pour mes maisons de poupée, en y mettant une cheminée et une étagère et, eh bien, c'est juste mon habitude, quoi. » Il s'arrêta. « J'ai beaucoup de temps libre.

– Et alors, est-ce que ça collait ? a demandé un des policiers.

– J'ai toujours pensé que je tenais quelque chose.

– Pourquoi vous ne nous avez pas appelés ?

– Je n'allais pas ressusciter leur fille. Quand l'inspecteur Fenerman m'a interrogé, j'ai dit que je soupçonnais le fils Ellis, et j'avais tort. Je ne voulais plus me mêler d'intervenir avec mes théories d'amateur. »

Les policiers l'informèrent, en s'excusant, que l'inspecteur Fenerman lui rendrait à nouveau visite le lendemain, et qu'il souhaiterait fort vraisemblablement revenir sur le sujet. Voir le carnet de croquis, entendre les théories de Mr. Harvey sur le champ de maïs. Celui-ci n'avait rien à y redire ; il y voyait son devoir de citoyen respectueux des lois, même si c'était lui la victime. Les policiers relevèrent les traces du passage de ma sœur, depuis l'effraction, sur la fenêtre de la cave, jusqu'à la fuite, sur celle de la chambre. Ils discutèrent des dégâts, que Mr. Harvey affirma vouloir payer de sa poche, soulignant qu'il était au courant de l'immense douleur supportée par Mr. Salmon depuis plusieurs mois, qui semblait avoir à présent contaminé la sœur de la pauvre fille.

Je voyais les chances de capturer Mr. Harvey s'amenuiser, alors que ma famille – du moins celle que j'avais connue – jetait ses derniers feux.

Après avoir récupéré Buckley chez Nate, ma mère s'arrêta à une cabine téléphonique, devant la supérette, sur la route 30. Elle demanda à Len de la retrouver dans un magasin bruyant et tapageur du centre commercial voisin. Il partit sur-le-champ. Alors qu'il sortait de l'allée du garage, le téléphone a sonné chez lui mais il ne l'entendit pas. Il était dans sa voiture, pensant à ma mère, comment rien n'allait et comment il était incapable de lui dire non, pour des raisons qu'il ne parvenait ni à analyser ni à repousser.

Ma mère parcourut en voiture la courte distance entre la supérette et le centre commercial. Puis, tenant Buckley par la main, elle franchit la porte vitrée qui menait à une pièce circulaire en contrebas, où les parents pouvaient laisser jouer leurs enfants pendant qu'eux-même faisaient leurs courses.

Buckley était ravi. « Super ! Je peux ? » a-t-il demandé en voyant d'autres enfants escalader les jeux ou faire la roue sur le sol en caoutchouc.

« Tu veux vraiment, mon chéri ?

- Oh oui ! »

Elle lança « d'accord » en guise de concession maternelle. Et il fila en direction d'un toboggan en métal rouge. « Sois sage », lui cria-t-elle. Elle ne lui avait jamais permis de jouer dessus hors de sa présence.

Elle laissa son nom au moniteur qui surveillait les jeux en expliquant qu'elle faisait ses courses au niveau inférieur, près de Wanamaker.

Tandis que Mr. Harvey exposait sa théorie sur mon meurtre, dans un magasin bon marché appelé Spencer, ma mère sentit une main lui caresser l'omoplate. Elle se retourna, impatiente et soulagée, pour voir le dos de Len Fenerman disparaître vers la sortie. Se frayant un chemin entre les masques de carnaval fluorescents, des boules magiques, les porte-clés avec des trolls hilares et crépus, ma mère le suivit.

Il ne se retourna pas. Elle continua de le suivre, d'abord excitée puis contrariée. Il y avait entre chaque pas suffisamment de temps pour penser, ce qu'elle ne souhaitait absolument pas.

Finalement, elle le vit ouvrir une petite porte blanche encastrée dans le mur, qu'elle n'avait jamais remarquée auparavant.

D'après les bruits qui parvenaient depuis le haut jusque dans ce couloir sombre, elle devinait que Len l'avait conduite dans les entrailles actives du centre commercial, système d'air pulsé ou pompe hydraulique. Elle s'en moquait. Dans l'obscurité, elle s'imaginait être à l'intérieur de son propre cœur – une vision de l'agrandissement accroché dans le bureau de son médecin pénétra sa tête, et, simultanément, elle vit mon père, vêtu seulement d'une blouse en non-tissé et de chaussettes noires, perché au bord de la table d'auscultation pendant qu'un spécialiste leur expliquait les risques d'une thrombose. Alors qu'elle allait s'abandonner à la douleur, éclater en sanglots, trébucher et finalement s'écrouler, elle arriva à l'extrémité du couloir. Il ouvrait sur une salle énorme, haute de trois étages, qui palpitait et bourdonnait, constellée de minuscules lumières montées n'importe comment sur des rails métalliques et des tambours. Elle s'arrêta pour essayer de percevoir un son autre que ce tambourinage assourdissant de l'air aspiré dans le centre commercial puis recyclé.

Rien.

J'ai vu Len avant elle. Seul, debout dans la pénombre, il la regarda un moment, percevant le désir dans ses yeux. Il était désolé pour mon père, pour ma famille, mais il sombra dans ce regard. « Je pourrais me noyer dans ces yeux, Abigail », eut-il envie de lui dire, mais il savait qu'il ne fallait pas.

Ma mère commençait à distinguer des formes dans le brillant enchevêtrement de connexions métalliques, et, pendant un instant, je sentis que la salle lui suffisait, que ce territoire étranger suffisait à l'apaiser. C'était le sentiment d'être hors d'atteinte.

S'il n'y avait pas eu la main de Len, tendue pour effleurer ses doigts du bout des siens, j'aurais pu l'avoir toute à moi, ici. Dans la vie de Mrs. Salmon, la salle aurait pu être une simple parenthèse.

Mais il la toucha et elle se retourna. Elle ne pouvait pas encore vraiment le regarder. Il accepta cette absence.

En regardant ça, la tête m'a tourné et je me suis agrippée au banc du kiosque, la gorge serrée. Je me suis dit qu'elle ne pourrait jamais savoir que, pendant qu'elle s'accrochait aux cheveux de Len, dont la main s'apprêtait à se poser dans le creux de ses reins pour la serrer contre lui, l'homme qui m'avait assassinée raccompagnait deux policiers à sa porte d'entrée.

Je sentais les baisers qui descendaient le long du cou de ma mère et sur ses seins, comme de légères petites pattes de souris, comme une chute de pétales de fleurs, ce qu'ils étaient. Catastrophiques et merveilleux en même temps. C'était des murmures dont l'appel l'éloignait de moi, de sa famille et de sa peine. Et son corps prit le relais.

Pendant que Len l'attirait loin du mur dans l'emmêlement des tuyaux où le bruit au-dessus des têtes s'ajoutait au chœur, Mr. Harvey bouclait sa valise. À la garderie, mon frère rencontrait une fillette qui faisait du hula-hoop ; ma sœur et Samuel étaient étendus côte à côte, sur son lit, habillés et anxieux ; ma grand-mère s'enfilait trois verres dans la salle à manger vide. Et mon père surveillait le téléphone.

Ma mère agrippa avidement le manteau et la chemise de Len, et il l'aida. Puis il la regarda se débattre avec ses propres vêtements, faisant passer son pull par-dessus sa tête, suivi de sa robe chasuble et de son col roulé, jusqu'à ce qu'elle se retrouve en slip et caraco. Il plongea son regard dans le sien.

Samuel embrassa la nuque de ma sœur. Elle sentait le savon et le désinfectant et, déjà, il voulait ne plus jamais la quitter.

Len était sur le point de dire quelque chose. Je vis ma mère remarquer un frémissement sur ses lèvres. Elle ferma les yeux et ordonna au monde de se fermer pareillement – hurlant les mots à l'intérieur de son crâne. Elle rouvrit les yeux et le regarda. Il était silencieux, bouche serrée. Elle fit passer son caraco en coton par-dessus la tête et se glissa hors de ses sous-vêtements. Ma mère avait le corps que je n'aurais jamais. Mais elle avait sa propre peau clair de lune, ses yeux couleur d'océan. Elle était creuse, perdue et totalement abandonnée.

Mr. Harvey quitta définitivement sa maison tandis qu'était accordé à ma mère son vœu temporel le plus cher : sortir de son cœur en ruine et s'oublier dans un adultère secourable.

16

Une année presque jour pour jour après ma mort, le docteur Singh téléphona pour dire qu'il ne rentrerait pas à la maison pour dîner. Ruana ferait ses exercices sans en tenir compte. Elle ne pouvait s'empêcher de ressasser les absences de son mari tout en s'étirant sur le tapis du seul endroit chaud de la maison – penchée en avant, bras tendus vers les orteils –, mais elle les laisserait la consumer, jusqu'à ce que son corps la supplie de lâcher prise, d'avancer, de fermer à double tour son cerveau et de tout oublier, sauf la sensation légère et agréable de ses muscles qui s'étiraient et de son corps qui se pliait.

La fenêtre de la salle à manger était vitrée presque jusqu'au sol, interrompue seulement par la plinthe métallique du chauffage, que Ruana préférait fermer parce que les bruits qu'il produisait la dérangeaient. À l'extérieur, elle voyait le cerisier, qui avait perdu ses feuilles et ses fleurs. Vide, la mangeoire pour les oiseaux se balançait légèrement sur sa branche.

Elle s'étira jusqu'à ce qu'elle ait bien chaud, loin d'elle-même et de la maison où elle se trouvait. De son âge. De son fils. Mais pourtant, rampant en elle, il y avait la silhouette de son mari. Elle eut une intuition. Elle ne croyait pas qu'une femme, ni même une étudiante en adoration, était à l'origine de ses retards de plus en plus fréquents. Il s'agissait plus certainement de quelque chose qu'elle avait connu, elle aussi, et dont elle s'était détachée il y a longtemps, après en avoir été blessée : l'ambition.

Elle entendait des bruits, à présent. Holiday qui aboyait deux rues plus haut, le chien des Gilbert qui lui répondait, et Ray qui faisait les cent pas au premier.

Dieu merci, un instant plus tard, il y eut une éruption de Jethro Tull qui balaya tout le reste.

Mis à part une cigarette occasionnelle, qu'elle fumait aussi discrètement que possible pour ne pas encourager Ray, elle était restée en forme. Beaucoup de femmes du quartier la complimentaient sur son allure ; certaines lui avaient demandé de leur montrer comment elle s'y prenait, bien qu'elle ait toujours considéré ces questions comme un subterfuge destiné à entamer une conversation avec leur voisine solitaire et étrangère. Mais comme elle se mettait en position de *sukhasana*, que sa respiration se ralentissait jusqu'à atteindre un rythme profond, elle ne put se détendre complètement et abandonna. L'idée récurrente de ce qu'elle ferait quand Ray serait plus âgé, quand son mari travaillerait de plus en plus longtemps, s'infiltra le long de son pied puis de son mollet jusqu'au creux du genou et se mit à grimper dans sa cuisse.

On sonna.

Ruana fut heureuse de l'évasion ainsi proposée, et, bien que selon elle il ne puisse y avoir d'ordre en ce monde sans méditation, elle bondit, noua autour de sa taille un châle accroché au dos d'une chaise et, au son de la musique tonitruante de Ray, elle se dirigea vers la porte. Un court instant, elle craignit que ce soit un voisin venu se plaindre de la musique et se sentit honteuse de son justaucorps rouge et de son châle.

C'était Ruth, un sac de courses à la main.

« Bonjour, dit Ruana. Je peux t'aider ?

– Je viens voir Ray.

– Entre. »

Il fallut crier tout ça pour couvrir le bruit venant d'en haut. Ruth s'avança dans le couloir.

« Monte », cria Ruana en lui montrant l'escalier.

Je regardai Ruana remarquer la salopette trop grande, le col roulé, la parka. *Je pourrais commencer par elle*, se dit Ruana.

Ruth était au supermarché avec sa mère quand elle avait vu les bougies au milieu des assiettes en carton, des fourchettes et des cuillers en plastique. Ce jour-là, au lycée, elle avait eu une conscience aiguë de la date. Or, ce qu'elle avait fait les heures précédentes – traîner au lit à lire *La Cloche de détresse*, aider sa mère à faire le ménage dans ce que son père tenait à appeler sa cabane à outils et qu'elle considérait comme un atelier de poésie, puis se traîner vers le supermarché –, tout cela ne constituait rien de marquant pour l'anniversaire de ma mort, elle avait donc pris la décision de marquer le coup.

Quand elle vit les bougies, elle sut immédiatement qu'elle allait se rendre chez Ray et lui demander de l'accompagner. À cause de leurs rencontres au bord du terrain de foot, les élèves avaient fait d'eux un couple, alors que rien ne le justifiait. Ruth pouvait bien dessiner autant de nus féminins qu'elle le voulait, se mettre des foulards sur la tête, écrire des dissertes sur Janis Joplin et protester à voix haute contre l'obligation de devoir se raser les jambes et les aisselles, aux yeux de ses camarades de classe de Fairfax elle demeurait une fille étrange que l'on avait trouvée en train d'E-M-B-R-A-S-S-E-R un garçon étrange.

Ce que personne ne comprenait – et ils ne pouvaient pas se mettre à le raconter à tout le monde –, c'était que ce n'était entre eux qu'une expérience. Ray n'avait embrassé que moi et Ruth n'avait jamais embrassé personne ; aussi, d'un commun accord, ils avaient décidé de s'embrasser, pour voir.

« Je ne ressens rien, avait dit Ruth après coup, alors qu'ils étaient étendus sous un érable, derrière le parking des profs.

– Moi non plus.

– Tu as ressenti quelque chose quand tu as embrassé Susie ?

– Oui.

– Quoi ?

– Que j'en voulais plus. Cette nuit-là, j'ai rêvé de l'embrasser à nouveau et je me suis demandé si elle avait la même idée.

– Et de faire l'amour ?

– J'en étais pas encore arrivé là. Maintenant je t'embrasse et c'est pas la même chose.

– On pourrait continuer d'essayer. Je suis partante si tu le dis à personne.

– Je croyais que tu aimais les filles.

– On va conclure un marché. Tu peux faire comme si j'étais Susie et moi aussi.

– Tu es vraiment perverse, dit Ray en souriant.

– Ça veut dire que tu ne veux pas ? le taquina Ruth.

– Montre-moi encore tes dessins.

– Je suis peut-être perverse, dit Ruth en prenant son carnet d'esquisses dans son cartable – il était maintenant rempli de nus qu'elle avait copiés dans *Playboy*, avec agrandissements ou réduction de certaines parties, adjonction de poils et de plis là où ils avaient été peints à l'aérographe –, mais au moins je ne suis pas une perverse du fusain. »

Ray faisait le tour de sa chambre en dansant quand Ruth y pénétra. Il portait ses lunettes, dont il essayait de se passer à l'école parce qu'elles étaient épaisses et que son père avait opté pour les montures incassables les moins chères. Il avait enfilé un jean déformé aux genoux, taché, et le tee-shirt dans lequel Ruth supposait qu'il dormait, ce que je savais être vrai.

Dès qu'il la vit sur le seuil de la porte avec son sac de courses, il s'arrêta. Ses mains montèrent immédiatement pour enlever ses lunettes, et alors, ne sachant qu'en faire, il les agita dans sa direction et lança : « Salut.

– Tu peux baisser le son ? a hurlé Ruth.

– Naturellement ! »

Quand le bruit s'arrêta, ses oreilles résonnèrent encore une seconde, et pendant cette seconde, elle vit une lueur passer dans ses yeux.

Il se trouvait maintenant à l'autre extrémité de la pièce, avec le lit, défait et froissé, entre eux deux, et, au-dessus, accroché au mur, un dessin de moi fait par Ruth, de mémoire.

« Tu l'as accroché, dit cette dernière.

– Je le trouve très bien.

– Toi, moi et personne d'autre.

– Ma mère le trouve très bien.

– Elle a de la profondeur, Ray, dit Ruth en posant son sac. Rien d'étonnant à ce que tu sois un peu toqué.

– Qu'est-ce que tu as dans le sac ?

– Des bougies. Je les ai achetées au magasin. On est le 6 décembre.

– Je sais.

– Je me disais qu'on aurait pu aller dans le champ de maïs et les allumer. Dire au revoir.

– Tu vas le dire encore combien de fois ?

– C'était juste une idée. J'irai seule, alors.

– Non, je viendrai. »

Ruth s'assit en gardant sa veste et attendit qu'il change de chemise. Elle le regardait de dos : il était mince mais les muscles de ses bras étaient gonflés juste ce qu'il fallait, et sa peau, comme celle de sa mère, était d'une couleur bien plus tentante que la sienne.

« On peut s'embrasser un moment, si tu veux. »

Et il se retourna avec un sourire. Il s'était mis à aimer les expériences. Il ne pensait plus à moi, mais ne pouvait pas le dire à Ruth.

Il aimait la façon dont elle détestait le lycée. Il aimait son intelligence et sa façon de faire comme si ça lui importait peu que son père à lui soit docteur (même si ce n'était pas un vrai docteur, faisait-elle remarquer), et son père à elle un brocanteur, ou que les Singh aient des rangées et des rangées de livres chez eux, ce qui n'était pas le cas chez elle.

Il s'assit à ses côtés, sur le lit.

« Tu veux enlever ton parka ? »

Elle s'exécuta.

Et donc, pour l'anniversaire de ma mort, Ray s'écrasa contre Ruth et tous deux s'embrassèrent, après quoi elle le regarda bien en face. « Merde ! dit-elle, je crois que je ressens quelque chose. »

Quand Ray et Ruth arrivèrent dans le champ de maïs, ils étaient silencieux et il lui tenait la main. Elle ne savait pas s'il la tenait parce qu'ils contemplaient ma mort ensemble ou parce qu'il l'aimait bien. Son cerveau était un ouragan, sa perspicacité coutumière s'était envolée.

Puis elle vit qu'elle n'avait pas été la seule à penser à moi. Hal et Samuel Heckler se trouvaient aussi dans le champ de maïs, les mains dans les poches et lui tournant le dos. Ruth vit des jonquilles jaunes sur le sol.

« C'est toi qui les as apportées ? a demandé Ruth à Samuel.

– Non, a répondu Hal à la place de son frère. Elles étaient déjà là quand on est arrivés. »

Mrs. Stead regardait depuis la chambre de son fils, à l'étage. Elle décida de passer son manteau et d'aller jusqu'au champ. Sans trop se demander si c'était ou non une bonne idée.

Grace Tarking faisait le tour du pâté de maisons à pied quand elle vit Mrs. Stead quitter sa maison avec un poinsettia. Elles se parlèrent brièvement dans la rue. Grace dit qu'elle devait s'arrêter chez elle mais qu'elle les rejoignait.

Elle passa deux coups de fil, un à son petit ami qui vivait tout près dans un quartier un peu plus huppé, et l'autre aux Gilbert. Ils ne s'étaient pas encore remis du rôle pour le moins curieux qu'ils avaient joué dans la découverte de ma mort puisque c'était leur fidèle labrador qui avait découvert la première preuve. Grace offrit de les accompagner, ils étaient plus âgés et couper à travers les pelouses des voisins et franchir le sol bosselé du champ de maïs leur serait difficile ; mais oui, avait dit Mr. Gilbert, il viendrait volontiers. Ça leur ferait du bien, dit-il à Grace Tarking, surtout à sa femme, et je vis alors combien il était touché. Il cachait toujours sa peine derrière ses attentions pour sa femme. Ils avaient pensé un moment donner leur chien mais il leur était d'un trop grand réconfort.

Mr. Gilbert se demanda si Ray, un gentil garçon si mal jugé, qui leur faisait leurs courses, était au courant, et il téléphona donc chez lui. Selon Ruana, son fils était déjà là-bas, et elle aussi allait s'y rendre.

Lindsey regardait par la fenêtre quand elle vit Grace Tarking donnant le bras à Mrs. Gilbert, et le petit ami de Grace soutenant Mr. Gilbert alors que tous les quatre coupaient à travers la pelouse des O'Dwyer.

« Il se passe quelque chose dans le champ de maïs, maman », dit-elle.

Ma mère lisait Molière, qu'elle avait étudié à l'université mais qu'elle n'avait plus regardé depuis. À côté d'elle se trouvaient les livres qui avaient fait d'elle une étudiante d'avant-garde : Sartre, Colette, Proust, Flaubert. Elle les avait descendus des étagères de sa chambre, se promettant de les relire dans l'année.

« Ça ne m'intéresse pas, dit-elle à Lindsey, mais votre père, oui, j'en suis sûre, quand il rentrera à la maison. Pourquoi tu ne montes pas jouer avec ton frère ? »

Depuis des semaines, ma sœur avait respectueusement tourné autour de ma mère, lui faisant la cour sans tenir compte des signaux qu'elle émettait. Il y avait quelque chose de l'autre côté de la surface glacée. Lindsey en était sûre. Elle resta avec notre mère, assise près d'elle à regarder nos voisins par la fenêtre.

Quand la nuit fut tombée, les bougies que les retardataires avaient eu l'idée d'apporter illuminaient le champ de maïs. Tous ceux que j'avais connus ou à côté de qui j'avais été assise dans une salle de classe, de la maternelle à la quatrième, étaient là, semblait-il. Mr. Botte, alors qu'il quittait le collège après avoir préparé la salle de classe pour l'expérience du lendemain sur la digestion animale, avait vu qu'il se passait quelque chose. Il s'était dirigé vers le champ d'un pas nonchalant, et, quand il avait compris de quoi il s'agissait, il était revenu au collège pour passer quelques coups de fil. Une des secrétaires avait été particulièrement accablée par ma mort. Elle est venue, avec son fils. Et aussi quelques professeurs qui n'étaient pas venus à la messe commémorative.

Les rumeurs sur l'éventuelle culpabilité de Mr. Harvey s'étaient frayé un chemin d'un voisin à l'autre, le soir de Thanksgiving. Le lendemain après-midi, le seul sujet de conversation entre voisins était : Comment est-ce possible ? Cet homme étrange qui vivait si tranquillement parmi eux pouvait-il être l'assassin de Susie Salmon ? Personne n'avait osé aborder ma famille pour glaner des détails. On avait demandé aux cousins d'amis, aux pères des garçons qui traversaient leurs pelouses s'ils savaient quelque chose. Toute personne susceptible de savoir ce que la police faisait avait été abordée pendant la semaine précédente, aussi cette cérémonie était-elle à la fois une façon d'honorer ma mémoire et, pour les voisins, une façon de se réconforter mutuellement. Un assassin avait vécu parmi eux, il les avait croisés dans la rue, il avait acheté des gâteaux à leurs filles au bénéfice des jeannettes, et souscrit des abonnements pour diverses revues auprès de leurs fils.

Dans mon paradis, je débordais de chaleur et d'énergie au fur et à mesure qu'arrivaient dans le champ de maïs de nouvelles personnes, qu'elles allumaient leurs bougies puis se mettaient à chantonner à voix basse un hymne funèbre que Mr. O'Dwyer avait retrouvé en évoquant le souvenir lointain de son grand-père dublinois. Au début, mes voisins chantèrent maladroitement, mais la secrétaire de l'école suivit la voix puissante de Mr. O'Dwyer et y ajouta la sienne, moins mélodieuse. Ruana Singh se tenait raide, à la périphérie extérieure du cercle, loin de son fils. Le docteur Singh avait téléphoné alors qu'elle sortait, pour dire qu'il dormirait à la fac cette nuit. Mais d'autres pères, rentrant juste du bureau, garaient leurs voitures dans l'allée et sortaient tout aussi vite rejoindre leurs voisins. Comment pouvaient-ils travailler, eux et leurs épouses, travailler pour entretenir leurs familles, et veiller à ce que leurs enfants soient en sécurité ? Ils apprenaient en tant que groupe que c'était impossible, quelles que soient les règles qu'ils édictaient. Ce qui m'était arrivé pouvait arriver à n'importe qui.

Personne n'avait appelé chez moi. On laissait ma famille en paix. La barrière impénétrable qui entourait les bardeaux, la cheminée, la pile de bois, l'allée du garage, tout cela ressemblait à la couche de glace transparente qui couvrait les arbres quand il pleuvait puis gelait. Notre maison ressemblait à n'importe quelle autre du quartier, mais ce n'était pas la même. Le meurtre avait une porte rouge sang.

Quand le ciel est devenu d'un rose pommelé, Lindsey a compris ce qui se passait. Ma mère n'a pas levé une seule fois les yeux de son livre.

« Ils font une cérémonie pour Susie, a dit Lindsey. Écoute. » Elle a ouvert violemment la fenêtre. L'air glacé de décembre s'est engouffré avec le bruit lointain des chants.

Ma mère a rassemblé toute son énergie. « On a eu la messe commémorative, a-t-elle dit. En ce qui me concerne, ça suffit.

– Qu'est-ce qui suffit ? »

Les avant-bras de ma mère reposaient sur les accoudoirs du fauteuil à oreillettes jaunes. Elle s'est penchée légèrement en avant et son visage a disparu dans l'ombre, ce qui empêchait Lindsey d'en voir l'expression. « Je ne crois pas qu'elle nous attende là-bas. Je ne crois pas qu'allumer des bougies et faire toutes ces histoires honore sa mémoire. Il y a d'autres manières.

– Lesquelles ? » a demandé Lindsey. Elle était assise en tailleur sur le tapis, devant ma mère sur sa chaise avec un doigt marquant la page du Molière.

« J'ai envie d'être plus qu'une mère. »

Lindsey a cru qu'elle pouvait comprendre. Elle aussi voulait être plus qu'une fille.

Ma mère a posé le Molière sur la table basse et s'est laissée glisser du fauteuil jusqu'au tapis. Je fus soufflée. Elle ne s'asseyait jamais par terre, toujours sur une chaise, devant le secrétaire, ou dans le fauteuil à oreillettes, ou parfois à l'extrémité d'un sofa avec Holiday en boule à côté d'elle.

Elle prit les mains de ma sœur entre les siennes.

« Tu vas nous quitter ? » lui a demandé Lindsey.

Ma mère a hésité. Comment formuler ce que sa fille savait déjà ? À la place, elle fabriqua un mensonge. « Je promets de ne pas te quitter. »

Ce qu'elle désirait le plus, c'était de redevenir cette jeune fille libre qui empilait de la porcelaine chez Wanamaker en cachant la tasse Wedgewood dont l'anse était cassée, rêvant de vivre à Paris comme Sartre et Beauvoir, et qui, un jour, était rentrée chez elle en riant de ce bêta de Jack Salmon qui était vraiment mignon, même s'il détestait la cigarette. Les cafés de Paris étaient pleins de cigarettes, lui avait-elle expliqué, et il avait eu l'air impressionné. À la fin de l'été, quand elle l'avait invité à entrer et qu'ils avaient fait l'amour pour la première fois, elle avait fumé une cigarette et, par plaisanterie, il lui avait dit qu'il en prendrait bien une aussi. Quand elle lui avait tendu la tasse bleue abîmée en guise de cendrier, elle avait utilisé ses mots préférés pour embellir l'histoire de la casse et du larcin, si fréquent à présent, sous son manteau.

« Viens ici, ma grande », a dit ma mère, ce qu'a fait Lindsey. Elle a appuyé le dos contre la poitrine de ma mère, et cette dernière l'a bercée maladroitement sur le tapis. « Tu te débrouilles tellement bien, Lindsey ; tu maintiens ton père en vie. » Puis elles ont entendu sa voiture s'arrêter dans l'allée.

Lindsey s'est laissée enlacer pendant que ma mère pensait à Ruana Singh fumant derrière sa maison. La douce senteur des Dunhill avait flotté vers la route et emporté ma mère au loin. Son dernier petit ami, juste avant mon père, aimait les Gauloises. C'était un petit mec prétentieux, pensait-elle, mais il s'était montré tellement « cette fois, c'est du sérieux », que du coup, elle s'était sentie obligée de faire pareil.

« Tu vois les bougies, maman ? a demandé Lindsey en regardant par la fenêtre.

– Va chercher ton père », a répondu ma mère.

Ma sœur a croisé mon père dans le débarras, où il accrochait ses clés et son manteau. Oui, ils allaient y aller, dit-il. Naturellement qu'ils iraient.

« Papa ! » Mon frère appelait de l'étage où mon père et ma sœur allèrent le retrouver.

« C'est toi qui décides, dit mon père à Buckley, qui le fouillait au corps.

– J'en ai assez de le protéger, dit Lindsey. Ça me paraît injuste qu'il ne participe pas. Susie est morte. Et il le sait. »

Mon frère la dévisagea.

« Il y a une cérémonie pour Susie, dit Lindsey. Papa et moi on t'emmène.

– Maman est malade ? » demanda Buckley.

Lindsey n'avait pas envie de lui mentir, mais c'était une impression juste, qu'elle partageait.

« Oui. »

Lindsey fut d'accord pour retrouver notre père en bas après avoir emmené Buckley se changer dans sa chambre.

« Je la vois, tu sais, dit Buckley, et Lindsey le regarda.

– Elle vient me parler et elle reste avec moi quand tu es au foot. »

Lindsey ne sut quoi dire, mais elle tendit le bras pour l'attraper et le presser sur son cœur, comme lui-même le faisait souvent avec Holiday.

« Tu es vraiment trop, dit-elle à mon frère. Je serai toujours là, quoi qu'il arrive. »

Mon père descendit lentement l'escalier, la main gauche étreignant la rampe en bois, jusqu'à l'entrée dallée.

Ses pas étaient sonores. Ma mère a pris son Molière et s'est glissée dans la salle à manger, où il ne la verrait pas. Elle lisait son livre, debout dans un coin de la salle à manger, en cachette de sa famille. Elle attendait l'ouverture et la fermeture de la porte d'entrée.

Mes voisins et mes professeurs, mes amis formèrent un cercle autour du lieu présumé, très proche de celui où j'avais effectivement été tuée. À peine le pied dehors, mon père, mon frère et ma sœur entendirent à nouveau les chants. Mon père se pencha et se jeta de tout son corps vers la chaleur et la lumière. Il avait tellement envie que tous se souviennent de moi, et dans leurs cœurs et dans leurs esprits. Je compris quelque chose en les regardant : presque tous me disaient au revoir. Je devenais l'une de ces nombreuses petites filles disparues. Ils reviendraient chez eux et me mettraient de côté, lettre du passé jamais rouverte ni relue. Et je pourrais leur dire au revoir, leur souhaiter de bien se porter, les bénir, en quelque sorte, pour leurs bonnes pensées. Une poignée de main dans la rue, un objet tombé par terre, qu'on a récupéré et rendu, un geste amical de la main derrière une fenêtre lointaine, un mouvement de tête, un sourire, un moment où les regards se croisent par-dessus les pitreries d'un enfant.

Ruth fut la première à voir les trois membres de ma famille. Elle tira la manche de Ray. « Va l'aider », murmura-t-elle. Ce dernier, qui avait rencontré mon père le premier jour de ce qui allait se révéler un long voyage pour retrouver mon assassin, s'avança alors. Samuel se détacha aussi. Comme des pasteurs pleins de jeunesse, ils emmenèrent mon père, ma sœur et mon frère vers le groupe qui les accueillit et se fit silencieux.

Pendant des mois mon père n'était pas sorti de la maison, si ce n'est pour faire l'aller-retour en voiture jusqu'à son lieu de travail ou s'asseoir dans le jardin, pas plus qu'il n'avait vu ses voisins. Là, il les regarda dans les yeux jusqu'à ce qu'il se rende compte que j'avais été aimée par des gens qu'il ne reconnaissait même pas. Son cœur s'emplit, réchauffé comme jamais il ne l'avait été au cours de ce qui lui avait paru si long – mis à part quelques courts instants avec Buckley, déjà oubliés, des étincelles d'amour paternel. Il regarda Mr. O'Dwyer. « Stan, dit-il, Susie avait l'habitude de rester à la fenêtre pendant l'été et de vous écouter chanter dans le jardin. Elle adorait ça. Voulez-vous chanter pour nous ? »

Et, dans cette espèce de grâce parfois accordée, mais rarement, et pas quand on le désire le plus – afin d'empêcher un être aimé de mourir –, Mr. O'Dwyer chevrota un instant sur sa première note, puis son chant monta fort, clair et beau.

Les autres suivirent.

Je me souvenais de ces nuits estivales dont mon père parlait. Comment l'obscurité mettait une éternité à tomber, et j'espérais qu'avec elle il ferait plus frais. Parfois, debout devant la fenêtre ouverte, je sentais une brise, et sur cette brise la musique en provenance de chez les O'Dwyer. Alors que j'écoutais Mr. O'Dwyer égrener toutes les ballades irlandaises qu'il avait pu apprendre, la brise se mettait à sentir la terre, l'air et un parfum de mousse qui ne pouvaient signifier qu'une chose : l'orage.

Il y avait dans ces instants-là un merveilleux silence momentané ; Lindsey étudiait dans sa chambre, sur son vieux sofa, mon père lisait dans son bureau, et ma mère, en bas, brodait ou faisait la vaisselle.

J'aimais revêtir une longue chemise de nuit blanche en coton et sortir sous la véranda où, quand la pluie commençait à tomber sur le toit en grosses gouttes, des courants d'air venaient de tous côtés sur les moustiquaires et plaquaient ma chemise de nuit contre mon corps. C'était chaud, splendide, les éclairs arrivaient et, quelques instants plus tard, c'était le tonnerre.

Ma mère se plantait devant la porte ouverte puis lançait son avertissement habituel : « Tu vas attraper froid », après quoi elle se calmait. On écoutait toutes les deux la pluie tomber et le tonnerre claquer, et on sentait la terre se lever pour nous saluer.

« Tu parais invincible », m'a dit ma mère, un soir.

J'aimais ces instants, quand on ressentait la même chose, il me semblait. Je me suis tournée vers elle, drapée dans ma fine chemise de nuit, et je lui ai répondu :

« Je le suis. »

Instantanés

Avec l'appareil photo donné par mes parents, j'ai pris des douzaines d'instantanés de ma famille. Tellement que mon père m'a obligée à choisir entre les différentes pellicules avant de les développer. Comme le coût de mon obsession s'élevait, j'ai placé deux boîtes dans mon placard : « Pellicules à faire développer » et « Pellicules à laisser de côté ». C'était, selon ma mère, le seul soupçon d'aptitude à l'organisation que j'aie jamais possédé.

J'aimais la façon dont les cubes des flashs consumés de l'Instamatic Kodak témoignaient d'un instant écoulé, disparu à tout jamais s'il n'y avait eu une photo. Une fois les cubes utilisés, je les enlevais et les passais d'une main dans l'autre jusqu'à ce qu'ils refroidissent. Les filaments cassés prenaient une teinte bleu marbré fondu ou noircissaient parfois la mince paroi. J'avais sauvegardé l'instant grâce à mon appareil photo et ainsi trouvé le moyen d'arrêter le temps, de le retenir. Personne ne pouvait m'enlever cette image, parce qu'elle m'appartenait.

Un soir de l'été 1975, ma mère se tourna vers mon père et lui demanda :

« Tu as déjà fait l'amour dans l'océan ? »

Et il répondit : « Non.

– Moi non plus. Alors imagine que l'océan est là, que je m'en vais, et que peut-être nous ne nous reverrons jamais. »

Le lendemain elle partit pour le chalet de son père, dans le New Hampshire.

Ce même été, quand Lindsey, Buckley ou mon père ouvraient la porte, il leur arrivait de trouver un plat cuisiné ou une génoise sur le seuil. Parfois une tarte aux pommes, le dessert préféré de mon père. Ils ne savaient jamais ce qu'il allait y avoir. Les plats cuisinés de Mrs. Stead étaient horribles. Les génoises de Mrs. Gilbert étaient dans l'ensemble trop spongieuses, mais mangeables. Les tartes aux pommes de Ruana étaient un pur délice.

Dans son bureau, pendant les longues nuits qui suivirent le départ de ma mère, mon père essayait de se plonger dans la relecture des lettres de Mary Chestnut à son mari durant la guerre de Sécession. Il essayait de se débarrasser de toute critique, de tout espoir, mais c'était impossible. Parfois il se forçait à un faible sourire.

« Ruana Singh fait une super tarte aux pommes », écrivit-il dans son carnet.

Un après-midi d'automne, quand il décrocha le téléphone, il entendit la voix de Grand-Maman Lynn.

« Jack, annonça cette dernière, je songe à venir habiter chez vous. »

Mon père demeura silencieux, et son hésitation fit grésiller la ligne.

« J'aimerais me rendre utile pour les enfants et pour vous. Il y a suffisamment longtemps maintenant que je me cogne aux murs de ce mausolée.

– Lynn, on entame tout juste un nouveau départ », bégaya-t-il.

Pourtant, il ne pouvait continuellement dépendre de la mère de Nate, pour s'occuper de Buckley. Quatre mois après son départ, l'absence momentanée de ma mère était en passe de prendre un tour permanent.

Ma grand-mère insista. Je la regardais résister à la dernière goutte de vodka restée dans son verre. « Je m'abstiendrai de boire jusqu'à... – elle réfléchit dur – dix-sept heures passées, que diable, je m'arrêterai même complètement si vous le jugez nécessaire.

– Vous vous rendez compte de ce que vous dites ? »

Ma grand-mère sentit une certitude descendre le long de la main qui tenait le combiné, jusqu'à ses pieds enfermés dans des chaussures à talons. « Mais oui. Je crois. »

Ce ne fut qu'après avoir reposé le téléphone qu'il se prit à s'interroger : *Mais où est-ce qu'on va la METTRE ?*

Pourtant, c'était évident pour tout le monde.

En décembre 1975, un an s'était écoulé depuis que Mr. Harvey avait fait ses bagages, mais on n'avait toujours pas trace de lui. Pendant un certain temps, jusqu'à ce que le Scotch se salisse ou que le papier se déchire, les commerçants affichèrent dans leurs vitrines un vague portrait de lui. Lindsey et Samuel se promenaient dans le quartier ou traînaient dans le magasin de motos de Hal. Elle ne voulait pas prendre ses repas dans la gargote que fréquentaient les autres jeunes. Le propriétaire de l'établissement était un homme respectueux de la loi et de l'ordre. Il avait fait un double agrandissement du portrait de George Harvey et l'avait collé sur la porte d'entrée. Il donnait bien volontiers les détails les plus horribles à quiconque désirait savoir : fillette, champ de maïs, seulement un coude retrouvé.

Finalement, Lindsey finit par demander à Hal de la conduire au commissariat. Elle voulait savoir précisément où ils en étaient.

Ils prirent congé de Samuel, au magasin de motos, et, par une humide journée de décembre, Hal emmena Lindsey.

Dès le départ, la jeunesse et la détermination de Lindsey avaient désarmé la police. Quand ils furent plus nombreux à comprendre qui elle était, ils se mirent à l'éviter. Cette jeune fille de quinze ans était téméraire et folle. Ses seins étaient deux coupelles parfaites, ses jambes dégingandées mais bien faites, ses yeux pareils à des silex et à des pétales de fleurs.

Tandis que Lindsey et Hal attendaient sur un banc de bois devant le bureau du commissaire, elle crut reconnaître quelque chose, à l'autre bout de la pièce. C'était posé sur le bureau de l'inspecteur Fenerman, et sa couleur attirait l'œil. C'était un rouge que sa mère qualifiait de rouge chinois, un rouge plus vif qu'un rouge rose, qui était celui des rouges à lèvres classiques, rares dans la nature. Notre mère était fière de pouvoir porter du rouge chinois. Chaque fois qu'elle nouait un certain foulard autour de son cou, elle faisait remarquer que c'était une couleur que même Grand-Maman Lynn n'osait porter.

« Hal, dit-elle, ses muscles se nouant un à un alors qu'elle regardait l'objet de plus en plus familier sur le bureau de Fenerman.

– Oui.

– Tu vois ce tissu rouge ?

– Oui.

– Tu peux aller me le chercher ? »

Quand Hal la regarda, elle dit : « Je pense qu'il appartient à ma mère. »

Tandis que Hal se levait, Len pénétrait dans la pièce, derrière Lindsey. Il lui tapota sur l'épaule puis aperçut le geste de Hal. Lindsey et l'inspecteur Fenerman se dévisagèrent.

« Pourquoi vous avez le foulard de ma mère ? »

Il bégaya : « Elle a dû l'oublier dans ma voiture, un jour. »

Lindsey se leva pour l'observer en face. Son regard était perçant et elle fonçait droit sur les pires nouvelles. « Qu'est-ce qu'elle faisait dans votre voiture ?

– Bonjour, Hal », dit Len.

Hal tenait le foulard à la main. Lindsey s'en empara, la voix vibrant de colère.

« Pourquoi vous avez le foulard de ma mère ? »

Et, bien que ce soit Len l'inspecteur, c'est Hal qui la vit comprendre en premier ; on aurait dit un arc-en-ciel en Technicolor. Semblable à ceux qui apparaissaient en cours d'algèbre ou d'anglais quand ma sœur était la première à calculer la somme de *x* ou à élucider un texte ambigu pour ses camarades. Hal posa la main sur l'épaule de Lindsey pour l'entraîner. « Partons », dit-il.

Plus tard, auprès de Samuel, dans l'arrière-boutique du magasin de motos, elle pleura d'incrédulité.

Quand mon frère eut sept ans, il me construisit un fort. C'était quelque chose que nous nous étions tous les deux promis de bâtir ensemble, et que mon père ne pouvait se résoudre à faire. Ça lui rappelait trop la construction de la tente, avec Mr. Harvey, à présent disparu.

Une famille avec cinq fillettes avait emménagé dans la maison de ce dernier. Les rires voyageaient jusqu'au bureau de mon père depuis la piscine qu'ils avaient remplie, le printemps suivant la fuite de Mr. Harvey. Le bruit de petites filles – que Dieu les épargne.

La cruauté de la situation résonnait aux oreilles de mon père comme du verre brisé. Au printemps 1976, ma mère étant toujours partie, il ferma la fenêtre de son bureau même par les plus chaudes soirées, afin d'éviter d'entendre les bruits. Il regardait son petit garçon solitaire parler tout seul, entre nos trois arbustes. Buckley avait sorti du garage des pots en terre cuite vides. Il avait traîné le décrotteur, abandonné sur le côté de la maison. N'importe quoi pouvait faire office de murs pour le fort. Avec l'aide de Samuel, de Hal et de Lindsey, il ramena depuis le haut de l'allée jusqu'au jardin deux énormes blocs de pierre. C'était une aubaine inattendue. Elle poussa Samuel à lui demander : « Comment tu vas faire le toit ? »

Et Buckley le regarda, étonné, en même temps que Hal parcourait mentalement le contenu de son magasin de motos ; il se souvenait de deux plaques de tôle ondulée appuyées contre le mur de derrière.

Ainsi, par une chaude nuit, mon père baissa les yeux et ne vit plus son fils. Buckley s'était niché à l'intérieur de son fort. À quatre pattes, il tira les pots de terre cuite derrière lui puis y posa une planche qui arrivait presque jusqu'au toit ondulé. Il y rentrait juste assez de lumière pour pouvoir lire. Hal l'avait aidé et avait peint en noir, à la bombe, sur un côté de la porte en contreplaqué : DÉFENSE D'ENTRER. Il lisait surtout des B.D. et rêvait d'être Wolverine, dont le squelette était composé du métal le plus résistant de l'univers et qui pouvait guérir de n'importe quelle blessure en une seule nuit. Dans les moments les plus étranges il pensait à moi ; il regrettait ma voix ; il souhaitait que je sorte de la maison, que je frappe sur le toit de son fort pour demander à entrer. Parfois il souhaitait que Samuel et Lindsey restent un peu plus ou que mon père s'amuse avec lui comme il le faisait jadis. Jouer sans avoir sous son sourire cet air habituel, ce souci désespéré qui entourait tout à présent, comme un champ de forces invisibles. Mais mon frère ne voulait pas aller jusqu'à dire que ma mère lui manquait. Il s'enfonçait dans des histoires où des hommes faibles se transformaient en créatures animales puissantes, utilisaient des yeux laser et des marteaux magiques pour traverser l'acier ou escalader les parois des gratte-ciel. Quand il était en colère, il était Hulk et, le reste du temps, Spiderman. Quand il avait le cœur gros, il se transformait en quelque chose de plus fort qu'un petit garçon, et ce fut ainsi qu'il grandit. Un cœur qui hésitait entre cœur et pierre. En le regardant, je pensais à ce que Grand-Maman Lynn répétait quand Lindsey et moi nous faisions des grimaces dans son dos : « Fais attention. Si le vent tourne, tu resteras comme ça. »

Un jour, Buckley est rentré du CE1 avec une histoire qu'il avait écrite. « Il était une fois un gamin qui s'appelait Billy. Il aimait explorer. Il a vu un trou, il y est entré, mais il en est jamais ressorti. Fin. »

Mon père était trop perturbé pour y déceler quoi que ce soit. Imitant ma mère, il le scotcha sur le frigo, au même endroit que le dessin de l'Entre-deux fait par Buckley et oublié là depuis longtemps. Mais mon frère savait que quelque chose ne collait pas, dans son histoire. Il le savait à cause de la réaction de son instit, qui avait sursauté comme les personnages de ses B.D. Il décrocha l'histoire pour l'emporter dans mon ancienne chambre, pendant que Grand-Maman Lynn était en bas. Il la plia en un petit carré et la plaça à l'intérieur des casiers de rangement, sous mon lit à baldaquin, à présent totalement vides.

Par une chaude journée de l'automne 1976, Len Fenerman examina le contenu du grand coffre-fort, dans la salle des pièces à conviction. Il y avait là les os des animaux du voisinage, qu'il avait découverts dans le vide sanitaire de chez Mr. Harvey, et le papier du laboratoire confirmant la présence de chaux vive. Il avait surveillé l'enquête mais, quels que soient le type de surface ou la profondeur explorés, il n'avait pas trouvé d'autres ossements ni de cadavres sur la propriété. La tache de sang sur le sol de son garage était ma seule carte de visite. Len avait passé des semaines, puis des mois, à réfléchir sur la photocopie du dessin que Lindsey avait volé. Il avait envoyé une nouvelle équipe fouiller le champ, et là aussi, ils avaient creusé sans répit. Ils avaient fini par trouver une vieille bouteille de Coca, à l'autre bout. Dessus, il y avait une preuve irréfutable : des empreintes identiques à celles de Mr. Harvey, relevées partout dans sa maison, et des empreintes identiques à celles de ma carte d'identité. Il n'y avait plus de doute dans son esprit : Jack Salmon avait eu raison depuis le début.

Mais il avait beau chercher l'homme, éperdument, c'était comme si George Harvey s'était volatilisé à l'instant où il avait quitté les limites de son jardin. Il ne put trouver un quelconque registre portant son nom. Officiellement, il n'existait pas.

Il avait laissé derrière lui ses maisons de poupée. Aussi Len téléphona-t-il à l'homme qui les lui plaçait contre commission auprès de magasins chic, ainsi qu'aux gens riches qui lui avaient commandé des répliques de leurs propres demeures. Rien. Il avait téléphoné aux fabricants de chaises miniatures, de portes et fenêtres à vitres biseautées et objets en cuivre, ainsi qu'au fabricant d'arbres et de buissons en tissu. Rien.

Dans le sous-sol du commissariat, entouré des pièces à conviction, il s'assit à un bureau d'écolier. Il parcourut la pile restante des affichettes faites par mon père. Il avait mémorisé mon visage, mais il le regarda quand même. Il en était venu à se dire que, dans mon cas, le seul espoir résidait dans la flambée récente de l'urbanisation dans le coin. Avec toutes ces terres en bouleversement, émergeraient peut-être de nouvelles pistes susceptibles de lui fournir la réponse nécessaire.

Au fond de la boîte, il y avait le sac avec mon bonnet à clochettes. Quand il l'avait montré à ma mère, elle s'était évanouie sur le tapis. Il n'arrivait toujours pas à cerner exactement le moment où il était tombé amoureux d'elle. Moi je savais que c'était le jour où il s'était assis dans notre living alors que ma mère esquissait des silhouettes sur du papier kraft tandis que Buckley et Nate dormaient tête-bêche sur le sofa. J'étais désolée pour lui. Il avait essayé de résoudre l'énigme de mon meurtre et il avait échoué. Il avait essayé d'aimer ma mère et il avait échoué aussi.

Len regarda le dessin du champ de maïs que Lindsey avait volé et s'obligea à affronter la vérité : il avait laissé s'échapper un assassin par excès de prudence. Il ne pouvait se débarrasser de sa culpabilité. Il savait que George Harvey devait sa liberté au rendez-vous qu'il avait à ce moment-là dans le centre commercial, avec ma mère.

Il sortit son portefeuille de sa poche-revolver et posa les photos de toutes les affaires non résolues sur lesquelles il avait travaillé. Parmi elles, sa femme. Il les retourna à l'envers. « Partie », écrivit-il sur chacune. Il ne voulait plus attendre de date pour être à même de comprendre le qui, le pourquoi ou le comment. Il ne comprendrait jamais toutes les raisons du suicide de son épouse. Il ne comprendrait jamais comment tant d'enfants étaient portés disparus. Il mit ces photos dans la boîte, avec mes pièces à conviction, et éteignit les lumières dans la salle froide.

Mais il ignorait ceci :

Le 10 septembre 1976, dans le Connecticut, un chasseur revenant à sa voiture avait vu quelque chose de brillant sur le sol. Ma breloque porte-bonheur de Pennsylvanie. Puis il a vu que le sol alentour avait été retourné par un ours, qui avait déterré les os reconnaissables d'un pied d'enfant.

Ma mère ne passa qu'un seul hiver dans le New Hampshire, avant d'avoir l'idée de rouler jusqu'en Californie. C'était un projet qu'elle avait toujours eu mais n'avait jamais mis à exécution. Un homme rencontré dans le New Hampshire lui avait parlé de travail dans les entreprises vinicoles des vallées au nord de San Francisco. On les trouvait facilement, il y en avait beaucoup, et cela pouvait être entièrement anonyme si on le désirait. Tout cela lui avait paru intéressant.

Cet homme avait aussi voulu coucher avec elle, mais elle avait refusé. Maintenant, elle savait que ce n'était plus la voie de sortie. Dès la première fois avec

Len, dans les entrailles du centre commercial, elle avait compris qu'ils ne construisaient rien. Elle n'avait même pas éprouvé de vraie sensation, avec lui.

Elle fit son sac pour la Californie et envoya des cartes à mon frère et à ma sœur de toutes les villes où elle s'arrêtait. « Bonjour de Dayton. L'oiseau de l'État de l'Ohio est le cardinal. » « J'ai atteint le Mississippi hier soir, au coucher du soleil. C'est vrai que c'est un grand fleuve. »

En Arizona, huit États plus loin que l'État le plus éloigné qu'elle ait jamais connu, elle paya sa chambre et y apporta un seau de glaçons pris à la machine, dehors. Le lendemain, elle atteindrait la Californie, et pour fêter ça, elle s'était offert une bouteille de champagne. Elle pensait à ce qu'avait dit l'homme du New Hampshire, comment il avait passé une année entière à gratter le moût des fûts de vin géants. Il se couchait sur le dos et devait utiliser un couteau pour décoller les couches de moût. Ça avait la couleur et la consistance d'un foie, et il avait beau se baigner encore et encore, il attirait les mouches des heures durant.

Elle sirota le champagne dans une tasse en plastique et se regarda dans le miroir – ou plutôt, elle s'obligea à se regarder.

Elle se rappela ceci : elle était assise dans le living, avec ma sœur, mon frère, mon père et moi. C'était la nuit de la Saint-Sylvestre et nous avions veillé ensemble, tous les cinq. Elle avait organisé la journée pour que Buckley dorme suffisamment.

Il s'était réveillé après la tombée du jour avec la certitude que quelqu'un d'encore mieux que le Père Noël allait venir cette nuit-là. Il avait en tête un genre de big-bang, qui le transporterait au royaume des jouets.

Des heures plus tard, comme il bâillait en s'appuyant contre les genoux de ma mère qui peignait ses cheveux du bout des doigts, mon père est allé plonger dans la cuisine pour préparer du cacao, et ma sœur et moi avons servi du gâteau au chocolat en accompagnement. Quand la pendule a sonné les douze coups, quand le quartier a résonné de cris lointains et de coups de fusil tirés en l'air, mon frère est resté incrédule. La déception s'est emparée de lui si rapidement et si totalement que ma mère ne savait plus quoi faire. On aurait dit un petit cochon couinant : « C'est tout ? » avant de se mettre à brailler.

Elle se rappelait que mon père avait pris Buckley dans les bras et s'était mis à chanter. On avait chanté avec lui, à l'unisson. *Oublions les vieilles connaissances et qu'elles ne se rappellent jamais à nous, oublions les vieilles connaissances et les jours depuis longtemps passés ! Auld lang syne…*

Buckley nous avait dévisagés. Il saisissait les mots inconnus comme des bulles flottant dans l'air au-dessus de lui. « *Auld lang Syne* ? Qu'est-ce que ça veut dire ? a-t-il demandé l'air étonné.

– Qu'est-ce que ça veut dire ? ai-je demandé moi aussi.

– Les jours anciens, a répondu mon père.

– Des jours passés depuis longtemps », a expliqué ma mère, qui a alors entrepris de rassembler du bout des doigts les miettes de gâteau sur l'assiette.

« Où pars-tu, avec tes yeux couleur d'océan ? » lui a demandé mon père.

Et elle s'est souvenue d'avoir éludé, comme si son esprit était muni d'un robinet qu'il suffisait de tourner vers la droite. Elle s'était levée et m'avait demandé de l'aider à débarrasser.

À l'automne 1976, quand elle atteignit la Californie, elle se dirigea directement vers la plage et arrêta la voiture. Elle avait l'impression de n'avoir rien vu depuis des jours sauf des familles – des familles querelleuses, braillardes, hurlantes, des familles dans la miraculeuse tension de la vie quotidienne –, et, derrière son pare-brise, elle fut soulagée de voir les vagues. Elle ne pouvait s'empêcher de penser aux livres qu'elle avait lus en fac. *Orlando*. Et ce qui était arrivé à un écrivain, Virginia Woolf. Cela paraissait si merveilleux alors – comme dans un film –, et si romantique, des cailloux dans les poches, avancer dans les vagues.

Elle descendit les falaises, son pull négligemment noué autour de la taille. Tout en bas, elle ne vit rien d'autre que des rochers déchiquetés et des vagues. Elle était prudente, mais plus que son regard, je surveillais ses pas : je craignais qu'elle ne tombe.

Le désir de ma mère d'atteindre ces vagues, de toucher du pied un océan, à l'autre bout du pays, était son unique pensée, d'une finalité purement baptismale. Vlouf, et on recommence de zéro. Ou la vie n'était-elle rien de plus que ce jeu horrible de gymnase, où l'on doit courir d'une extrémité d'un espace clos à l'autre en prenant et en reposant indéfiniment des blocs en bois ? Elle pensait qu'il lui fallait *atteindre les vagues, les vagues, les vagues*, et j'observais ses pieds se frayant un chemin sur les rochers, puis, quand nous l'entendîmes, ce fut toutes les deux, et notre regard en fut bouleversé.

Sur la plage, il y avait un bébé.

Au milieu des rochers, se trouvait une anse sablonneuse, que ma mère voyait maintenant, et un bébé avec bonnet rose tricoté, maillot de corps et bottines. Il rampait sur une couverture posée sur le sable. Il était là, seul, avec un jouet blanc rembourré, un agneau, pensa ma mère.

Lui tournant le dos, il y avait un groupe d'adultes – l'air très officiel et excité – en noir et bleu marine avec des chapeaux élégamment inclinés et des bottes qui brillaient. Alors, mon œil de photographe d'animaux sauvages vit les pieds des appareils et des paraboles argentées montées sur une armature métallique qui, lorsqu'un jeune homme les déplaçait vers la droite ou la gauche, renvoyaient la lumière au loin, ou sur le bébé posé sur la couverture.

Ma mère se mit à rire. Seul un assistant se retourna et la remarqua, debout parmi les rochers ; les autres étaient trop occupés. À mon avis, c'était une publicité quelconque, mais pour quoi ? De toutes nouvelles fillettes, pour remplacer la vôtre ? Je regardais le visage de ma mère s'illuminer sous l'effet du rire, et je le voyais aussi se désintégrer en traits étranges.

Elle regardait les vagues derrière la fillette, contemplait ce tableau splendide, enivrant – peut-être allaient-elles s'élever doucement et emporter l'enfant. Tous ces gens distingués auraient beau lui courir après, elle se noierait en une minute, et personne, pas même une mère, dont la moindre fibre était tendue dans l'attente d'un désastre possible, ne pourrait la sauver si les vagues bondissaient et si la vie continuait comme d'habitude tandis que de monstrueux accidents pimentaient le rivage paisible.

Cette semaine-là elle trouva du travail à l'entreprise vinicole Krusoe, dans une vallée située de l'autre côté de la baie. Elle écrivit à mon frère et à ma sœur des cartes emplies de fragments lumineux de sa vie, espérant que, dans l'espace limité d'une carte postale, elle aurait l'air joyeux.

Pendant ses jours de congé, elle arpentait les rues de Sausalito ou de Santa Rosa, petites villes bourgeoises où personne ne se parlait. Peu importait, alors, son effort pour se concentrer sur un dépaysement porteur d'espoir, chaque fois qu'elle pénétrait dans un magasin de souvenirs ou dans un café, les quatre murs qui l'entouraient se mettaient à respirer comme un poumon. Elle le sentait venir, le long de ses chevilles et dans ses boyaux, l'assaut, la douleur qui arrivait, les larmes qui approchaient, comme une armée impitoyable, des premières lignes de défense de ses yeux, et il lui fallait inspirer, avaler une grande goulée d'air pour s'empêcher de pleurer dans un lieu public. Elle demandait du café et un toast dans un restaurant et le tartinait de larmes. Elle entrait chez un fleuriste pour acheter des jonquilles, puis, comme il n'y en avait plus, elle se sentait spoliée. Une fleur jaune vif, c'était pourtant un souhait si modeste.

Le premier rassemblement du souvenir improvisé dans le champ de maïs déclencha chez mon père le besoin d'en voir d'autres. Chaque année il organisait un rassemblement auquel assistaient de moins en moins d'amis et de voisins. Certes, il y avait toujours les habitués, comme Ruth et les Gilbert, mais le groupe comportait un nombre croissant de collégiens qui ne connaissaient de moi que mon nom et une sombre rumeur en forme d'avertissement : il était dangereux de se promener seul. Et plus encore, seule.

Chaque fois que mon nom était prononcé par ces inconnus, c'était comme une piqûre d'épingle. Rien à voir avec la façon, agréable, dont mon père le disait, ou dont Ruth l'écrivait sur son journal. C'était la sensation d'être, le temps d'une seule respiration, simultanément ressuscitée et enterrée. Comme si, dans un cours d'économie, on m'avait introduite dans une colonne « produits transmutables ». L'Assassinée. Quelques profs, comme Mr. Botte, se souvenaient de moi en chair et en os. Parfois, sur le coup de midi, il allait s'asseoir dans sa Fiat rouge pour penser à sa fille morte de leucémie. Au loin, au-delà des vitres, le champ de maïs se dessinait, menaçant. Souvent, il disait une prière pour moi.

En moins de quelques années, Ray Singh devint si beau que, lorsqu'il traversait une foule, le charme irradiait de sa personne. Son visage d'adulte n'était pas encore là mais, cette année de ses dix-sept ans, il n'était plus très loin. Il exsudait une asexualité rêveuse qui le rendait attirant pour les hommes comme pour les femmes, avec ses longs cils et ses paupières lourdes, son épaisse chevelure noire et les mêmes traits délicats – encore ceux d'un adolescent.

Je regardais Ray avec un désir différent de celui que j'éprouvais pour les autres. L'ardent désir de le toucher et de le tenir, de comprendre ce corps qu'il examinait avec le plus froid des regards. Il s'asseyait à son bureau pour y lire son livre préféré – le *Précis d'anatomie* –, et en fonction de ce qu'il lisait, il palpait sa carotide, ou alors son pouce suivait d'une pression le plus long muscle de son corps – le couturier –, qui allait de l'extérieur de la hanche vers l'intérieur du genou. Sa minceur était alors un avantage puisque les os et les muscles apparaissaient très nettement sous la peau.

Au moment de faire ses bagages pour l'université de Pennsylvanie, il avait truffé sa mémoire de tant de mots et de définitions que cela m'avait inquiétée. Avec tout ça, comment son esprit pouvait-il contenir autre chose ? L'amitié de Ruth, l'amour de sa mère et mon souvenir seraient repoussés tout au fond tandis qu'il faisait de la place pour le cristallin et sa capsule, les canaux semi-circulaires de l'oreille ou les attributs du système nerveux sympathique, qui avaient ma faveur.

Je n'avais pas besoin de m'inquiéter. Ruana avait fouillé la maison à la recherche de quelque chose, n'importe quoi, que son fils puisse emporter avec lui, équivalant en épaisseur et en poids au *Précis*, et qui maintiendrait en vie son côté fleur bleue, du moins l'espérait-elle. Et à son insu, elle avait glissé le livre de poésie indienne dans ses bagages. À l'intérieur, il y avait ma photo depuis si longtemps oubliée. Quand il défit ses bagages, dans le dortoir de Hill House, elle était tombée sur le sol à côté de son lit. Quelle que soit sa façon de la disséquer – les vaisseaux de mon globe oculaire, l'anatomie chirurgicale de mes fosses nasales, la coloration claire de mon épiderme –, il ne pouvait éviter les lèvres qu'il avait jadis embrassées.

En juin 1977, mois qui aurait dû être celui de mon bac, Ruth et Ray étaient déjà partis. Dès que les cours furent terminés à Fairfax, Ruth déménagea à New York avec la vieille valise rouge de sa mère emplie de vêtements noirs et neufs. Ayant réussi l'examen l'année précédente, Ray avait déjà terminé sa première année à l'université de Pennsylvanie.

Ce jour-là, dans notre cuisine, Grand-Maman Lynn offrit à Buckley un livre de jardinage. Elle lui raconta comment les plantes provenaient des graines. Que les radis, qu'il détestait, poussaient plus vite, mais que les fleurs qu'il adorait pouvaient aussi provenir de graines. Et elle commença à lui enseigner des noms :

zinnias et soucis, pensées et lilas, œillets, pétunias et volubilis.

De temps à autre, ma mère téléphonait de Californie. Mes parents avaient des conversations hâtives, bousculées et difficiles. Elle demandait des nouvelles de Buckley, de Lindsey et de Holiday. Elle demandait comment marchait la maison et s'il avait quoi que ce soit à lui dire.

« Tu nous manques toujours », répondit-il, au mois de décembre 1977 ; les feuilles des arbres avaient alors toutes disparu, emportées par le vent ou le râteau, mais malgré tout, malgré le sol prêt à l'accueillir, il n'y avait pas encore eu de neige.

« Je sais, répondit-elle.

– Et l'enseignement ? Je croyais que c'était ça que tu voulais faire ?

– Ça l'était », concéda-t-elle. Elle téléphonait du bureau de l'entreprise vinicole. Ça s'était calmé, après le rush de midi, mais on attendait cinq limousines pleines de vieilles dames aux trois quarts ivres. Elle se tut puis dit quelque chose que personne, et surtout pas mon père, n'aurait pu contester :

« Les projets changent. »

À New York, Ruth vivait dans un placard chez une vieille dame du Lower East Side. C'était tout ce qu'elle pouvait s'offrir et, de plus, elle n'avait pas vraiment l'intention d'y passer beaucoup de temps. Elle roulait chaque jour son futon à deux places dans un coin, de façon à avoir une petite place pour s'habiller. Elle rentrait dans le placard une seule fois par jour et n'y passait que le temps strictement nécessaire. Il lui permettait d'avoir un lit où dormir et une adresse, un perchoir dans la ville, certes minuscule mais solide.

Elle était serveuse dans un bar et, pendant ses heures libres, parcourait Manhattan à pied jusqu'à en connaître le moindre centimètre. Je la voyais battre le pavé de ses bottes provocantes, sûre qu'on assassinait des femmes partout où elle allait. Descendant les cages d'escalier ou montant de splendides tours. Elle traînait sous les réverbères et scannait la rue en face. Elle écrivait de courtes prières dans son journal depuis les cafés ou les bars où elle s'arrêtait pour utiliser les toilettes après avoir commandé le plat le moins cher du menu.

Elle s'était persuadée qu'elle avait un don de double vue unique au monde. Elle ne savait pas ce qu'elle en ferait, excepté prendre d'abondantes notes destinées à la postérité, mais la peur l'avait quittée, elle ne craignait plus rien. L'univers de femmes et d'enfants morts qu'elle entrevoyait lui était devenu aussi familier que le monde dans lequel elle vivait.

Dans la bibliothèque de l'université de Pennsylvanie, Ray lisait un article au titre audacieux sur les personnes âgées : « À propos de la mort ». C'était le compte rendu d'une étude menée dans les maisons de retraite ; on avait constaté que, dans une forte proportion, les patients racontaient aux médecins et aux infirmières que la nuit, ils voyaient quelqu'un debout au pied de leur lit. Souvent ce quelqu'un essayait de leur parler ou bien de les appeler par leur prénom. Parfois, pendant ces hallucinations, les patients étaient dans un tel état d'agitation qu'il fallait leur donner un sédatif ou les attacher sur leur lit.

L'article continuait en expliquant que ces visions étaient le résultat de petites attaques cérébrales qui, souvent, précédaient la mort. « Ce que le profane nomme l'Ange de la mort devrait être présenté à la famille du patient, quand on discute avec elle, comme une petite succession d'attaques signalant un déclin déjà avancé. »

Pendant un instant, le doigt marquant la page du livre, Ray s'imagina ce que ce serait si, se penchant sur le lit d'un patient âgé avec une grande attention, il sentait quelque chose qui le frôle, comme c'était arrivé à Ruth il y a bien longtemps dans le parking.

Après avoir vagabondé dans la région de Boston, Mr. Harvey s'était rendu au nord des États du Sud, en quête d'un travail plus facile et de questions moins difficiles, autant que pour tenter de se reprendre en main. Il avait toujours aimé la Pennsylvanie et l'avait traversée de long en large, campant parfois derrière la supérette, juste en bordure de la bretelle d'autoroute qui desservait notre lotissement, là où il restait une crête boisée entre le magasin ouvert toute la nuit et la voie ferrée. Il y trouvait chaque fois toujours plus de boîtes de conserve et de mégots. Il avait plaisir à passer en voiture près de son ancien quartier, quand il le pouvait. Il prenait ces risques de bonne heure le matin ou tard le soir, quand les faisans sauvages, jadis si nombreux, traversaient la route, la lueur creuse de leurs orbites éclairée par ses phares, affolés et bondissant d'un côté de la route à l'autre. On n'envoyait plus d'enfants ni d'ados ramasser les mûres en bordure de notre lotissement, parce que la vieille barrière avait été arrachée pour laisser place à de nouvelles maisons. Avec le temps, il avait appris à cueillir les champignons sauvages ; il en faisait parfois des orgies quand il passait la nuit dans les lieux propices, comme le parc de Valley Forge. C'est par une de ces nuits que je le vis tomber sur deux campeurs novices, morts après avoir mangé des champignons à l'air faussement comestibles. Il avait délicatement dépouillé leurs corps de tout objet de valeur puis s'en était allé.

Hal, Nate et Holiday étaient les seuls que Buckley autorisait à pénétrer dans son fort. Sous les rochers, l'herbe était morte, et quand il pleuvait, l'intérieur du fort n'était qu'un cloaque fétide. Aussi, bien que Buckley y séjourne de moins en moins, Hal lui avait demandé d'apporter des améliorations.

« Il faut isoler, Buck, lui dit-il un beau jour. Tu as dix ans – tu es assez vieux pour utiliser un pistolet à mastic. »

Grand-Maman Lynn, qui adorait les hommes, ne put qu'encourager Buck à suivre les conseils de Hal ; quand elle sut que ce dernier allait venir leur rendre visite, elle se mit sur son trente et un.

« Qu'est-ce que vous faites ? » lui demanda mon père un samedi matin, attiré hors de son bureau par l'odeur sucrée des citrons, du beurre et de la pâte dorée qui levait dans des moules.

« Des *muffins* », répondit Grand-Maman Lynn.

Mon père vérifia si elle avait bien tous ses esprits, puis il la dévisagea. Il était encore en robe de chambre tandis qu'elle, en dépit des trente-deux degrés à l'ombre, était en collants et entièrement maquillée. Puis il remarqua Hal en tricot de peau dans la cour.

« Mon Dieu, Lynn, dit-il. Ce garçon pourrait être…

– Mais il est a-do-ra-ble ! »

Mon père secoua la tête et s'assit à la table de la cuisine.

« Quand en aurez-vous fini avec les *muffins* de l'amour, Mata-Hari ? »

En décembre 1981, Len n'avait pas voulu répondre à un coup de fil en provenance du Delaware, où l'on avait établi un lien entre un meurtre à Wilmington et le corps d'une fillette retrouvé en 1976 dans le Connecticut. Un inspecteur qui faisait des heures sup avait soigneusement remonté la piste de la breloque porte-bonheur dans l'affaire du Connecticut, pour arriver à une liste d'objets évoqués à l'occasion de mon meurtre.

« Le dossier est clos, dit Len à l'homme.

– On aimerait savoir ce que vous avez.

– George Harvey », a répondu Len d'une voix forte, si bien que les inspecteurs des bureaux voisins se sont retournés vers lui. « Le crime remonte à décembre 1973. La victime était Susie Salmon, quatorze ans.

– Il y a un cadavre pour cette Simon ?

– Salmon, comme le poisson. On a juste retrouvé un coude, dit Len.

– Elle a une famille ?

– Oui.

– Le Connecticut a des dents. Vous avez son dossier dentaire ?

– Oui.

– Cela pourrait épargner du chagrin à la famille, expliqua l'homme à Len.

Ce dernier partit d'un pas lourd vers la boîte des pièces à conviction, qu'il avait espéré ne plus jamais ouvrir. Il lui faudrait téléphoner à ma famille. Mais il attendrait le plus longtemps possible, jusqu'à ce qu'il soit sûr que l'inspecteur du Delaware tenait quelque chose.

Pendant presque huit ans, après que Samuel eut parlé du dessin que Lindsey avait volé, Hal avait tranquillement questionné le réseau de ses amis motards dans l'espoir de retrouver la trace de George Harvey. Mais, tout comme Len, il s'était juré de ne rien dire tant qu'il ne serait pas sûr de tenir une piste. Et il ne l'avait jamais été. Une nuit, fort tard, un Hell's Angel nommé Ralph Cichetti, qui reconnaissait aisément avoir passé quelque temps en prison, lui dit qu'il pensait que sa mère avait été assassinée par un type à qui elle louait une chambre. Hal posa ses questions habituelles. Questions qui impliquaient des éléments éliminatoires sur la taille, le poids et les centres d'intérêt. L'homme ne s'appelait pas George Harvey mais cela ne voulait rien dire. Le meurtre en soi paraissait trop différent. Sophie Cichetti avait quarante-neuf ans. Il l'avait tuée chez elle avec un instrument contondant et on avait retrouvé son corps dans les parages, intact. Hal avait lu suffisamment de livres sur les meurtriers pour savoir qu'ils avaient des schémas, des rituels méticuleux. Aussi, tandis que Hal ajustait la chaîne de distribution de la Harley capricieuse de Cichetti, ils changèrent peu à peu de sujet, puis se turent. Ce ne fut que plus tard, lorsque Cichetti fit un dernier commentaire, que les cheveux de Hal se dressèrent sur sa tête.

« Le type construisait des maisons de poupée », dit Ralph Cichetti. Hal téléphona alors à Len.

Les années passaient. Les arbres de notre jardin grandissaient. Je regardais ma famille, mes amis et voisins, les professeurs que j'avais eus ou que j'avais rêvé d'avoir, le lycée dont j'avais rêvé. Assise dans le kiosque, je faisais comme si j'étais assise sur la plus haute branche de l'érable sous lequel mon frère avait avalé une brindille et sous lequel il jouait encore à cache-cache avec Nate, ou alors je me perchais sur un perron new-yorkais et attendais que Ruth passe à côté. J'étudiais avec Ray. Roulais en voiture par un chaud après-midi rempli d'air marin, sur l'autoroute de la côte Pacifique, en compagnie de ma mère. Quoi qu'il advienne, je terminais chaque journée avec mon père, dans son bureau.

J'étalais ces photographies dans mon esprit, celles que je ramenais de ma surveillance non stop, et je voyais comment un seul événement – ma mort – reliait ces images à une seule source. Personne n'aurait pu prévoir comment mon départ allait changer de petits instants sur Terre. Mais je m'accrochais à ces moments, je les thésaurisais. Aucun n'était perdu tant que je veillais.

Lors d'un office du soir, alors que Holly jouait du saxo accompagnée par Mrs. Bethel Utemeyer, je vis Holiday foncer pour dépasser un husky blanc à la douce fourrure. Il avait vécu jusqu'à un âge fort avancé sur Terre. Après le départ de ma mère, il avait dormi aux pieds de mon père, refusant de le quitter des yeux. Il était resté auprès de Buckley pendant qu'il construisait son fort, et il avait été le seul autorisé à rester sous la véranda quand Lindsey et Samuel s'embrassaient. Dans les dernières années de sa vie, Grand-Maman lui confectionnait chaque dimanche une crêpe au beurre de cacahuète de la taille d'une poêle à frire, qu'elle posait directement sur le sol. Et elle le regardait inlassablement tenter de l'attraper avec son museau.

J'attendis qu'il me renifle, fort désireuse de savoir si ici, de l'autre côté, j'étais encore la petite fille à côté de qui il avait dormi. Je n'ai pas eu à attendre longtemps : il était si heureux de me voir qu'il me renversa.

17

À vingt et un ans, Lindsey était une multitude de choses que je ne deviendrais jamais, mais en dresser la liste ne me causait pratiquement plus aucun chagrin. Toutefois, là où elle vagabondait, je vagabondais aussi. Je décrochais mes diplômes universitaires et je chevauchais la moto de Samuel, mes bras accrochés autour de sa taille, blottie contre son dos pour sentir sa chaleur...

D'accord, c'était Lindsey. Je le voyais bien. Mais en l'observant, je découvrais qu'avec elle, je pouvais me perdre plus qu'avec quiconque.

Le soir de la remise des diplômes à l'université de Temple, elle rentra chez nous en moto avec Samuel, après avoir maintes fois promis à mon père et à Grand-Maman Lynn qu'ils ne toucheraient pas au champagne rangé dans la sacoche de la moto avant d'avoir atteint la maison. « Après tout, on a nos diplômes ! » avait dit Samuel. Mon père avait une confiance bienveillante en ce dernier – les années avaient passé et le comportement du jeune homme envers son unique fille avait toujours été correct.

Mais, sur la route 30 qui les ramenait de Philadelphie, il s'était mis à pleuvoir. D'abord légèrement, de petites piqûres d'épingle qui fonçaient à quatre-vingts à l'heure sur ma sœur et Samuel. La pluie fraîche frappait le goudron sec et brûlant, soulevant des odeurs qui avaient mariné toute la journée sous le chaud soleil de juin. Lindsey aimait poser la tête entre les omoplates de Samuel et s'enivrer du parfum de la route, des arbrisseaux et des buissons désordonnés qui la bordaient. Elle se rappelait comment la brise, quelques heures avant l'orage, avait gonflé les robes blanches des futures diplômées debout devant Macy Hall. Tout le monde avait eu l'air momentanément en suspens, sur le point de s'envoler.

Finalement, à dix kilomètres de l'embranchement qui menait chez nous, la pluie est devenue si violente qu'elle faisait mal, et Samuel s'est retourné vers Lindsey pour l'informer qu'il allait s'arrêter.

Ils arrivèrent sur un tronçon de route plus ou moins abrité par les arbres comme il en existe entre deux centres commerciaux – et qui serait, un jour ou l'autre, à la suite d'une extension, remplacé par un nouveau terre-plein et encore un autre, ou bien un magasin de pièces détachées pour autos. La moto fit des zigzags sur le gravillon humide du bas-côté mais ne tomba pas. Du pied, Samuel l'aida à freiner puis, comme Hal le lui avait appris, il attendit que ma sœur descende et fasse quelques pas avant de descendre à son tour.

Il souleva la visière de son casque pour hurler dans sa direction : « Inutile d'essayer de continuer, je vais l'amener sous les arbres là-bas. »

Lindsey le suivit. Le bruit de la pluie était atténué par son casque rembourré. Ils marchèrent avec précaution dans les gravillons et la boue, enjambant branches et détritus amassés au bord de la route. L'averse était encore plus forte, et ma sœur se félicita d'avoir échangé la robe portée pour la cérémonie de remise des diplômes contre un pantalon et une veste de cuir que Samuel l'avait obligée à mettre et qui, protestait-elle, lui donnaient un air pervers.

Samuel poussa la moto dans le bosquet de chênes près de la route, toujours suivi par Lindsey. La semaine précédente, ils étaient allés se faire couper les cheveux chez le même coiffeur, sur Market Street, et, bien que la chevelure de Lindsey soit plus claire et plus fine, le coiffeur leur avait fait la même coupe en épis. Dès qu'ils eurent retiré leurs casques, les grosses gouttes qui traversaient les arbres atterrirent sur leurs cheveux et le mascara de Lindsey se mit à couler. J'ai regardé Samuel en effacer les traces de son pouce sur les joues de Lindsey. « Félicitations », dit-il dans l'obscurité, et il se pencha pour l'embrasser.

Dès leur premier baiser dans notre cuisine, deux semaines après mon décès, j'avais compris – autrefois on plaisantait là-dessus, ma sœur et moi, autour de nos Barbie ou en regardant Bobby Sherman à la télé – qu'il était l'homme de sa vie. Samuel s'était glissé dans son désir et, entre eux, ça avait immédiatement collé. Ils étaient allés à Temple ensemble, sans se quitter. Il avait détesté et elle l'avait poussé. Elle avait adoré, et son enthousiasme lui avait permis, à lui, de survivre.

« Essayons de trouver la partie la plus touffue de ce sous-bois, dit-il.

– Et la moto ?

– Hal sera sûrement obligé de venir à la rescousse quand la pluie s'arrêtera.

– Merde ! » fit Lindsey.

Samuel éclata de rire et lui prit la main. À cet instant ils entendirent le premier coup de tonnerre et Lindsey sursauta. Il la serra plus étroitement contre lui. Les éclairs étaient encore lointains ; et quand ils se rapprocheraient, le tonnerre gronderait encore plus fort. Ça ne lui faisait pas le même effet qu'à moi. Ça la faisait sursauter et ça la rendait nerveuse. Elle imaginait des arbres partagés en plein milieu, des maisons en feu et des chiens terrés dans toutes les caves des banlieues alentour.

Ils traversèrent le sous-bois, qui se détrempait malgré les arbres. C'était le milieu de l'après-midi mais tout était noir. Il n'y avait pas d'autre lumière que celle de la lampe de secours de Samuel. Toutefois, ils devinaient les traces du passage des gens. Leurs bottes écrasaient des boîtes métalliques et butaient sur des bouteilles vides. Puis, en dépit des broussailles et de l'obscurité, tous deux virent des fenêtres aux vitres cassées alignées tout en haut d'une vieille maison victorienne. Samuel éteignit immédiatement sa lampe.

« Tu crois qu'il y a quelqu'un à l'intérieur ? a demandé Lindsey.

– Il fait sombre.

– Ça me flanque la chair de poule. »

Ils se regardèrent, et ma sœur dit tout haut ce que tous deux pensaient tout bas : « On y serait à l'abri ! »

Se tenant par la main sous la pluie battante, ils coururent vers la maison aussi vite que possible, en essayant de ne pas trébucher dans la boue de plus en plus profonde.

Comme ils approchaient, Samuel distingua la pente raide du toit et l'ensemble de petits croisillons de bois accrochés sous les pignons. Des planches condamnaient la plupart des fenêtres du rez-de-chaussée, mais la porte d'entrée battait, tapant contre le plâtre du mur intérieur. Bien qu'une partie de lui-même eût préféré rester dehors sous la pluie à observer les larmiers et les corniches, il se précipita à l'intérieur avec Lindsey. Ils s'arrêtèrent à quelques pas de l'embrasure, tremblant et scrutant la forêt prébanlieusarde qui les entourait. Je parcourus rapidement les pièces de la vieille maison. Ils étaient seuls. Pas de monstres effrayants qui traînaient dans les coins, pas de vagabond qui ait pris racine.

Ces endroits à l'abandon étaient de plus en plus rares mais ils avaient fortement marqué mon enfance. Nous vivions dans un des premiers lotissements de la région, construit sur des terres cultivées reconverties – un lotissement qui avait servi de modèle et d'inspiration à tous les autres –, mais mon imagination était toujours attachée au tronçon de rue qui n'avait pas encore été envahi par les couleurs vives des bardeaux et des gouttières, des allées pavées et des boîtes aux lettres surdimensionnées. Celle de Samuel aussi.

« Super ! lança Lindsey. Elle date de quand, tu crois ? »

L'écho de sa voix se réverbéra sur les murs comme s'ils avaient été seuls dans une église.

– Explorons-la », suggéra Samuel.

Les fenêtres condamnées du rez-de-chaussée empêchaient de voir quoi que ce soit mais, grâce à la lampe de poche, ils purent repérer la cheminée et les lambris.

« Regarde un peu le plancher », dit Samuel. Il s'agenouilla en l'entraînant derrière lui. « Tu vois ce travail d'assemblage des lattes ? Ces gens-là étaient plus riches que leurs voisins. »

Lindsey sourit. Tout comme Hal, qui ne se souciait que du fonctionnement interne des motos, Samuel avait une passion, l'art de la charpente.

Il laissa courir ses doigts sur le plancher et suggéra à Lindsey de faire de même.

« C'est un vieux monstre merveilleux, dit-il.

– C'est victorien ? demanda Lindsey en essayant de viser juste.

– Je n'en reviens pas, mais je pense que c'est ce qu'on appelait du « gothique » au siècle dernier. J'ai remarqué les croisillons sur l'ornementation du pignon, ce qui la ferait remonter aux années 1860.

– Regarde », dit Lindsey.

Au milieu du plancher, il y avait d'anciennes traces d'un feu.

« *Ça*, c'est criminel, dit Samuel.

– Pourquoi ils n'ont pas utilisé la cheminée ? Il y en a une dans chaque pièce. »

Mais Samuel était occupé à regarder par le trou que le feu avait ouvert dans le plafond, essayant de discerner le dessin de la boiserie autour des châssis de fenêtres.

« Montons, proposa-t-il.

– J'ai l'impression d'être dans une grotte, a dit Lindsey en grimpant l'escalier. C'est si tranquille, là-dedans, qu'on entend à peine la pluie. »

Samuel tapait doucement du poing sur le plâtre au fur et à mesure qu'il avançait. « On pourrait emmurer quelqu'un, là-dedans. »

Ce fut un de ces moments délicats qu'ils avaient appris à laisser passer et que, moi, je passais mon temps à anticiper. Des moments qui rappelaient cette question cruciale : où étais-je ? Parlerait-on de moi ? Serais-je évoquée et discutée ? En ce moment la réponse était non, hélas ! Sur Terre, l'heure n'était plus à la commémoration de Susie.

Mais quelque chose à propos de la maison et de l'obscurité poussa Lindsey à penser à moi avec encore plus d'intensité que d'ordinaire (il y avait tout de même des occasions et des lieux, comme des points de repère, qui rappelaient que je demeurais en excellente place dans le registre de leurs pensées). Toutefois, elle ne le mentionna pas. Elle se souvint du sentiment grisant qu'elle avait éprouvé dans la maison de Mr. Harvey et qu'elle avait souvent ressenti depuis, j'étais avec elle, en quelque sorte, dans son esprit et dans son corps, la suivant partout comme un double.

Au sommet de l'escalier, ils trouvèrent l'entrée de la pièce qu'ils avaient regardée d'en bas.

« Il me faut cette maison, a dit Samuel.

– Quoi ?

– Cette maison a besoin de moi, je le sens.

– Peut-être que tu ferais bien d'attendre que le soleil reparaisse pour en décider.

– C'est la plus belle chose que j'aie jamais vue.

– Samuel Heckler, réparateur de tout ce qui est cassé.

– Tu peux parler. »

Ils restèrent un moment silencieux à respirer l'air humide qui venait de la cheminée et envahissait la pièce. Même avec le bruit de la pluie, Lindsey se sentait bien à l'abri dans un coin reculé avec la personne qu'elle aimait le plus au monde.

Elle lui prit la main et je les accompagnai jusqu'au seuil d'une toute petite pièce, sur le devant. De forme octogonale, elle était en surplomb au-dessus de ce qui devait être le hall d'entrée, au rez-de-chaussée.

« Un oriel, dit Samuel. Les fenêtres… » Il se tourna vers Lindsey. «… quand elles sont construites comme ça, comme une minuscule pièce, on les appelle des oriels.

– Et ça t'excite ? » lui demanda Lindsey en souriant.

Je les quittai sous la pluie, dans l'obscurité. Je me demandais si Lindsey avait remarqué que, au moment même où elle et Samuel avaient touché à la fermeture de leurs pantalons de cuir, les éclairs s'étaient arrêtés et le grondement dans la gorge de Dieu – ce tonnerre terrifiant – avait cessé.

Dans son bureau, mon père avait tendu la main pour prendre la boule neigeuse. Le froid du verre contre ses doigts le réconforta ; il la secoua pour regarder le pingouin disparaître sous la neige qui tombait doucement, puis réapparaître ensuite au fur et à mesure que les flocons tapissaient le sol. Hal était revenu lui aussi en moto de la cérémonie de remise des diplômes mais son arrivée, au lieu de rassurer mon père – est-ce qu'elle ne démontrait pas qu'une moto pouvait traverser la tempête et amener son conducteur sain et sauf jusqu'à sa porte ? – eut l'effet contraire.

Il avait pris ce qu'on pourrait appeler un plaisir plein de douleur à la cérémonie de remise des diplômes de Lindsey. Assis à côté de lui, Buckley lui avait soufflé quand sourire et quand réagir. Il le *savait*, le plus souvent, mais ses synapses n'étaient plus aussi rapides que celles du commun des mortels – du moins c'était ainsi qu'il se l'expliquait. Cela ressemblait au temps de réaction des assurés tel que le décrivaient les constats qu'il devait examiner. Pour la plupart des gens, il s'écoulait un certain laps de temps entre le moment où ils voyaient quelque chose arriver – une autre voiture, un rocher dégringolant d'un remblai – et leur réaction. Celui de mon père était encore plus lent que le leur, comme si une fatalité écrasante l'avait privé de tout espoir de perception exacte.

Buckley frappa à la porte entrebâillée de son bureau.

« Entre, lui dit-il.

– Ils vont arriver, papa, tout ira bien. » À douze ans, mon frère était sérieux et prévenant. Même si ce n'était pas lui qui finançait ni qui préparait les repas, c'était lui qui faisait marcher la maison.

« Tu avais de l'allure avec ton costume, mon fils, lui dit mon père.

– Merci. »

C'était important pour mon frère. Il avait envie que mon père soit fier de lui et il avait mis du temps à soigner son apparence, au point de demander à Grand-Maman Lynn, ce matin-là, de l'aider à arranger la frange qui lui tombait sur les yeux. Mon frère se trouvait dans la zone la plus délicate de l'adolescence : ce n'était plus un petit garçon mais pas encore un homme. La plupart du temps, il cachait son corps sous d'immenses tee-shirts et des jeans amples, mais ce jour-là, ça lui avait fait plaisir de porter un costume. « Hal et Grand-Maman nous attendent en bas, dit-il.

– Je descends dans une minute. »

Buckley ferma complètement la porte cette fois-ci, laissant claquer le pêne.

Cet automne-là, mon père avait développé la dernière pellicule de la boîte « Pellicules à garder » restée dans mon placard. Et maintenant, pendant cette minute qu'il demandait souvent avant d'aller dîner, soit pour finir de regarder quelque chose à la télévision ou de lire un article préoccupant, il referma le tiroir de son bureau et souleva avec précaution les photos qu'il tenait en main.

Il m'avait souvent sermonnée sur les photos que j'appelais « artistiques » et lui « téméraires ». Le meilleur portrait de lui était celui que j'avais pris sous un angle tel que son visage remplissait la totalité du cliché – quand on le tenait en l'air, on aurait dit un losange.

J'aurais dû écouter ses suggestions sur les différentes prises de vue et compositions possibles quand j'avais pris les photos qu'il avait maintenant entre les mains. Quand il les avait fait développer, il n'avait pas eu la moindre idée ni de l'ordre ni de la nature des différentes pellicules. Il y avait une incroyable série de photos de Holiday, et moult images de mes pieds et de l'herbe. Des boules grises et floues dans le ciel, qui étaient des oiseaux, et une tentative granuleuse de coucher de soleil sur le saule blanc. Puis, à un moment, j'avais décidé de faire des portraits de ma mère. Quand il avait récupéré ces photos-là au labo, mon père s'était assis dans sa voiture en fixant les photos d'une femme qu'il avait l'impression de ne presque plus connaître.

Depuis, il les avait ressorties un nombre incalculable de fois, et plus il regardait le visage de cette femme, plus il sentait croître en lui quelque chose. Il lui avait fallu longtemps pour se rendre compte de ce que c'était. Ce n'était que tout récemment que ses synapses blessées lui avaient permis de mettre un nom dessus. Il était retombé amoureux.

Il ne comprenait pas comment deux personnes mariées qui se voyaient tous les jours pouvaient oublier à ce point à quoi ressemblait l'autre, mais c'était un fait : s'il devait définir ce qui s'était passé, tels étaient les mots pour le faire. Et les deux dernières photos de la pellicule fournissaient la clé. Il rentrait du bureau – je me souviens d'avoir essayé de retenir l'attention de ma mère pendant que Holiday aboyait en entendant la voiture s'arrêter dans le garage.

« Il va sortir, avais-je dit. Ne bouge pas. » Et elle m'avait obéi. Une partie de ce que j'aimais dans la photo, c'était le pouvoir qu'elle me donnait sur les gens placés de l'autre côté de l'objectif, y compris mes parents.

Du coin de l'œil, j'avais vu mon père franchir la porte latérale pour pénétrer dans le jardin. Il portait son attaché-case plat que, des années auparavant, Lindsey et moi avions inspecté avec avidité, sans y trouver grand-chose d'intéressant pour nous. Alors qu'il le posait par terre, j'avais pris la dernière photo de ma mère seule. Ses yeux commençaient déjà à avoir cet air affolé et anxieux, comme prêt à se changer en une sorte de masque. Sur la photo suivante, le masque était presque en place, mais imparfaitement, et sur la dernière photo, où mon père se penchait légèrement pour lui donner un baiser sur la joue, il l'était bel et bien.

« C'est moi qui t'ai fait ça ? demanda-t-il à l'image de ma mère en dévisageant les photos alignées. Comment est-ce possible ? »

« Les éclairs se sont arrêtés », dit ma sœur. La sueur avait remplacé sur sa peau l'humidité de la pluie.

« Je t'aime, dit Samuel.

– Je sais.

– Non, je veux dire que je t'aime, que je veux t'épouser et que je veux vivre dans cette maison !

– Quoi ?

– Les cours de cette putain de fac sont terminés ! » cria Samuel. La petite pièce absorba sa voix, les murs épais étouffant l'écho.

« Pas pour moi », dit ma sœur.

Samuel se leva du sol où il était allongé à ses côtés et s'agenouilla devant elle. « Épouse-moi.

– Samuel ?

– J'en ai marre de tout faire dans les normes. Épouse-moi et je transformerai cette maison en petit bijou.

– On vivra de quoi ?

– On trouvera bien un moyen. »

Elle se redressa puis s'agenouilla à côté de lui. Ils étaient tous les deux à moitié nus et sentaient le froid les prendre à mesure que la chaleur de leurs corps se dissipait.

« D'accord.

– D'accord ?

– On doit pouvoir y arriver, expliqua ma sœur. Je veux dire, c'est d'accord. »

Il y a certaines expressions familières que je ne comprenais que lorsqu'elles m'arrivaient dans mon paradis à toute vitesse. Je n'avais jamais vu d'andouilles voler, par exemple. Cela n'avait jamais eu beaucoup de sens pour moi. Mais à ce moment-là j'ai fait le tour de mon paradis comme un poulet sans tête. J'étais si heureuse que je me suis mise à crier. Ma sœur ! Mon Samuel ! Mon rêve !

Elle pleurait, et il la prit dans ses bras en la berçant contre lui.

« Tu es heureuse, ma chérie ? » lui a-t-il demandé.

Elle acquiesça contre sa poitrine nue. « Oui », puis elle se figea. « Mon père. » Elle a relevé la tête et regardé Samuel. « Je suis sûre qu'il se fait du souci.

– Oui, répondit-il en essayant de suivre sa pensée.

– Combien y a-t-il de kilomètres d'ici à la maison ?

– Peut-être quinze. Peut-être dix.

– C'est faisable.

– T'es cinglée.
– On a des tennis dans l'autre sacoche. »

Ils ne pouvaient pas courir avec leurs vêtements de cuir, aussi ne gardèrent-ils que leurs sous-vêtements et leurs tee-shirts. Comme il l'avait fait pendant des années, Samuel fixa la cadence et ma sœur suivit. Il n'y avait pratiquement pas de circulation sur la route, mais, chaque fois qu'une voiture les dépassait, un mur d'eau jaillissait des flaques sur le bas-côté, leur coupant la respiration. Ils devaient alors s'arrêter pour remplir leurs poumons d'air. Ils avaient déjà couru sous la pluie auparavant, mais jamais une pluie battante. Découvrir lequel s'abriterait le plus souvent tout au long des kilomètres parcourus devint un jeu, et ils louvoyaient d'une frondaison à l'autre tandis que la saleté de la route couvrait peu à peu leurs jambes. Vers le cinquième kilomètre, ils devinrent silencieux, faisant avancer leurs pieds à un rythme naturel, qu'ils connaissaient tous deux depuis des années, concentrés sur le bruit de leur propre respiration et le « floc » de leurs chaussures détrempées sur le sol.

À un endroit, alors qu'elle traversait en s'éclaboussant une de ces grandes flaques qu'elle n'essayait plus d'éviter, Lindsey pensa à la piscine municipale, dont nous avions été membres jusqu'à ce que ma mort mette fin à la confortable existence publique de ma famille. Elle était située quelque part sur cette route, mais elle ne releva pas la tête pour apercevoir la barrière familière. Elle remplaça l'image par un souvenir. On était toutes deux sous l'eau, en costumes de bain à jupettes froncées. Les yeux ouverts, un nouveau truc – tout nouveau pour elle. On regardait nos deux corps flottant dans l'eau. Cheveux flottants, jupettes flottantes, les joues gonflées par l'air emmagasiné. Puis, ensemble, on s'accrochait et on bondissait hors de l'eau, brisant la surface. On remplissait nos poumons d'air – un bruit de bouchon qui saute dans les oreilles – et on éclatait de rire.

Je regardais courir ma sœur si belle, je suivais le mouvement cadencé de ses poumons et de ses jambes, avec ce même savoir-faire qu'à la piscine – luttant pour voir à travers la pluie, luttant pour que ses jambes gardent le rythme fixé par Samuel, et je savais qu'elle ne s'éloignait ni ne s'approchait de moi. Comme pour quelqu'un qui a survécu à un coup de feu dans le ventre, sa blessure s'était progressivement refermée, tressant en huit longues années sa cicatrice.

La pluie se calma quand ils ne furent plus qu'à un kilomètre environ de la maison. À leurs fenêtres, les gens commençaient à regarder dans la rue.

Samuel ralentit sa course et elle le rattrapa. Leurs tee-shirts moulaient leurs corps comme de la pâte à papier.

Lindsey avait combattu un point de côté, mais comme celui-ci s'atténuait, elle courut à fond avec Samuel. Tout d'un coup la chair de poule l'envahit, et elle eut un large sourire.

« On va se marier ! » dit-elle ; il s'arrêta net, la prit dans ses bras, et ils étaient encore en train de s'embrasser quand une voiture les dépassa sur la route à grand renfort de Klaxon.

Lorsque la sonnette retentit chez nous, il était seize heures et Hal était dans la cuisine, avec un des vieux tabliers blancs de ma mère, à découper des *brownies* pour Grand-Maman Lynn. Il aimait qu'on lui donne un travail à accomplir, qu'il puisse se sentir utile, et ma grand-mère aimait faire appel à lui. C'était un tandem sympa. Buckley, en garde du corps, adorait manger, lui.

« J'y vais », lança mon père. Pendant l'averse, il s'était remonté le moral à coups de whisky-soda concoctés – mais non mesurés – par Grand-Maman Lynn.

Il était alerte à présent, avec cette espèce de grâce délicate d'un danseur de ballet à la retraite qui, après de longues années de bonds faits sur un seul pied, décidait de favoriser l'autre jambe.

« Je me faisais un sang d'encre », a-t-il lancé en ouvrant la porte.

Lindsey avait les bras croisés sur la poitrine, et même mon père fut obligé de rire, tout en détournant son regard, avant d'aller prendre en vitesse les couvertures de dépannage dans le placard de l'entrée. Samuel en drapa Lindsey tandis que mon père couvrait de son mieux les épaules de Samuel. Pendant ce temps, des flaques se formaient sur le sol carrelé. Alors que Lindsey venait juste de se couvrir, Buckley, Hal et Grand-Maman Lynn arrivèrent dans l'entrée.

« Buckley, dit Grand-Maman Lynn, va donc chercher des serviettes.

– Et la moto, dans tout ça ? a demandé Hal, incrédule.

– On a fait un footing, a répondu Samuel.

– Quoi ?

– Venez au salon, a dit mon père, on va allumer un feu. »

Tandis qu'ils étaient tous deux assis le dos à la cheminée, d'abord tremblants puis réchauffés par les rasades de cognac que Grand-Maman Lynn leur faisait servir par Buckley sur un plateau d'argent, tout le monde fut mis au courant de l'histoire de la moto, de la maison et de la petite pièce aux oriels qui avait rendu Samuel euphorique.

« Et la moto va bien ? s'est inquiété Hal.

– On a fait pour le mieux, a répondu Samuel, mais j'aurai besoin d'être dépanné.

– Je suis vraiment soulagé que vous soyez tous les deux sains et saufs, a dit mon père.

– On a couru jusqu'à la maison pour vous, Mr. Salmon. »

Ma grand-mère et mon frère s'étaient assis à l'autre bout de la pièce, loin du feu.

« On ne voulait pas que vous vous fassiez du souci, a expliqué Lindsey.

– Lindsey ne voulait surtout pas que *vous* en particulier vous fassiez du souci. »

Le silence a envahi un instant la pièce. Ce que Samuel avait dit était vrai, bien sûr, mais cela soulignait un peu trop clairement un fait certain : Lindsey et Buckley en étaient venus à vivre en fonction des réactions de leur père fragilisé.

Grand-Maman Lynn croisa le regard de ma sœur et lui adressa un clin d'œil. « Hal, Buckley et moi avons fait des *brownies*, dit-elle. Et j'ai des lasagnes surgelées que je peux sortir, si tu veux. » Elle se leva, ainsi que mon frère, déjà prêt à aider.

« J'aimerais bien quelques *brownies*, Lynn, dit Samuel.

– Lynn ? Voilà qui me plaît. Et tu vas te mettre à appeler Jack « Jack » ?

– Peut-être. »

Une fois que Buckley et Grand-Maman Lynn eurent quitté la pièce, Hal sentit planer dans l'air une nouvelle tension. « Je vais voir si je peux aider », dit-il.

Lindsey, Samuel et mon père écoutaient les bruits affairés venant de la cuisine. Ils entendaient le tic-tac de la pendule dans le coin, celle que ma mère avait dénommée notre « pendule coloniale rustique ».

« Je sais bien que je m'inquiète trop, dit mon père.

– Ce n'est pas ce que voulait dire Samuel », a répondu Lindsey.

Ce dernier était calme et je le regardais.

« Mr. Salmon, finit-il par dire – il n'était pas encore tout à fait prêt à lancer « Jack » –, j'ai demandé à Lindsey de m'épouser. »

Cette dernière avait la gorge nouée mais elle ne regardait pas Samuel. Elle regardait notre père.

Buckley est entré avec une assiettée de *brownies* et Hal le suivait, avec à la main des flûtes à champagne et une bouteille de Dom Pérignon. « De la part de ta grand-mère, pour les diplômes », a-t-il annoncé.

Grand-Maman Lynn fit ensuite son entrée, les mains vides, à part son whisky-soda. La lumière tomba dessus et il étincela comme un bocal de diamants.

Quant à Lindsey, c'était comme si elle était seule avec notre père. « Qu'en penses-tu, papa ? demanda-t-elle.

– Je pense, finit-il par dire en se levant pour serrer la main de Samuel, que je ne pourrais souhaiter un meilleur gendre. »

Grand-Maman Lynn explosa en entendant le dernier mot. « Mon Dieu ! oh ! ma chérie ! Félicitations ! »

Même Buckley laissa libre cours à une joie délirante. Mais je voyais onduler le lien délicat qui reliait encore ma sœur à mon père. Le cordon invisible capable de tuer.

Le bouchon de champagne sauta.

« Comme un chef ! » lança ma grand-mère à Hal, qui faisait le service.

Ce fut Buckley qui me vit, pendant que mon père et ma sœur rejoignaient le groupe en écoutant les toasts innombrables de Grand-Maman Lynn. Il me vit debout, sous la pendule coloniale, et me fixa. Il buvait du champagne. Il rayonnait de moi des fils qui s'étiraient en ondulant dans l'air. Quelqu'un lui fit passer un *brownie*. Il le tint dans sa main mais ne le mangea pas. Il vit ma silhouette et mon visage qui n'avaient pas changé – les cheveux encore partagés par une raie au milieu, la poitrine toujours plate et les hanches aussi – et il voulut m'appeler. Cela ne dura qu'un instant, puis je disparus.

Au fil des années, il m'arrivait, quand j'étais lasse d'observer, de m'asseoir à l'arrière des trains qui arrivaient et partaient de la gare de Philadelphie. Les voyageurs montaient et descendaient pendant que j'écoutais leurs conversations se mêler aux bruits d'ouverture et de fermeture des portières des trains, d'annonces hurlées par les contrôleurs, au bruit glissant ou sec des semelles et des talons hauts passant du trottoir au métal, aux pas lourds et assourdis par les tapis des couloirs de trains. C'était ce que Lindsey appelait, dans ses exercices, un repos actif ; mes muscles travaillaient encore mais ma concentration se relâchait. J'écoutais les bruits, sentais le mouvement du train et parfois, ce faisant, j'entendais les voix de ceux qui ne vivaient plus sur Terre. Les voix de mes semblables, les observateurs.

Presque tout le monde, au ciel, a quelqu'un sur Terre à observer, un amour, un ami ou même un inconnu qui avait eu un jour la gentillesse d'offrir un repas chaud ou encore un radieux sourire quand l'un d'entre nous en avait eu besoin. Et lorsque je n'observais pas, j'entendais les autres parler à ceux qu'ils aimaient sur Terre : tout aussi infructueusement que moi, je le crains. Une protection et une affection à sens unique envers les plus jeunes, l'amour et le désir à sens unique envers le partenaire, une carte de vœux avec un seul côté, qui ne pourrait jamais être signée.

Le train était à l'arrêt ou en partance, depuis la 30e Rue jusqu'à Overbrook, et je les entendais prononcer des noms ou des phrases : « Fais donc attention à ce verre. » ; « Occupe-toi de ton père. » ; « Oh ! regarde comme cette robe la grandit ! » « Je suis près de toi, maman. » «… Esmeralda, Sally, Lupe, Keesha, Frank… » Autant de noms. Puis, à mesure que le train prenait de la vitesse, le volume de toutes ces voix silencieuses en provenance du ciel ne cessait d'enfler ; il était à son maximum entre les gares, où le bruit de notre ardent désir devenait tellement assourdissant qu'il me fallait ouvrir les yeux.

Quand je regardais par la fenêtre des trains brusquement silencieux, je voyais des femmes étendre ou ramasser leur lessive. Elles se penchaient sur des corbeilles puis étendaient des draps blancs, jaunes ou roses sur le fil. Je comptais les dessous masculins et ceux des garçonnets, ainsi que les familières culottes en coton aux couleurs tendres sorties tout droit des tiroirs des petites filles. Et le bruit que ça faisait, ce bruit tant aimé et tant désiré, le bruit de la vie – qui remplaçait l'appel interminable des noms…

Le linge humide : la lourdeur humide, le claquement et les secousses brusques des draps pour lit à une ou deux places. Les bruits véritables ramenaient le souvenir des bruits du passé, quand je m'étendais sous les vêtements qui gouttaient pour en attraper l'eau avec ma langue ou me faufilais entre eux en courant comme s'il s'agissait de cônes de signalisation entre lesquels je slalomais en pourchassant Lindsey ou le contraire. Et dans le même temps, le souvenir des remontrances de notre mère sur le beurre de cacahuète qui passait de nos mains sur les draps propres, ou sur les traces collantes de bonbons acidulés qu'elle avait trouvées sur les chemises de notre père. Ainsi, l'odeur et la vue du réel, de l'imaginaire et du souvenir, tout me revenait à la fois.

Après avoir quitté la Terre, ce jour-là, j'ai voyagé en train jusqu'à ce qu'une seule image occupe mon esprit.

« Tiens-le bien », disait mon père tandis que je maintenais le bateau dans sa bouteille. Il brûlait les ficelles qui avaient tenu le mât droit pour lancer le voilier sur sa mer de mastic bleu. Et je l'attendais, consciente de tenir entre mes mains le sort de ce monde en bouteille.

18

Quand son père mentionna la doline au téléphone, Ruth se trouvait dans le placard qu'elle louait sur la Première Avenue. Elle entoura le fil noir du téléphone autour de son poignet et de son bras et acquiesça brièvement. La vieille dame qui lui louait le placard aimait bien tendre l'oreille, aussi Ruth essayait-elle de ne pas s'éterniser. Plus tard, elle appellerait ses parents en PCV d'une cabine et planifierait une visite.

Elle avait toujours su qu'elle ferait un pèlerinage là-bas, avant que les constructeurs ne ferment la concession. Sa fascination pour des endroits tels que la doline était un secret bien gardé, de même que celle qu'elle avait pour mon assassinat et notre rencontre dans le parking des profs. Elle souhaitait ne rien divulguer de cela à New York, où elle écoutait les autres raconter leurs histoires d'ivrognes, monnayant publiquement leurs familles et leurs traumatismes contre popularité et alcool. Elle sentait qu'on ne devait pas faire circuler ces choses à la légère. Dans ses journaux intimes et ses poèmes, elle respectait un code d'honneur. « À l'intérieur, à l'intérieur », se murmurait-elle calmement quand elle sentait monter l'envie de raconter, et cela se terminait par de longues marches à travers la ville, où elle voyait apparaître devant elle le champ de maïs Stolfuz ou encore une image de son père contemplant les morceaux de quelque moulure ancienne qu'il avait sauvée. New York fournissait un arrière-plan parfait à ses pensées. Malgré sa démarche énergique et chaloupante le long des avenues et des rues, la ville en elle-même avait très peu de rapport avec sa vie intérieure.

Elle n'avait plus l'air hantée, comme au lycée, mais, si on regardait ses yeux, on y voyait encore cette énergie de lapin en fuite qui avait souvent inquiété les gens. Elle semblait être dans l'attente permanente de quelque chose ou de quelqu'un qui n'était pas encore arrivé. Tout son corps paraissait incliné vers le questionnement et, bien qu'on lui ait dit au bar où elle travaillait qu'elle avait une belle chevelure, de belles mains ou encore de belles jambes (en ces rares occasions où les clients la voyaient sortir de derrière le bar), les gens ne faisaient jamais aucune remarque sur ses yeux.

Elle enfilait à la va-vite collants noirs, jupe courte noire, bottes noires et tee-shirt noir, tous salis par leur double emploi de vêtements de travail et de ville. On n'en voyait les taches qu'au soleil, aussi Ruth ne s'en rendait-elle compte que trop tard, quand elle s'arrêtait à une terrasse pour prendre un café ; elle regardait alors sa jupe et y remarquait les traces sombres de vodka ou de whisky renversés. L'alcool fonçait les vêtements noirs. Cela l'amusait ; elle avait noté dans son journal : « L'alcool abîme le tissu comme il abîme les gens. »

Une fois dehors, en route pour aller prendre un café sur la Première Avenue, elle entretenait des conversations secrètes avec des chiens miniatures bouffis – chihuahuas et loulous de Poméranie – que des Ukrainiennes assises sur leurs perrons tenaient sur leurs genoux. Ruth aimait ces petits chiens contestataires qui aboyaient avec ardeur sur son passage.

Puis elle marchait, marchait à toute allure, avec une douleur qui montait depuis la terre dans le talon du premier pied posé. Personne ne lui disait bonjour sauf des saligauds. En guise de jeu, elle comptait combien de rues elle pouvait parcourir sans avoir à s'arrêter aux feux. Elle ne ralentissait pour personne, coupait à vif dans les foules d'étudiants de la New York University et au milieu des vieilles femmes avec leurs caddies de linge sale, créant un courant d'air de chaque côté de sa personne. Elle aimait s'imaginer que, quand elle passait, les gens la regardaient, mais elle connaissait aussi son anonymat. Excepté quand elle travaillait, personne ne savait où elle se trouvait à telle ou telle heure de la journée, personne ne l'attendait, non plus. C'était un anonymat parfait.

Ruth ignorait que Samuel avait demandé ma sœur en mariage, et, à moins que cela ne filtre jusqu'à elle par l'intermédiaire de Ray – la seule personne du lycée avec qui elle était restée en contact –, elle ne le saurait jamais. Elle était encore à Fairfax quand elle avait appris le départ de ma mère. Une nouvelle vaguelette de murmures avait parcouru le lycée, et Ruth avait vu ma sœur y faire face de son mieux. Elles se croisaient parfois dans le couloir. Ruth prononçait quelques mots d'encouragement, si elle pouvait les formuler sans blesser Lindsey. Ruth connaissait son statut d'anormale au lycée, et elle savait que leur nuit au symposium des surdoués avait été exactement ce qu'elle avait semblé être : un rêve, où des éléments jusque-là détachés s'étaient assemblés spontanément en dehors des satanés règlements du lycée.

Mais avec Ray, c'était différent. Leurs baisers et premiers tâtonnements étaient pour elle comme des objets sous verre, des souvenirs qu'elle protégeait. Elle le voyait chaque fois qu'elle allait rendre visite à ses parents ; et elle avait su immédiatement que ce serait lui qui l'accompagnerait voir la doline. Il serait heureux de cette pause dans son labeur continu et monotone. Si elle avait de la chance, il lui décrirait, comme il le faisait souvent, un processus médical qu'il avait eu l'occasion d'observer. Ray racontait ça de façon à exprimer ce qu'on ressent, et pas seulement ce que l'on voit. Il pouvait tout évoquer pour elle avec des petites vibrations dans la voix dont il était complètement inconscient.

Se dirigeant vers le nord par la Première Avenue, elle était capable de pointer tous les lieux où elle s'était déjà arrêtée avec la certitude subite qu'une jeune fille ou une femme y avait été assassinée. À la fin de chaque journée, elle essayait d'en dresser la liste dans son journal intime, mais elle était tellement dévorée par ce qu'elle pensait s'être passé dans un de ces endroits – qu'il s'agisse d'un surplomb ou d'une allée étroite – qu'elle en négligeait les endroits les plus simples, les plus évidents, là où les journaux indiquaient qu'une femme était morte, et où elle se rendait alors comme sur une tombe.

Elle ne voyait pas qu'elle était une sorte de célébrité là-haut, dans le ciel. J'avais parlé d'elle autour de moi, de ce qu'elle avait fait, comment elle observait des moments de silence ici et là dans la ville, comment elle écrivait de courtes prières personnelles dans son journal ; l'histoire s'était répandue comme une traînée de poudre, au point que les femmes faisaient la queue pour savoir si elle avait découvert l'endroit où elles avaient été tuées. Elle avait des fans, au ciel. Certes, elle aurait été déçue de savoir que ces fans, quand elles se réunissaient, ressemblaient plus à un groupe d'ados commentant un numéro de *Teen Beat* qu'à l'image qu'elle s'en faisait, celle d'une procession tout en murmures funèbres accompagnés de cymbales.

J'étais celle qui devait suivre et surveiller et, au contraire de ce chœur écervelé, je trouvais souvent ces moments aussi pénibles qu'étonnants. Ruth recevait des impressions qui s'imprimaient dans sa mémoire. Parfois, ce n'étaient que de rapides flashes – une chute dans un escalier, un hurlement, une bousculade, des mains serrant un cou – et, d'autres fois, c'était comme si un scénario complet se déroulait dans sa tête durant le temps qu'il fallait à une fille ou à une femme pour mourir.

Aucun passant ne remarquait cette citadine vêtue de noir, arrêtée au milieu de la foule de piétons du centre-ville. Avec son camouflage d'étudiante des beaux-arts, elle pouvait traverser tout Manhattan et, si elle ne se mêlait à aucune foule, être classée et donc tout aussi vite oubliée. Pendant ce temps, elle effectuait pour nous un travail important, un travail que les gens sur Terre étaient bien trop effrayés pour même l'envisager.

Le lendemain des diplômes de Lindsey et de Samuel, je l'accompagnai dans sa balade. Quand elle arriva à Central Park, l'heure du déjeuner était nettement dépassée, mais le parc débordait encore d'activité. Des couples étaient assis sur la pelouse tondue. Ruth les dévisagea. En cet après-midi d'été, l'intensité qu'elle dégageait était quasi repoussante, et quand des jeunes gens l'apercevaient, leurs visages ouverts se refermaient aussi sec et ils regardaient ailleurs.

Elle zigzaguait en long et en large dans le parc. Il y avait des endroits évidents comme les grandes allées, où elle pouvait se nourrir de l'histoire de la violence auprès des arbres, mais elle préférait ces endroits que l'on disait sûrs : la surface fraîche et miroitante de la mare aux canards blottie dans le coin nord-ouest du parc, très fréquenté, et le placide lac artificiel où des vieillards faisaient naviguer de splendides bateaux soigneusement façonnés.

Elle s'assit sur un banc, dans un sentier menant au zoo, et regarda, de l'autre côté du gravier, les enfants avec leurs nounous et les adultes solitaires occupés à lire, dans des taches d'ombre ou de soleil. Elle était fatiguée par sa longue marche vers le haut de la ville mais elle sortit quand même son journal intime de son sac. Elle l'ouvrit sur ses genoux, tenant son stylo comme pour mieux penser. Ruth avait appris qu'il valait mieux se donner une contenance pour éviter que des inconnus l'abordent.

Son journal était son plus grand confident, celui de toute sa vie.

En face d'elle, une petite fille avait quitté la couverture sur laquelle sa nounou dormait. Elle se dirigeait vers les buissons qui bordaient un petit monticule, juste avant la barrière qui séparait le parc de la Cinquième Avenue. Au moment où Ruth allait revenir dans le monde des êtres humains dont les vies s'enchâssaient et alerter la nounou, une cordelette que Ruth n'avait pas vue avertit celle-ci en la réveillant. Elle se redressa immédiatement et aboya à la petite fille l'ordre de revenir.

En de pareils instants, Ruth pensait à toutes les petites filles devenues adultes et vieilles comme à une espèce d'alphabet codé à l'intention de toutes celles qui ne le deviendraient pas. Leurs vies seraient en quelque sorte inextricablement attachées à celles de toutes ces fillettes assassinées. Tandis que la nounou rassemblait ses affaires et roulait la couverture pour se préparer à poursuivre sa journée, Ruth vit une petite fille qui, un jour, s'était aventurée vers les buissons et avait disparu.

À ses vêtements, elle voyait bien que ça ne datait pas d'hier, mais c'était tout. Il n'y avait rien d'autre, pas de nounou ni de mère, aucune notion temporelle de jour ou de nuit, seulement la disparition d'une petite fille.

Je restai auprès de Ruth. Dans son journal ouvert, elle consigna : « Heure ? Petite fille à Central Park s'écarte vers les buissons. Col blanc en dentelle fantaisie. » Elle a refermé son journal et l'a fourré dans son sac. Tout près, se trouvait un lieu qui l'apaisait : la fosse aux pingouins.

Là, nous passâmes l'après-midi ensemble, moi et Ruth assise sur le banc recouvert d'un tapis qui faisait la longueur du bassin, son visage et ses mains se détachant sur ses vêtements noirs. Les pingouins se dandinaient, gloussaient et plongeaient, glissant des rochers, habillés comme des présentateurs vedettes mais évoluant sous l'eau comme des athlètes en smoking. Les enfants criaient et riaient en pressant leurs visages contre la vitre. Ruth comptait les vivants comme elle comptait les morts, et, dans les confins clos de la fosse aux pingouins, les hurlements enthousiastes des enfants se réverbéraient sur les murs avec de telles vibrations que, l'espace d'un moment, elle put faire abstraction des hurlements d'autre nature.

Ce week-end-là, mon frère se réveilla de bonne heure, comme d'habitude. Il était en cinquième, s'achetait un sandwich à midi, faisait partie du groupe de discussion et, comme Ruth, était toujours le dernier ou l'avant-dernier en gym. Contrairement à Lindsey, il n'était pas passionné d'athlétisme. À la place, il pratiquait ce que Grand-Maman appelait « son air digne ». Son prof préféré n'était pas un prof, en fait, mais la bibliothécaire de l'école, une grande femme frêle aux cheveux raides, qui buvait du thé dans une Thermos et qui disait avoir vécu en Angleterre quand elle était jeune. Du coup, pendant quelques mois, il avait adopté un accent anglais et manifesté un regain d'intérêt quand ma sœur regardait *Chefs-d'œuvre du théâtre britannique*.

Quand, cette même année, il avait demandé s'il pouvait reprendre le jardin dont s'occupait jadis ma mère, mon père avait répondu : « Mais oui, Buck, éclate-toi. »

Ce qu'il fit. Il était devenu remarquablement et follement passionné, lisait les anciens catalogues de graines la nuit, pendant ses insomnies, et parcourait les quelques livres de jardinage que possédait la bibliothèque du collège. Là où Grand-Maman avait proposé de planter quelques rangées respectueuses de persil et de basilic, où Hal avait suggéré « quelques plantes de réelle importance », à savoir aubergines, cantaloups, concombres, carottes et haricots, mon frère avait décidé qu'ils avaient tous les deux raison.

Il n'aimait pas ce qu'il lisait dans les livres. Il ne voyait aucune raison de séparer les fleurs des tomates et d'isoler les herbes aromatiques dans un coin particulier. Il avait lentement bêché tout le jardin, implorant quotidiennement mon père de lui apporter des graines, effectuant maintes virées à l'épicerie avec Grand-Maman Lynn – la récompense pour son extrême obligeance à faire les courses lui valait ensuite un arrêt à la serre pour une petite plante en fleur. Il attendait maintenant ses tomates, ses marguerites bleues, ses pétunias, ses pensées et des salvias de toutes sortes. Il avait transformé son fort en une espèce d'abri de jardin, où il gardait outils et accessoires.

Mais ma grand-mère se préparait pour le jour où il se rendrait compte que tout ne pouvait pas pousser en même temps, que certaines graines ne sortiraient pas au moment voulu, que les délicates vrilles duveteuses des concombres pourraient être abruptement stoppées par les protubérances souterraines et proliférantes des carottes et des pommes de terre, que le persil serait recouvert par les mauvaises herbes plus tenaces, et que les insectes parasites qui sautillaient partout abîmeraient les jeunes pousses. Mais elle attendait patiemment. Elle ne croyait plus à la parole, qui n'était d'aucun secours. À soixante-dix ans elle ne croyait plus qu'au temps.

Buckley remontait un carton plein de vêtements de la cave dans la cuisine quand mon père descendit pour son café.

« Qu'est-ce que tu as là-dedans, fermier Buck ? » lui a-t-il demandé. Il avait toujours été au mieux de sa forme le matin et ça n'avait pas changé.

« Des protections pour mes tomates.

– Elles sont déjà sorties ? »

Pieds nus dans la cuisine, mon père était dans son peignoir bleu. Il se versa du café que Grand-Maman Lynn préparait chaque matin dans la cafetière électrique, et il le sirota tout en regardant son fils.

« Je viens de les voir ce matin, dit ce dernier, radieux. Les vrilles sont tellement épanouies, on dirait une main qui s'ouvre. »

Ce fut alors qu'il répétait cette description à Grand-Maman Lynn, debout derrière le plan de travail, qu'il vit par la fenêtre ce que Buckley avait sorti de la boîte : mes vêtements. Mes vêtements parmi lesquels Lindsey avait sélectionné ceux qui l'intéressaient. Mes vêtements que ma grand-mère, quand elle avait emménagé dans ma chambre, avait tranquillement rangés dans des boîtes pendant que mon père était au bureau. Elle les avait descendus à la cave avec une petite étiquette indiquant simplement : À GARDER.

Mon père posa sa tasse de café. Il franchit le seuil de la véranda, s'avança d'un pas ferme et appela Buckley.

« Qu'est-ce qu'il y a, papa ? »

Le ton de mon père l'alarma.

« Ce sont les vêtements de Susie », lui dit calmement ce dernier quand il arriva près de lui.

Buckley baissa les yeux sur ma robe en tissu écossais qu'il tenait à la main.

Mon père s'approcha, s'empara de la robe puis, sans un mot, rassembla le reste de mes vêtements que Buckley avait entassés sur le sol. Comme il revenait vers la maison, silencieux, le souffle coupé, mes vêtements serrés contre lui, voilà que ça éclata.

Je fus la seule à voir les couleurs. Tout près des oreilles de Buckley, sur les pommettes et sur le menton, il était devenu d'abord vaguement orange, puis rouge.

« Pourquoi je ne peux pas m'en servir ? » demanda-t-il.

Ce fut comme un coup de poing dans le dos de mon père.

« Pourquoi je ne peux pas utiliser ces vêtements pour protéger mes tomates ? »

Mon père se retourna. Il vit son fils là, debout, avec derrière lui le carré parfait de terre retournée et boueuse parsemé de minuscules pousses. « Comment tu peux me poser cette question ?

– Tu dois choisir. C'est pas juste.

– Buck ? » fit mon père en pressant mes vêtements contre son cœur.

J'ai alors vu Buckley s'enflammer, flamboyer. Derrière lui s'embrasait le soleil de la haie de verges d'or, deux fois plus haute qu'à ma mort.

« J'en ai marre ! éclata Buckley. Le père de Keesha est mort et ça baigne pour elle !

– Elle est au collège avec toi ?

– Oui ! »

Mon père se figea. Il sentait la rosée amassée sur ses chevilles et sur ses pieds, il sentait le sol en dessous, froid et humide, agité de potentialités.

« Désolé. C'est arrivé quand ?

– C'est pas ça, papa ! Tu comprends pas. » Buckley fit demi-tour et se mit à piétiner les fragiles pousses de tomates.

« Buck, arrête ! »

Mon frère se retourna.

« Tu piges pas, papa.

– Désolé. Ce sont les vêtements de Susie et simplement… C'est bête, mais ce sont les siens, ceux qu'elle portait.

– C'est toi qui as pris la chaussure, hein ? » a demandé mon frère. Il s'était arrêté de pleurer à présent.

« Quoi ?

– Tu as pris la chaussure. Dans ma chambre.

– Buckley, je ne comprends pas de quoi tu parles.

– J'avais mis de côté la chaussure du Monopoly puis elle a disparu. Tu l'as prise ! Tu fais comme si elle n'appartenait qu'à toi !

– *Explique-moi ce que tu veux dire*. C'est quoi cette histoire sur le père de ton amie Keesha ?

– Pose les vêtements. »

Mon père les posa doucement par terre.

« C'est pas le père de Keesha, le problème.

– *C'est quoi, alors ?* » Mon père était revenu dans le présent immédiat. Il retournait à l'endroit où il s'était trouvé après son opération du genou, sortant du sommeil artificiel des calmants pour voir son fils, de cinq ans à l'époque, assis près de lui à attendre que ses yeux s'entrouvrent pour pouvoir lui dire : « Coucou papa ! »

« Elle est morte. »

Ça faisait toujours mal.

« Je sais.

– Mais tu n'agis pas comme si tu le savais. Le papa de Keesha est mort quand elle avait six ans et Keesha dit qu'elle pense à peine à lui.

– Elle y pensera plus tard, dit mon père.

– Mais nous, alors ?

– Qui ?

– Nous, papa. Moi et Lindsey. Maman est partie parce que c'était insupportable.

– Calme-toi, Buck », dit mon père.

Il était aussi tolérant que possible tandis que l'air dans ses poumons se raréfiait. Alors une petite voix en lui murmura : *Laisse tomber, laisse tomber, laisse tomber.*

« Quoi ? fit-il encore.

– J'ai rien dit, papa. »

Laisse tomber. Laisse tomber. Laisse tomber.

« Excuse-moi, dit mon père. Je ne me sens pas très bien. »

Ses pieds s'étaient incroyablement refroidis, dans l'herbe humide. Sa poitrine lui faisait l'effet d'être creuse, avec des insectes voletant dans cette cavité. Il y avait un écho, là-dedans, qui tambourinait à ses oreilles. *Laisse tomber.*

Mon père s'effondra à genoux. Sa main se mit à le picoter par à-coups, comme s'il s'endormait. Les picotements le parcouraient de haut en bas. Mon frère se précipita vers lui.

« Papa ?

– Mon fils. »

Il y avait un tremblement rauque dans sa voix et il fit un mouvement pour saisir mon frère.

« Je vais chercher Grand-Maman. »

Et Buckley fila.

Mon père murmurait doucement, couché sur le côté, le visage tourné vers mes vieux vêtements. « Ce n'est pas possible de choisir. Je vous ai aimés tous les trois. »

Cette nuit-là, mon père se retrouva allongé sur un lit d'hôpital, relié à des moniteurs de surveillance qui faisaient bip-bip en ronronnant. C'était le moment de lui enserrer les pieds et de se glisser le long de sa colonne vertébrale, celui de faire silence et de l'accompagner. Mais où ?

Au-dessus de son lit, la pendule égrenait les minutes et je pensais au jeu auquel Lindsey et moi jouions, dans le jardin de derrière : « Il m'aime un peu, beaucoup... », effeuillé sur les pétales d'une marguerite. J'entendais l'horloge me renvoyer mes deux souhaits les plus importants sur le même rythme : « Meurs pour moi/ne meurs pas pour moi, meurs pour moi/ne meurs pas pour moi. » Je ne pouvais pas m'en empêcher, tandis que je déchirais son cœur faiblissant. S'il mourait, je l'aurais à moi pour toujours. Était-ce si mal de souhaiter ça ?

À la maison, Buckley était couché dans le noir, les draps tirés jusqu'au menton. On ne l'avait pas autorisé à entrer aux urgences, où Lindsey les avait conduits en suivant l'ambulance hurlante où gisait mon père. Mon frère avait senti un lourd fardeau de culpabilité sourdre des silences de sa sœur ; elle revenait toujours sur ces deux points : « De quoi vous étiez en train de parler ? Pourquoi il était tellement bouleversé ? »

La plus grande terreur de mon petit frère était que l'homme qui signifiait tant pour lui disparaisse. Il aimait Lindsey et Grand-Maman Lynn, Samuel et Hal, bien sûr, mais mon père le faisait avancer en douceur, le fils surveillant maladroitement le père, chaque matin et chaque soir, comme si, sans cette vigilance, il risquait de le perdre.

Nous étions là, debout – l'enfant qui était mort et celui qui était vivant – de chaque côté de mon père, souhaitant tous deux la même chose : l'avoir à nous pour toujours. Impossible de nous satisfaire tous les deux.

Dans sa vie, mon père n'avait manqué le coucher de Buckley que deux fois. Une fois après être allé dans le champ de maïs à la recherche de Mr. Harvey, et cette fois-là, parce qu'il luttait contre une crise cardiaque, étendu sur son lit d'hôpital.

Buckley se savait trop âgé pour que le fait ait de l'importance, mais j'éprouvais de la compassion pour lui. Le baiser du soir, mon père y excellait. Alors qu'il se tenait au pied du lit, après avoir effleuré de la main les stores qu'il venait de baisser, pour s'assurer qu'ils avaient tous la même inclinaison – pas de lamelle rebelle susceptible de laisser entrer le soleil jusqu'à son fils avant que lui ne vienne le réveiller –, les bras et les jambes de mon frère s'en hérissaient de chair de poule. Tellement l'anticipation était douce.

« Prêt, Buck ? » demandait mon père, et ce dernier répondait : « Prêt », ou encore : « On décolle ! », mais quand il se sentait effrayé, excité, avide de tranquillité, il disait simplement : « Oui ! » Et mon père saisissait alors le fin drap de coton, le roulait en boule entre ses mains tout en gardant deux coins soigneusement pincés entre ses pouces et ses index. Puis il le déployait d'un coup sec, de sorte que le drap (bleu pâle si on avait mis les draps de Buckley, ou lavande si on avait mis les miens) s'ouvrait comme un parachute au-dessus du lit, doucement, avec une merveilleuse lenteur, puis planait lentement et retombait sur sa peau nue, ses genoux, ses avant-bras, ses joues et son menton. Air et protection simultanés, en quelque sorte, dans le même espace. Ça le plaçait, délicieusement vulnérable et tremblant, au bord d'une frontière, et son seul espoir était que mon père recommence, obligeamment. Air et protection, air et protection, mots-clés de la relation tacite installée entre le petit garçon et l'homme blessé.

Cette nuit-là, la tête reposait sur l'oreiller tandis que le corps était en position fœtale. Il n'avait pas pensé à fermer lui-même les stores, et il voyait les lumières des maisons voisines moucheter la colline. Il regardait, à l'autre bout de la pièce, les portes ajourées de son placard, d'où, autrefois, il imaginait que s'échapperaient de méchantes sorcières pour rejoindre les dragons tapis sous son lit. Il n'avait plus peur de tout ça.

« Ne le laisse pas mourir, Susie, chuchota-t-il. J'ai besoin de lui. »

Quand j'ai quitté mon frère, je suis passée devant le kiosque, sous les lampes suspendues comme des baies, et j'ai vu, au fur et à mesure que j'avançais, les embranchements des chemins pavés de briques. J'ai marché jusqu'à ce que ces dernières se transforment en pierres plates, puis en petits cailloux pointus, pour laisser la place à rien du tout sauf de la terre battue, sur des kilomètres et des kilomètres à la ronde. Je suis restée immobile. Ça faisait suffisamment longtemps que je me trouvais au ciel pour savoir qu'il allait y avoir une révélation. Et, comme la lumière commençait à pâlir, le ciel à s'assombrir, d'un bleu foncé comme la nuit de ma mort, j'ai vu quelqu'un marcher, tellement loin que j'ai tout d'abord été incapable de reconnaître s'il s'agissait d'un homme ou d'une femme, d'un enfant ou d'un adulte. Mais quand le clair de lune est tombé sur cette silhouette, j'ai reconnu un homme et, à présent effrayée, le souffle court, je m'en suis approchée en courant. Était-ce mon père ? Était-ce ce que j'avais désiré tout ce temps avec un tel désespoir ?

« Susie », a lancé l'homme comme je m'arrêtais à quelques mètres de lui. Il leva les bras vers moi.

« Tu te souviens ? » a-t-il demandé.

Je me revoyais toute petite, à six ans, dans un living de l'Illinois. Maintenant, comme alors, j'ai posé les pieds sur les siens.

« Grand-Papa », ai-je dit.

Et, parce qu'on était seuls et tous les deux au ciel, j'étais suffisamment légère pour me déplacer comme je le faisais à six ans quand il en avait cinquante-six et que mon père nous avait emmenés lui rendre visite. On a dansé très doucement sur un air qui, sur Terre, l'avait toujours fait pleurer.

« Tu te rappelles ? m'a-t-il demandé.

– Barber !

– L'*Adagio pour cordes*. »

Mais alors que l'on dansait et virevoltait – sans la maladresse sautillante que nous avions eue sur Terre – me revenait à l'esprit la fois où je l'avais trouvé en pleurs tandis qu'il écoutait cette musique. Je lui avais demandé pourquoi.

« Parfois on pleure, Susie, même lorsque quelqu'un qu'on aime est parti depuis longtemps. » Il m'avait serrée contre lui un bref instant, puis j'étais ressortie jouer avec Lindsey dans ce qui me semblait être alors son immense jardin.

On n'a pas parlé plus longuement, cette nuit-là, mais on a dansé pendant des heures dans cette lumière bleue intemporelle. Tout en dansant, je savais qu'il se passait quelque chose, au ciel comme sur Terre. Un glissement. Cette espèce d'accélération brutale que nous avions étudiée en cours de sciences, une année. Sismique, inconcevable, un déchirement, une partition totale du temps et de l'espace. Je me suis blottie contre la poitrine de mon grand-père et j'ai respiré son odeur, version antimites de mon propre père, le sang de la Terre, le ciel au paradis. Le kumquat, le putois, le tabac de qualité supérieure.

Quand la musique s'est arrêtée, j'ai eu le sentiment qu'elle avait commencé une éternité plus tôt. Mon grand-père a reculé et, derrière lui, la lumière a jauni.

« Je m'en vais, a-t-il annoncé.

– Où ça ?

– Ne t'en fais pas, ma chérie. Tu es si près. »

Il s'est retourné puis s'est s'éloigné, se désintégrant rapidement dans l'infini en points et en poussière.

19

Quand elle arriva ce matin-là à Krusoe Winery, ma mère y trouva un message en attente, griffonné dans un anglais incorrect par le responsable. Mais le mot *Urgent* était clair. Ma mère court-circuita son rituel matinal qui consistait à prendre un premier café en contemplant les grappes greffées sur les enfilades de solides croix blanches. Elle ouvrit la partie de la coopérative réservée à la dégustation. Elle repéra dans le noir le téléphone posé derrière le bar en bois et composa son propre numéro, en Pennsylvanie. Pas de réponse.

Puis elle appela les renseignements et demanda le numéro du docteur Akhil Singh.

« En effet, lui répondit Ruana, Ray et moi avons vu s'arrêter une ambulance, il y a quelques heures. Je pense qu'ils sont tous à l'hôpital.

– L'ambulance était là pour qui ?

– Votre mère, peut-être ? »

Mais ma mère savait que le message émanait d'elle, précisément. Donc, c'était un des enfants ou Jack. Elle remercia Ruana et raccrocha. Elle s'empara du lourd téléphone rouge et le sortit de sous le bar. Soudain libérées par le mouvement, une rame de feuilles colorées qu'ils distribuaient aux consommateurs (« Jaune citron : chardonnay nouveau ; jaune paille : sauvignon blanc ») tomba et s'éparpilla à ses pieds. Elle avait pris l'habitude d'arriver de bonne heure à son travail, et maintenant elle s'en félicitait… Après quoi, elle réfléchit aux noms de divers hôpitaux et appela ceux où elle avait déjà eu l'occasion de conduire en urgence ses jeunes enfants, soit pour une fièvre incompréhensible soit pour vérifier la présence ou non d'une fracture à la suite d'une chute. Au même hôpital où j'avais jadis conduit Buckley, on lui répondit :

« On a eu un Jack Salmon aux urgences ; il est encore ici.

– Vous pouvez me dire ce qui lui est arrivé ?

– Quel est votre lien de parenté avec Mr. Salmon ? »

Et elle dit les mots qu'elle n'avait pas prononcés depuis des années : « Je suis sa femme.

– Il a eu une crise cardiaque. »

Elle raccrocha le téléphone et s'assit sur les nattes en liège aggloméré qui couvraient le sol du côté des employés. Elle resta assise là jusqu'à l'arrivée du directeur de l'équipe, à se répéter ces mots étranges : mari, crise cardiaque.

Quand elle releva les yeux, un peu plus tard, elle était dans la camionnette du responsable : cet homme tranquille qui quittait rarement les lieux fonçait vers l'aéroport international de San Francisco.

Elle prit son billet et monta à bord d'un vol pour Chicago, où elle en prendrait un autre qui la mènerait finalement à Philadelphie. Tandis que l'avion prenait de l'altitude, puis qu'il entrait dans les nuages, ma mère entendait au loin les signaux sonores qui donnaient les consignes à l'équipage ; puis elle entendit le tintement de la table roulante des cocktails qui passait mais, à la différence des autres passagers, elle voyait devant elle les fraîches arcades en pierre dressées devant les caves où étaient stockés les tonneaux de chêne ; et là où les hommes s'asseyaient souvent pour s'abriter du soleil, elle imagina mon père lui tendant la tasse cassée en Wedgewood.

Quand elle eut atterri à Chicago, où elle avait deux heures d'attente, elle avait retrouvé assez de calme pour s'acheter une brosse à dents et un paquet de cigarettes, puis téléphoner à l'hôpital. Elle demanda, cette fois, à parler à Grand-Maman Lynn.

« Maman, dit-elle, je suis à Chicago, j'arrive.

– Abigail, Dieu soit loué ! J'ai rappelé Krusoe et ils m'ont dit que tu étais partie pour l'aéroport.

– Comment va-t-il ?

– Il te réclame.

– Les enfants sont là ?

– Oui, avec Samuel. J'allais t'appeler aujourd'hui pour te le dire. Il a demandé Lindsey en mariage.

– C'est merveilleux.

– Abigail ?

– Oui. »

Elle entendit l'hésitation de sa mère, ce qui était rare.

« Jack réclame aussi Susie. »

Elle alluma une cigarette dès qu'elle fut hors du terminal, à O'Hare. Un groupe de scolaires la dépassa, avec des instruments de musique et des petits sacs de voyage munis sur le côté d'un badge jaune vif : PATRIE DES PATRIOTES.

À Chicago, l'atmosphère était étouffante et humide. Les gaz d'échappement des voitures alignées sur deux files empoisonnaient l'air pesant.

Elle termina sa cigarette en un temps record et en alluma une autre, un bras serré sur la poitrine et l'autre se tendant à chaque exhalaison. Elle portait son uniforme de la cave coopérative : un jean délavé mais propre et un tee-shirt orange pâle avec KRUSOE WINERY brodé sur la poche de poitrine. Sa peau était plus bronzée, maintenant, ce qui faisait ressortir le bleu de ses yeux bleus ; pour ses cheveux, elle avait adopté une queue de cheval basse. Je voyais quelques traces poivre et sel près des oreilles et sur les tempes.

Elle s'accrochait aux deux côtés d'un sablier et se demandait comment c'était possible. Le temps passé seule s'était trouvé mécaniquement limité par la force de ses liens familiaux. Et la voici qui revenait à présent, menottée par un mariage et une crise cardiaque.

Devant le terminal, elle plongea dans la poche arrière de son jean, où elle glissait le portefeuille d'homme qu'elle utilisait à Krusoe parce que c'était plus commode que de se soucier de planquer un porte-monnaie sous le bar. D'une chiquenaude, elle jeta sa cigarette sur la voie réservée aux taxis et alla s'asseoir à l'extrémité d'un bac en béton où poussaient des mauvaises herbes et un triste arbrisseau asphyxié par les émanations.

Dans son portefeuille, il y avait des photos qu'elle regardait tous les jours. Mais il y en avait une autre, qu'elle conservait tournée à l'envers, dans la partie réservée aux cartes de crédit. C'était la même que celle qui se trouvait au commissariat, dans la boîte des pièces à conviction, la même que celle que la mère de Ray avait glissée dans le livre de poésie indienne.

Ma photo de classe publiée par les journaux, sur les affichettes de la police et dans les boîtes aux lettres.

Huit ans plus tard, même pour ma mère, c'était comme la photo omniprésente d'une star. Elle l'avait vue si souvent que j'y étais, en quelque sorte, soigneusement enterrée… Mes joues n'avaient jamais été aussi rouges, mes yeux aussi bleus que sur cette photo-là.

Elle la sortit et la retourna, abritée au creux de sa main. Ma bouche lui manquait particulièrement ; le dessin de mes dents, petites et rondes, l'avait fascinée tout le temps qu'elle m'avait regardée grandir. Je lui avais promis un large sourire pour la photo de cette année-là mais j'avais été tellement timide, une fois devant le photographe, que j'avais à peine réussi à esquisser un sourire, lèvres fermées.

Elle entendit le haut-parleur extérieur annoncer sa correspondance. Elle se leva. En se retournant, elle vit l'arbre minuscule acharné dans sa lutte pour la vie. Elle laissa ma photo de classe appuyée contre le tronc et se dépêcha de franchir les portes automatiques.

Pendant le vol vers Philadelphie, elle se retrouva assise seule au milieu d'une rangée de trois sièges. Elle ne pouvait s'empêcher de penser que, si elle avait été une mère en voyage, il y aurait eu deux sièges occupés à côté d'elle. Un pour Lindsey. Un pour Buckley. Mais, malgré son statut objectif de mère, elle avait cessé d'en être une. Elle ne pouvait en réclamer le droit ni les privilèges, après avoir manqué pas loin d'une décennie de la vie de ses enfants. Elle savait maintenant qu'être mère était une vocation. Beaucoup de jeunes filles aspiraient à ce statut mais elle,

elle n'en avait jamais rêvé, et elle avait été punie de la façon la plus horrible qui soit pour ne pas m'avoir désirée.

Dans l'avion, je la regardais, et j'envoyais à travers les nuages un vœu pour sa libération. Son corps s'alourdissait de crainte anticipée mais, dans cette pesanteur, il y avait une forme de soulagement. L'hôtesse lui tendit un petit oreiller bleu et elle s'assoupit.

Quand l'avion ralentit sur la piste d'atterrissage de Philadelphie, elle se souvint tout à coup et du lieu et de l'année. Elle passa rapidement en revue tout ce qu'elle pourrait dire quand elle verrait ses enfants, sa mère et Jack. Puis, pendant l'ultime frémissement de l'arrêt, elle abandonna toute tentative pour se concentrer simplement sur sa descente.

Elle reconnut à peine sa propre enfant, qui l'attendait au bout de la longue passerelle. Au fil des années, Lindsey était devenue mince et anguleuse, sans la moindre trace de graisse. À côté d'elle, il y avait ce qui ressemblait à son jumeau. Un peu plus grand, un peu plus en chair. Samuel. Elle les dévisagea si intensément, et eux aussi d'ailleurs, qu'elle ne vit tout d'abord pas le garçon rondouillard assis à l'écart, sur le bras d'une rangée de sièges de la salle d'attente.

Ce n'est que lorsqu'elle s'avança vers eux – ils semblaient tous immobiles, figés dans l'attente, comme piégés dans une gélatine dont ils ne seraient libérés qu'en bougeant – qu'elle le vit.

Elle descendit la passerelle couverte d'un tapis. Elle entendit des annonces au haut-parleur, et vit des passagers accueillis plus normalement la dépasser en trombe. Quand elle le reconnut, ce fut comme si elle pénétrait dans une déformation temporelle. 1944, au camp de Winnekukka. Elle avait douze ans, des joues rondes et des jambes épaisses – auxquelles ses filles avaient échappé, par bonheur, mais hélas pas son fils. Son absence avait été tellement longue, irrécupérable.

Si elle avait compté, comme moi, elle aurait su qu'en soixante-treize pas, elle avait parcouru le chemin qu'elle avait eu trop peur de faire en près de sept ans.

C'est ma sœur qui parla la première :

« Maman. »

Ma mère la regarda et se projeta trente-huit années plus loin que la petite fille solitaire du camp de Winnekukka.

« Lindsey. »

Celle-ci la dévisagea. Buckley s'était maintenant levé mais il regarda d'abord ses chaussures, puis, pardessus son épaule, à travers la vitre, l'endroit où les avions étaient garés, devant les soufflets en accordéon où ils recrachaient leurs passagers.

« Comment va votre père ? » a demandé ma mère.

Ma sœur avait prononcé le mot *Maman* puis s'était figée. Il lui laissait dans la bouche un goût de savon, d'étrangeté.

« Pas brillant, je le crains », répondit Samuel. C'était la plus longue phrase prononcée jusque-là, et ma mère lui en fut reconnaissante.

« Buckley ? » fit ma mère, sans afficher à son intention aucun masque particulier. Elle restait elle-même.

Il tourna la tête comme s'il braquait un revolver sur elle.

« Buck, corrigea-t-il.

– Buck », répéta-t-elle doucement en baissant les yeux vers ses mains.

Lindsey aurait voulu lui demander : *Où sont tes bagues ?*

« On y va ? » suggéra Samuel.

Ils pénétrèrent tous les quatre dans le long tunnel moquetté qui conduisait vers le terminal principal. Ils se dirigeaient vers l'espèce de caverne où arrivaient les bagages, quand ma mère lâcha qu'elle n'en avait pas.

Ils formaient un drôle de groupe, tellement mal à l'aise, tandis que Samuel cherchait les pancartes indiquant le chemin du parking.

« Maman, tenta à nouveau ma sœur.

– Je vous ai menti », l'interrompit ma mère. Leurs yeux se croisèrent et, dans ce fil brûlant qui les reliait l'une à l'autre, je jure que j'ai vu apparaître le secret de Len tel un rat pas encore digéré dans le ventre protubérant d'un serpent.

« On n'a qu'à prendre les escaliers roulants, suggéra Samuel, comme ça, on pourra emprunter la passerelle du dessus qui mène au parking. »

Samuel appela Buckley, qui avait dérivé en direction d'un groupe d'agents de sécurité. Les uniformes le fascinaient.

Ils étaient sur l'autoroute quand Lindsey ouvrit à nouveau la bouche.

« Ils ne veulent pas laisser Buckley voir papa, ils le trouvent trop jeune. »

Ma mère se retourna sur son siège. « J'essayerai d'arranger ça, dit-elle en regardant Buckley, avec une première esquisse de sourire.

– Va te faire foutre », grommela mon frère sans lever les yeux.

Ma mère se figea. Ce fut comme si la voiture se déchirait. Pleine de haine et de tension, un flot sanglant à traverser.

« Buck, dit-elle en se rappelant juste à temps le diminutif, tu veux bien me regarder ? »

Il jeta un regard plein de fureur vers le siège avant, la vrillant de sa rage contenue.

Finalement, ma mère se retourna. Lindsey et mon frère entendirent alors, provenant de son siège, les sons qu'elle s'efforçait d'étouffer. Une sorte de petits pépiements, et un sanglot refoulé. Mais aucun flot de larmes ne pouvait fléchir Buckley. Il avait gardé pendant des jours, des semaines et des années une réserve souterraine de haine. Tout au fond de lui, était assis le gamin de quatre ans au cœur gros à éclater. Entre cœur et pierre, entre cœur et pierre.

« On ira tous mieux après avoir vu Mr. Salmon », lança Samuel. Puis, parce que même lui trouvait ça insupportable, il tâtonna sur le tableau de bord et alluma la radio.

C'était le même hôpital où elle s'était rendue, huit ans plus tôt, en pleine nuit. Un étage différent, peint d'une couleur différente mais, tandis qu'elle longeait le couloir, elle sentit se refermer sur elle ce qu'elle avait fait là autrefois. La pression du corps de Len, son dos à elle collé contre le plâtre râpeux du mur. Tout en elle désirait fuir vers la Californie, vers son existence tranquille passée à travailler parmi des inconnus. Cachée entre les arbres et les fleurs tropicales, repliée, en sécurité, bien loin parmi toutes ces plantes et ces personnes étrangères.

Les chevilles et les talons de sa mère, qu'elle entrevit au bout du couloir, la ramenèrent à la réalité. Une des nombreuses choses toutes simples qu'elle avait oubliées en partant si loin, c'était l'image banale des pieds de sa mère – leur solidité, leur drôlerie – des pieds de soixante-dix ans dans des chaussures ridiculement inconfortables.

Quand elle franchit le seuil de la chambre, tout sembla s'évanouir – son fils, sa fille, sa mère.

Les yeux de mon père étaient affaiblis mais ils s'ouvrirent en papillonnant quand il l'entendit entrer. Des tubes et des fils sortaient de ses poignets et de son épaule. Et sa tête paraissait si fragile, sur le petit oreiller carré.

Elle lui prit la main et pleura silencieusement en laissant librement monter les larmes.

« Bonjour, yeux couleur océan », lui dit-il.

Elle acquiesça. Cet homme brisé, abattu, son mari.

« Ma douce, dit-il dans un souffle pénible.

– Jack.

– Regarde ce qu'il m'a fallu faire pour que tu reviennes.

– Et ça en valait la peine ? demanda-t-elle en souriant lugubrement.

– C'est ce que nous verrons. »

Les voir réunis, c'était comme la réalisation d'un faible espoir.

Dans les yeux de ma mère, mon père apercevait des lueurs, on aurait dit des points de couleur auxquels s'accrocher. Il les rangeait dans la même catégorie que les décombres d'un vieux navire fracassé par un plus gros que lui. Il ne voyait plus, à la surface de l'eau, quc des planches broyées et quelques objets flottants. Il essaya de tendre le bras pour toucher son visage, mais comme il était trop faible, sa main retomba. Elle s'approcha et posa sa joue dans la paume ouverte.

Ma grand-mère savait se déplacer discrètement malgré ses talons hauts. Elle sortit de la pièce sur la pointe des pieds. Comme elle reprenait sa démarche normale en approchant de la salle d'attente, elle intercepta une infirmière porteuse d'un message pour Jack

Salmon, chambre 582. Elle n'avait jamais rencontré l'homme mais connaissait son nom. « Len Fenerman vous rendra visite bientôt. Meilleurs vœux de prompt rétablissement. » Elle plia le papier soigneusement. Juste avant de tomber sur Buckley et Lindsey, qui venaient rejoindre Samuel dans la salle d'attente, elle ouvrit d'un déclic la fermeture de son sac et l'y glissa, entre son poudrier et son peigne.

20

Ce soir-là, quand Mr. Harvey atteignit l'abri au toit de tôle, dans le Connecticut, le temps était à la pluie. Plusieurs années auparavant, il avait tué là une jeune serveuse. Puis, avec les pourboires trouvés dans la poche de son tablier, il s'était offert un pantalon neuf. La pourriture avait dû faire son œuvre, à présent ; effectivement, il ne fut accueilli par aucune mauvaise odeur. Mais l'abri avait été ouvert et, à l'intérieur, il vit bien que le sol avait été retourné. Il retint sa respiration et s'approcha avec prudence.

Puis il s'endormit à côté de la tombe de la fille, maintenant vide.

À un certain moment, je m'étais mise à tenir ma liste des vivantes, en contrepoint de la liste des mortes. J'avais remarqué que Len Fenerman faisait pareil. Quand il n'était pas de service, il les notait toutes, des plus jeunes aux plus vieilles, et les ajoutait au nombre de ses réconforts. Cette adolescente dans le centre commercial, dont les jambes pâles étaient trop longues pour une robe maintenant trop juvénile, et dont la douloureuse vulnérabilité touchait à la fois le cœur de Len et le mien. Des femmes âgées qui avançaient en vacillant, appuyées sur leurs déambulateurs, continuant inlassablement à se teindre les cheveux dans les versions artificielles des couleurs de leur jeunesse. Des mères célibataires d'âge moyen parcourant les magasins d'alimentation au pas de course tandis que leurs enfants attrapaient au passage des sacs de bonbons sur les étagères. Quand je les voyais, je les comptais. Des femmes en vie, qui respiraient. Parfois, je voyais celles qui étaient blessées – celles que leurs maris avaient battues, que leur père ou d'autres avaient violées – et je souhaitais pouvoir intervenir tant bien que mal, d'une façon ou d'une autre.

Len voyait souvent ces femmes blessées. C'étaient des habituées du commissariat, et même lorsqu'il n'était pas en service, il les devinait. La femme mariée, dans le magasin d'articles de pêche, n'avait pas de bleus sur le visage mais la peur la faisait trembler comme un chien et elle se confondait toujours en murmures d'excuses. La fille qu'il voyait faire le trottoir chaque fois qu'il rendait visite à ses sœurs, au nord de l'État. Au fil des ans, elle était devenue plus maigre, ses joues charnues s'étaient tirées et le chagrin alourdissait ses yeux au point qu'ils pendaient, désespérés, dans une chair mauve. Quand elle n'était pas là, il s'inquiétait. Quand elle était là, il était à la fois rassuré et déprimé.

Pendant longtemps, il n'avait pas eu grand-chose à inscrire dans mon dossier. Mais, ce dernier mois, quelques nouveaux éléments avaient rejoint la liste des indices : le nom d'une autre victime potentielle, Sophie Cichetti, celui de son fils, et un des faux noms de

George Harvey. Il y avait aussi ce qu'il tenait dans les mains : ma breloque porte-bonheur de Pennsylvanie. Il la fit tourner à l'intérieur du sac contenant les pièces à conviction. En passant ses doigts dessus, il sentit le relief de mes initiales. Le porte-bonheur avait été examiné de façon à en tirer tous les indices possibles mais, sous le microscope, il s'était révélé vierge de toute trace, en dépit de sa présence sur la scène du meurtre d'une autre adolescente.

Dès la première confirmation, il avait voulu le rendre à mon père. C'était contrevenir aux règles, mais il n'avait jamais eu à sa disposition un corps qui justifie celles-ci, juste un livre scolaire détrempé et le billet doux d'un garçon mêlé aux pages de mon cahier de biologie. Une bouteille de Coca. Mon bonnet à clochettes. Il avait dressé et conservé toute cette liste. Mais le porte-bonheur était de nature différente, et il avait bien l'intention de le rendre.

Une infirmière qu'il avait fréquentée après le départ de ma mère lui avait téléphoné quand elle avait remarqué le nom de Jack Salmon sur une liste de malades hospitalisés. Len avait décidé de rendre visite à mon père et d'apporter le porte-bonheur avec lui. Dans son imagination, il le voyait comme un talisman capable d'activer sa guérison.

En l'observant, je ne pouvais m'empêcher de penser aux barils de liquides toxiques empilés derrière le magasin de motos de Hal, dans les broussailles qui bordaient la voie de chemin de fer, où les compagnies locales avaient une cachette pour y jeter de temps à autre un ou deux containers. Tout avait été scellé mais ça commençait à fuir. Dans les années qui avaient suivi le départ de ma mère, j'en étais arrivée à avoir pitié de Len, à le respecter. Il pistait des traces matérielles pour essayer de comprendre l'incompréhensible. Et en cela, je voyais bien qu'il me ressemblait.

Devant l'hôpital, une fillette vendait des bouquets de jonquilles avec du ruban couleur lavande noué autour des tiges vertes. Je regardai ma mère lui acheter tout son stock.

Quand elle la vit arriver dans le couloir, les bras pleins de fleurs, Mrs. Eliot, l'infirmière qui, huit ans après, se souvenait encore de ma mère, lui proposa de l'aider. Elle récupéra des cruches supplémentaires dans un placard et elles les remplirent d'eau puis, pendant qu'il dormait, disposèrent les jonquilles dans la chambre de mon père. Mrs. Eliot se disait que, si la beauté d'une femme se mesurait à l'aune de la perte subie, alors ma mère était devenue encore plus belle.

Lindsey, Samuel, et Grand-Maman Lynn avaient ramené Buckley à la maison dès le début de la soirée. Ma mère n'était pas encore prête à les suivre. Elle se concentrait sur mon père. Il faudrait que le reste attende, la maison et ses reproches silencieux, son fils et sa fille. Elle avait besoin de manger et de penser. Au lieu d'aller à la cafétéria de l'hôpital, où les lumières brillantes évoquaient pour elle les futiles efforts déployés par les hôpitaux pour mettre les gens en condition de recevoir encore d'autres mauvaises nouvelles – café léger, chaises dures, ascenseurs avec arrêt automatique à chaque étage – elle quitta le bâtiment et descendit les plans inclinés qui s'éloignaient de l'entrée.

Il faisait sombre, à présent. Sur le parking où, longtemps auparavant, elle était arrivée en pleine nuit habillée de sa chemise de nuit, il n'y avait que quelques voitures. Il faisait frisquet, aussi. Elle s'enveloppa étroitement dans le pull que sa mère avait laissé.

Elle traversa le parking en jetant un coup d'œil curieux à l'intérieur des voitures obscures pour voir quel genre de personnes travaillait à l'hôpital. Dans l'une d'elles, il y avait des cassettes répandues sur le siège du passager, dans l'autre, la masse rembourrée d'un siège d'enfant. Cela devint un jeu pour elle de distinguer dans chaque véhicule le plus de choses possible. Une façon de ne pas se sentir aussi seule et étrangère, comme une gamine qui joue à l'espionne dans la maison d'amis de ses parents. Message de l'agente Abigail au QG : je vois un jouet, je vois un chien en peluche, je vois un ballon de foot, je vois... une femme ! Elle était là, une inconnue assise au volant. Elle ne se rendait pas compte qu'on la regardait ; dès qu'elle l'avait aperçue, ma mère avait détourné les yeux pour les reporter sur l'enseigne lumineuse de la vieille gargote qui lui faisait face. Elle n'avait pas besoin de se retourner pour savoir ce que faisait la femme. Elle se préparait à entrer dans l'hôpital. Elle connaissait ce visage. Celui d'une personne désirant être où que ce soit mais pas là.

Debout dans le jardin paysager qui séparait l'entrée principale de celle des urgences, elle avait envie d'une cigarette. Ce matin-là, elle n'avait rien remis en question. Jack avait eu une crise cardiaque et elle rentrait à la maison. Mais maintenant, elle ne savait plus ce qu'elle était supposée faire. Combien de temps devrait-elle attendre ? Qu'est-ce qui devait arriver avant qu'elle puisse repartir ? Derrière elle, sur le parking, elle entendit une portière s'ouvrir et se refermer – c'était la femme qui allait à l'hôpital.

Le petit restaurant lui parut flou. Elle s'assit toute seule dans un coin et commanda une espèce de nourriture – du blanc de poulet frit – qui n'existait pas en Californie, lui sembla-t-il.

Elle se faisait cette réflexion quand, juste en face d'elle, un homme lui fit de l'œil. Elle enregistra le moindre détail de son apparence. C'était plus fort qu'elle alors que, sur la côte Ouest, elle ne faisait jamais ça. Après mon meurtre, quand elle était encore en Pennsylvanie, dès qu'elle voyait un inconnu qu'elle trouvait un peu louche, elle cessait brusquement de penser. C'était plus rapide – et ça respectait sa peur viscérale – que d'essayer de se convaincre qu'elle devait penser autrement. Son repas arriva, poulet frit et thé, et elle se concentra sur la panure agglomérée autour de la viande caoutchouteuse et sur le goût métallique du thé trop infusé. Elle ne pensait pas pouvoir rester à la maison plus de quelques jours. Elle me voyait partout et, assis en face d'elle, elle voyait l'homme qui aurait pu m'assassiner.

Elle finit son repas, le régla, puis sortit du restaurant, le regard baissé. Quand la clochette installée audessus de la porte tinta, son cœur bondit dans la poitrine.

Elle traversa l'autoroute d'une seule traite mais, en repassant par le parking, elle eut le souffle court. La voiture de la visiteuse craintive était toujours là.

Elle décida de s'asseoir dans le couloir d'entrée, où on s'installait pourtant rarement, pour reprendre sa respiration.

Elle passerait quelques heures à son chevet puis elle prendrait congé quand il s'éveillerait. Dès qu'elle eut pris sa décision, le calme l'envahit. L'abandon soudain de toute responsabilité. Un billet pour un pays très lointain.

Il était tard, maintenant, plus de vingt-deux heures. Elle prit un ascenseur vide pour le cinquième. On avait adouci les lumières du couloir. Elle dépassa le bureau des infirmières, où deux d'entre elles papotaient tranquillement. Elle entendait la cadence harmonieuse des potins qu'elles échangeaient, le bruit d'une intimité familière. Puis, alors que l'une d'elles luttait pour étouffer son rire aigu, ma mère ouvrit la porte de mon père et laissa le battant se refermer.

Seule.

Quand la porte fut close, ce fut comme si le vide de la pièce avait murmuré « chut ! ». Je sentis que ce n'était pas ma place, que je devais partir. Mais j'étais comme engluée.

Le voyant endormi dans le noir, avec seulement le faible néon luisant derrière le lit, elle se rappela être venue dans ce même hôpital autrefois, et y avoir pris des dispositions pour se couper de lui.

Quand je l'ai vue prendre la main de mon père, j'ai repensé à ma sœur et à moi, assises sous la reproduction des gisants, sur le palier du haut. J'étais le chevalier décédé monté au ciel avec mon chien fidèle, et elle était l'épouse révoltée. « Comment attendre de moi que je reste prisonnière ma vie durant d'un homme figé dans le temps ? » La réplique préférée de Lindsey.

Ma mère resta assise, la main de mon père dans la sienne, pendant très longtemps. Elle pensait que ce serait merveilleux de s'installer sur les draps frais de l'hôpital, de s'étendre à côté de lui. Impossible.

Elle se pencha, tout près. Même sous les odeurs d'antiseptiques et d'alcool, elle sentait le parfum d'herbe de sa peau. Quand elle était partie, elle avait emporté la chemise de mon père qu'elle préférait. Parfois elle s'en enveloppait, juste pour porter quelque chose de lui. Comme elle ne la mettait jamais à l'extérieur, le tissu avait gardé son odeur plus longtemps que prévu. Elle se rappelait d'une nuit où il lui avait manqué particulièrement. Elle avait boutonné la chemise autour d'un oreiller et l'avait serrée sur son cœur comme à quinze ans.

Par-delà la fenêtre fermée, elle entendait le bourdonnement de la circulation, au loin sur l'autoroute tandis que l'hôpital s'assoupissait pour la nuit – le seul bruit était celui des semelles en caoutchouc des infirmières passant dans le couloir.

Cet hiver-là, elle s'était retrouvée à expliquer à une jeune femme avec qui elle travaillait le samedi au bar de dégustation, qu'entre un homme et une femme, il y en avait toujours un plus fort que l'autre. « Ça ne veut pas dire que le plus faible n'aime pas le plus fort », avait-elle plaidé. La fille l'avait regardée d'un air vide. Mais pour ma mère, ce qui importait alors, c'était qu'en parlant elle s'était identifiée à l'élément faible. Cette révélation l'avait ébranlée. Qu'avait-elle pensé toutes ces années, sinon le contraire ?

Elle rapprocha sa chaise le plus possible de la tête de Jack et posa le visage au bord de l'oreiller, pour le regarder respirer, voir le battement de ses yeux sous les paupières, quand il rêvait. Comment se pouvait-il que l'on aime tant quelqu'un et que l'on parvienne à se le taire, à se réveiller quotidiennement si loin de chez soi ? Elle avait mis des routes entre eux deux, des enfilades de panneaux publicitaires, elle avait jeté derrière elle des blocs de béton, elle avait arraché le rétroviseur, tout ça dans l'espoir d'effacer leur vie et leurs enfants.

C'était si simple, quand elle le regardait, avec son souffle régulier, apaisant… Elle ne vit d'abord rien arriver. Elle se mit à penser aux différentes pièces de notre maison et aux heures qu'elle y avait passées, qu'elle s'était tellement efforcée d'oublier. Comme des fruits mis en conserve puis oubliés, dont la saveur paraissait encore plus subtile une fois libérée. Là, sur cette étagère, s'étalaient tous les rendez-vous et la mièvrerie de leur premier amour, le ruban, la tresse de leurs rêves qui commençait à se former, les racines solides d'une famille en gestation. La première matérialisation visible de tout cela. Moi.

Elle traça un nouveau trait sur le visage de mon père. Elle aimait ses tempes qui s'argentaient.

Peu après minuit, elle s'endormit, après avoir fait tout son possible pour garder les yeux ouverts. Se raccrocher à tout en même temps, tout en regardant ce visage afin de pouvoir en prendre congé quand il s'éveillerait.

Quand ses yeux se fermèrent, quand ils furent endormis tous deux côte à côte en silence, je leur murmurai la comptine :

Pierres et os ;
Neige et gel ;
Graines, haricots et têtards.
Sentiers et rameaux, baisers assortis,
Nous savons tous qui manque le plus à Susie...

Vers deux heures du matin, il s'est mis à pleuvoir ; l'averse est tombée sur l'hôpital, sur mon ancienne maison et dans mon paradis. Sur le toit de tôles où dormait Mr. Harvey, il pleuvait aussi. Tandis que la pluie en martelait la surface avec légèreté, il rêvait. Pas de la fille dont on avait enlevé les restes, maintenant au laboratoire, mais de Lindsey Salmon, du 5 ! 5 ! 5 ! contre la bordure de sureaux. Il faisait ce rêve chaque fois qu'il se sentait menacé. Son maillot de football entrevu en un éclair avait fait basculer sa vie.

Il était environ quatre heures quand s'ouvrirent les yeux de mon père ; je le vis sentir sur sa joue la tiédeur de la respiration de ma mère, avant même qu'il sache qu'elle était endormie. Lui et moi, nous souhaitions qu'il puisse l'enlacer mais il était trop faible. Il y avait une autre méthode et il la suivrait. Il lui dirait ce qu'il avait ressenti après ma mort – ce qui lui venait si souvent à l'esprit mais que personne ne connaissait, sauf moi.

Mais il n'avait pas envie de la réveiller. L'hôpital était silencieux, mis à part le bruit de la pluie. Celle-ci le poursuivait, il en avait l'impression, et l'obscurité et l'humidité. Il pensa à Samuel et Lindsey sur le pas de la porte, trempés et souriants, ayant couru tout ce chemin pour le rassurer. Il se retrouvait régulièrement à devoir se prendre en main pour se recentrer. Lindsey. Lindsey. Lindsey. Buckley. Buckley. Buckley.

La pluie, de l'autre côté des fenêtres éclairées par les taches circulaires des lumières du parking, lui rappelait le cinéma où il allait quand il était gosse. C'était de la pluie hollywoodienne. Il ferma les yeux et écouta la respiration de ma mère, rassurante, contre sa joue, le fouettement léger des gouttes d'eau sur les minces rebords métalliques de la fenêtre, puis il entendit le bruit des oiseaux – des oisillons qui gazouillaient, mais sans pouvoir les voir. Il se dit qu'il y avait peut-être un nid juste à l'extérieur de la fenêtre, que des oisillons s'y étaient réveillés sous la pluie, découvrant alors que leur mère était partie ; il eut envie d'aller à leur secours. Il sentit les doigts de ma mère, mous ; dans son sommeil, elle avait relâché la pression de sa main sur la sienne. Elle était là et, cette fois, quoi qu'il advienne, il la laisserait être ce qu'elle était vraiment.

C'est alors que je me suis glissée dans la pièce, auprès de mes parents. J'étais présente d'une façon toute nouvelle, en quelque sorte, en tant que personne. J'avais toujours plané au-dessus d'eux mais je ne m'étais jamais tenue à leurs côtés.

Je me suis faite toute petite dans l'obscurité, incapable de savoir si j'étais visible. Chaque jour, pendant huit ans et demi, je m'étais éloignée de mon père plusieurs heures durant, tout comme je m'étais éloignée de ma mère ou de Ruth ou de Ray, de mon frère, de ma sœur, et bien sûr de Mr. Harvey, mais mon père, je m'en rendais compte maintenant, lui, ne m'avait jamais quittée. Sa dévotion de tous les instants m'assurait qu'il m'aimait encore et encore et encore. Dans la lumière chaude de son amour, j'étais restée Susie Salmon, une petite fille qui avait toute la vie devant elle.

« Je me suis dit que si j'étais très silencieux, je t'entendrais, murmura-t-il. Que si j'étais très tranquille, tu pourrais revenir…

– Jack ? a fait ma mère en se réveillant. J'ai dû m'endormir.

– C'est merveilleux que tu sois de retour. »

Et ma mère l'a regardé. Tout s'est déchiré, s'est dépouillé, s'est défait. « Comment tu fais ? lui demanda-t-elle.

– On n'a pas le choix, Abbie. Qu'est-ce que je peux faire d'autre ?

– Partir, repartir de zéro.

– Et ça a marché ? »

Ils restèrent silencieux. Je tendis la main et m'évanouis.

« Pourquoi tu ne viens pas te coucher ici ? lui a demandé mon père. Comme ça, on aurait un peu de temps ensemble avant que les gardes-chiourme te balancent dehors. »

Elle ne bougea pas.

« Elles ont été gentilles avec moi, dit-elle. Mrs. Eliot m'a aidée à mettre toutes ces fleurs dans l'eau pendant ton sommeil. »

Il a jeté un regard circulaire et distingué les contours. « Des jonquilles, dit-il.

– Ce sont les fleurs de Susie. »

Mon père eut un merveilleux sourire. « Regarde, dit-il, c'est comme ça qu'on fait. Tu fais face et tu lui donnes une fleur.

– C'est si triste.

– Oui, c'est vrai. »

Ma mère se hissa tant bien que mal sur une hanche, au bord du lit d'hôpital, mais ils y arrivèrent. Ils arrivèrent à s'étendre tous les deux l'un à côté de l'autre de façon à pouvoir se regarder dans les yeux.

« Qu'est-ce que ça t'a fait de revoir Lindsey et Buckley ?

– Ça a été incroyablement dur », répondit-elle.

Ils demeurèrent silencieux un moment et il lui pressa la main.

« Tu as l'air tellement changée, dit-il.

– Tu veux dire plus vieille. »

Je le regardais tendre la main et prendre une mèche de ses cheveux puis en entourer une de ses oreilles.

« Je suis retombé amoureux de toi pendant que tu étais partie », dit-il.

Je me rendis compte combien je souhaitais être à la place de ma mère. L'amour qu'il éprouvait ne consistait pas à regarder en arrière, à aimer quelque chose qui ne changerait jamais. Cet amour consistait à aimer ma mère pour ce qu'elle était – pour sa rupture et pour sa fuite, pour s'être trouvée là au moment voulu, avant que se lève le soleil, qu'arrive le personnel de l'hôpital. À toucher ses cheveux du bout des doigts, à tout deviner et pourtant sonder sans crainte les profondeurs de ses yeux couleur océan.

Ma mère n'arrivait pas à dire « Je t'aime ».

« Tu vas rester ? lui demanda-t-il.

– Quelque temps. »

C'était déjà ça.

« Bien. Tu répondais quoi quand les Californiens te questionnaient sur ta famille ?

– À voix haute, je répondais que j'avais deux enfants. Mais en moi-même, je disais trois. Et j'avais envie de m'en excuser auprès d'elle.

– Tu mentionnais un mari ?

Elle le regarda. « Non.

– Un homme ?

– Je ne suis pas revenue pour mentir, Jack.

– Tu es revenue pour quoi, alors ?

– Ma mère m'a appelée. Elle m'a dit que c'était une crise cardiaque et j'ai pensé à ton père.

– Parce que je pouvais mourir ?

– Oui.

– Tu dormais, tu ne l'as pas vue.

– Qui ?

– Quelqu'un est venu dans la chambre puis est reparti. Je crois que c'était Susie.

– Jack ? s'est inquiétée ma mère, mais son signal de détresse n'était hissé qu'à mi-hauteur.

– Ne me dis pas que tu ne la vois pas. »

Elle se laissa aller.

« Je la vois partout, avoua-t-elle avec un soupir de soulagement. Même en Californie, elle était partout. Elle montait dans le bus ou traînait devant les écoles quand je passais par là en voiture. Je voyais ses cheveux mais ils ne collaient pas avec son visage ou alors je voyais son corps, sa façon de se déplacer. Je voyais des sœurs aînées et leurs jeunes frères, ou deux filles qui avaient l'air d'être sœurs et je me représentais ce que Lindsey n'aurait plus, toute cette relation disparue pour elle et pour Buckley, et ça me frappait comme une gifle parce que j'étais partie, moi aussi. Ça retombait sur toi et sur ma mère.

– Elle a été formidable, un vrai roc. Un roc imbibé, mais un roc quand même.

– Je m'en doute.

– Et si je t'annonçais que Susie était dans la chambre il y a dix minutes, tu dirais quoi ?

– Je dirais que tu es fou et que tu as certainement raison. »

Mon père avança la main et suivit la ligne du nez de ma mère, puis il passa les deux mains sur ses lèvres. À son contact, elles s'ouvrirent légèrement.

« Tu dois te pencher davantage, je suis encore malade. »

Et j'ai regardé mes parents s'embrasser, tout en gardant les yeux ouverts ; ma mère fut la première à pleurer, ses larmes tombant sur les joues de mon père jusqu'à ce qu'il pleure, lui aussi.

21

Après avoir laissé mes parents à l'hôpital, je suis partie observer Ray Singh. Nous avions eu quatorze ans ensemble, lui et moi. Maintenant, je voyais sa tête sur l'oreiller, cheveux noirs et peau sombre sur draps jaunes. J'étais toujours amoureuse de lui. Je comptais les cils de chacun de ses yeux clos. Il avait été mon presque tout, mon amour manqué, et je n'avais pas plus envie de le quitter que de quitter ma famille.

Sur l'échafaudage qui gîtait derrière la scène, avec Ruth en dessous, Ray Singh s'était approché de moi suffisamment pour que son souffle se mêle au mien. J'avais senti le mélange de clous de girofle et de cannelle dont, selon moi, il saupoudrait ses céréales chaque matin, ainsi qu'une odeur sombre, l'odeur humaine d'un corps venant à moi, au tréfonds duquel se trouvaient des organes dépendant d'une chimie étrangère à la mienne.

Depuis le moment où j'avais su que cela arriverait jusqu'au moment où cela arriva, je m'étais arrangée pour n'être jamais seule avec lui, que ce soit au collège ou en dehors. Et j'avais peur de ce que je désirais le plus : son baiser. Que ce dernier ne soit pas à la hauteur de ce qu'on racontait ou de ce que je lisais dans *Seventeen*, *Glamour* et *Vogue*. Mais surtout, je craignais de ne pas être à la hauteur, moi, et que mon premier baiser soit synonyme de rejet, non d'amour. Malgré tout, je collectionnais les histoires sur le sujet.

« Ton premier baiser, c'est le destin qui frappe à ta porte » m'avait répondu Grand-Maman Lynn, un jour, au téléphone. Je tenais le combiné pendant que mon père allait chercher ma mère. Je l'entendis dire dans la cuisine : « Elle est aux trois quarts ivre. »

« Si c'était à refaire, je porterais quelque chose de stupéfiant, du style Rouge Baiser, mais ce rouge à lèvres n'avait pas encore été créé à l'époque. Avec ça, j'aurais laissé mon empreinte sur le bonhomme.

– Maman ? avait demandé ma mère sur l'autre téléphone, dans la chambre.

– On parle baisers, Abigail.

– Tu as bu ?

– Écoute-moi, Susie, avait dit Grand-Maman Lynn, attention, si tu embrasses comme un citron, eh bien, tu feras de la citronnade.

– Ça fait comment ?

– Ah ! c'est la fameuse histoire du premier baiser…, avait murmuré ma mère, rassurée. Je te la laisse. »

Je l'avais déjà fait raconter à mon père et à ma mère des centaines de fois, pour entendre leurs différentes versions. Il m'en était resté une image de mes parents pris dans la fumée de cigarettes – leurs lèvres se touchant vaguement au milieu d'un nuage.

Grand-Maman Lynn avait demandé : « Susie, tu es toujours là ?

– Oui, Grand-Maman. »

Elle était demeurée silencieuse un moment. « J'avais ton âge, et mon premier baiser m'a été donné par un adulte, le père d'une amie.

– Grand-Maman ! fis-je, franchement choquée.

– Tu ne vas pas me dénoncer, si ?

– Non.

– C'était merveilleux. Il savait embrasser, lui. Les garçons qui m'avaient embrassée jusque-là, je ne pouvais même pas les supporter. Je posais la main à plat contre leur poitrine et je les repoussais. Mr. McGahern savait se servir de ses lèvres, lui.

– Et alors, qu'est-ce qui s'est passé ?

– La félicité, répondit-elle. Je savais que ce n'était pas bien mais c'était merveilleux – du moins pour moi. Je ne lui ai jamais demandé ce qu'il en avait pensé, je ne l'ai jamais revu seule à seul, après ça.

– Mais tu avais envie de recommencer ?

– Oui. J'ai toujours essayé de retrouver ce premier baiser-là.

– Et Grand-Papa ?

– Ce n'était certainement pas un spécialiste du baiser. » J'entendais le cliquetis des glaçons à l'autre bout du fil. « Je n'ai jamais oublié Mr. McGahern, même si ça n'a duré qu'un instant. Alors, il y a un garçon qui veut t'embrasser ? »

Ni mon père ni ma mère ne m'avaient posé la question. Je sais maintenant qu'en fait, ils avaient deviné, qu'ils en discutaient en se souriant.

À l'autre bout du fil, j'ai dégluti avec difficulté. « Oui.

– C'est qui ?

– Ray Singh.

– Tu l'aimes ?

– Oui.

– Alors, où est le problème ?

– J'ai peur de pas être à la hauteur.

– Susie ?

– Oui ?

– Laisse-toi aller, ma belle. »

Mais quand je me suis retrouvée près de mon casier cet après-midi-là, et que j'ai entendu Ray Singh m'appeler – cette fois-ci derrière moi et non plus au-dessus – cela ne m'a absolument pas donné l'impression d'une partie de plaisir. Et ce n'en a pas été une. Les situations claires, noir sur blanc, que j'avais connues jusque-là n'avaient plus cours. Je me suis sentie bouleversée, c'était le seul mot qui convenait. Non en tant que participe passé mais en tant qu'adjectif. Heureuse + Effrayée = Bouleversée.

« Ray… » mais avant que le mot n'ait passé mes lèvres, il s'était penché vers moi et avait pris ma bouche ouverte dans la sienne. C'était tellement inattendu, même si cela faisait des semaines que j'attendais, que j'en désirais plus. J'avais tellement envie d'embrasser Ray Singh encore une fois.

Le lendemain matin, Mr. Connors a découpé un article dans le journal, pour Ruth. C'était un dessin détaillé de la doline des Flanagan, avec des indications sur la façon dont on allait la combler. Pendant que Ruth s'habillait, il lui a griffonné un mot : « C'est un vrai merdier. Un de ces quatre, la voiture d'un pauvre bougre va plonger dedans. »

« Papa dit que, selon lui, c'est la fin », a expliqué Ruth à Ray en agitant la coupure dans sa direction tout en pénétrant dans la Chevrolet bleu glacier de Ray, au bout de son allée. « Notre maison fait partie de la zone à reconstruire. Regarde un peu. Dans cet article, ils montrent quatre pâtés de maisons semblables, avec des cubes comme on en dessine dans les premiers cours de dessin et c'est supposé expliquer comment ils vont boucher la doline.

– Content de te voir, Ruth », a dit Ray en sortant de l'allée en marche arrière, avec un regard de reproche pour la ceinture non attachée.

« Désolée, fit Ruth. Salut.

– Que dit l'article ?

– Belle journée, temps splendide.

– O.K., O.K. Raconte-moi. »

Chaque fois qu'il retrouvait Ruth après plusieurs mois d'absence, il était à nouveau frappé par son impatience et sa curiosité – deux traits de caractère qui avaient entretenu leur amitié.

« Les trois premiers dessins sont semblables, sauf les flèches. Elles pointent sur des endroits différents, et la légende dit "couche arable", puis "calcaire lézardé", puis "roche pulvérulente". Sur le dernier, il y a écrit en gros : “Comment reboucher” et, en dessous, ça dit : “Du ciment pour remplir l’orifice et du mortier liquide pour les failles.”

– L’orifice ?

– Je sais, dit Ruth. Et il y a cette flèche de l’autre côté, comme si c’était un projet tellement vaste qu’il leur fallait faire une pause pour que le lecteur puisse en saisir le concept, et là il y a marqué : “Puis le trou sera comblé de gravats.” »

Ray se mit à rire.

« On dirait une méthode d’intervention chirurgicale. Une opération complexe nécessaire pour raccommoder la planète.

– Je pense qu’un trou dans la terre, ça réveille pas mal de peurs primales.

– Sûrement. Bon, allons vérifier ça. »

À un bon kilomètre de là, il y avait des panneaux présentant les futures constructions. Ray tourna à gauche et longea des rues fraîchement pavées d’où les arbres avaient été enlevés, et où, par intermittence, de petits drapeaux rouges et jaunes s’agitaient au bout de piquets métalliques.

À peine s’étaient-ils complus dans l’idée qu’ils étaient seuls à explorer les routes dessinées pour un territoire encore inhabité, qu’ils virent Joe Ellis marcher devant eux.

Ruth ne le salua pas de la main, pas plus que Ray, ni que Joe, qui ne fit d’ailleurs aucun signe de reconnaissance.

« Ma mère dit qu’il vit encore chez ses parents. Il ne trouve pas de boulot.

– Qu’est-ce qu’il fait toute la journée ?

– Il me donne la chair de poule.

– Il ne s’en est jamais remis », a dit Ray tandis que le regard de Ruth se perdait dans les rangées successives de terrains vagues. Ray a repris la route principale et traversé les voies de chemin de fer, se dirigeant vers la route 30 qui menait vers la doline.

Ruth laissait pendre son bras par la vitre pour mieux sentir l'air du matin après la pluie. Ray avait été impliqué dans ma disparition, mais il avait compris pourquoi – la police avait fait son travail. Mais Joe Ellis, lui, ne s'était jamais remis d'avoir été accusé des meurtres de chats et de chiens perpétrés par Mr. Harvey. Il traînait dans le coin, à bonne distance des voisins, cherchant un apaisement dans le contact des animaux. Selon moi, le plus triste était que ceux-ci sentaient ce qui avait été brisé en lui – l'humaine faiblesse – et se tenaient à distance.

Le long de la route 30, près de Eels Rod Pike, en un point que Ruth et Ray allaient dépasser, j'ai vu Len sortir d'un appartement, au-dessus du salon de coiffure. Il emportait vers sa voiture un petit sac à dos, cadeau de la jeune femme qui occupait cet appartement. Elle l'avait invité à venir prendre un café, le lendemain de leur rencontre au commissariat, à l'occasion d'une session de criminologie dirigée par l'Université de West Chester. Le sac à dos contenait un ensemble d'objets – dont il montrerait certains à mon père, et dont les autres ne devaient jamais être montrés à aucun parent. Parmi ceux-ci, les photos de ce qu'on avait retrouvé des corps – dans tous les cas, il y avait les deux coudes.

Quand il avait appelé l'hôpital, l'infirmière l'avait informé que Mr. Salmon était avec sa femme et sa famille. Il avait arrêté sa voiture sur le parking de l'hôpital et était resté assis un instant sous le soleil brûlant qui traversait le pare-brise, sa culpabilité encore accrue.

Je voyais Len travailler à la formulation de ses prochaines phrases. Il se disait qu'après tant d'années d'une enquête qui battait de l'aile depuis 1975, le plus grand souhait de mes parents devait être qu'on trouve au moins un corps, à défaut de Mr. Harvey. Or, il n'avait à leur offrir qu'un porte-bonheur.

Il saisit son sac à dos et verrouilla la voiture, dépassant la gamine avec son seau à nouveau plein de jonquilles. Il connaissait le numéro de la chambre de mon père, et ne prit donc pas la peine de s'annoncer au bureau des infirmières du cinquième étage. Il frappa simplement et doucement à la porte de mon père avant d'entrer.

Ma mère, debout, lui tournait le dos. Quand elle fit demi-tour, je pus voir l'impact de sa présence sur lui. Elle tenait la main de mon père. Je me sentis brutalement et terriblement seule.

Elle a légèrement vacillé en croisant le regard de Len, puis elle a tenté de plaisanter.

« Toujours aussi merveilleux de vous voir.

– Len ! a glissé mon père. Abbie, tu veux bien me redresser ?

– Comment allez-vous, Mr. Salmon ? a demandé Len tandis que ma mère pressait sur le bouton actionnant le lit.

– Jack, précisa mon père.

– Avant que vous n'ayez trop d'espoir, précisa Len, on ne l'a toujours pas attrapé. »

Mon père s'affaissa visiblement.

Ma mère retapa les oreillers en mousse dans son dos et sous sa nuque. « Pourquoi vous êtes là, alors ?

– On a trouvé quelque chose qui appartenait à Susie. »

Len avait utilisé presque la même phrase quand il était venu à la maison avec le bonnet à clochettes. Dans sa tête, ce fut comme un lointain écho.

La nuit précédente, alors que ma mère et mon père avaient, chacun à leur tour, veillé sur le sommeil de l'autre, ils avaient tous deux écarté le souvenir de cette première nuit de neige, de grêle et de pluie, de cette façon qu'ils avaient eue de s'accrocher l'un à l'autre, aucun ne formulant tout haut son espoir. La nuit précédente, mon père avait fini par le dire : « Elle ne reviendra plus à la maison. » Une vérité claire et nette que quiconque m'ayant connue avait acceptée. Mais il lui avait fallu la dire, et elle avait eu besoin de l'entendre.

« C'est une breloque de son bracelet, a dit Len. Une breloque porte-bonheur de Pennsylvanie avec ses initiales gravées.

– C'est moi qui l'avais achetée, a expliqué mon père. À la gare de la 30e Rue, un jour où j'étais allé en ville. Il y avait un étalage et un homme avec des lunettes protectrices, qui les gravait gratuitement. J'en ai apporté une aussi à Lindsey. Tu te souviens, Abigail ?

– Je m'en souviens.

– On l'a trouvée près d'une fosse, dans le Connecticut. »

Mes parents sont demeurés immobiles un instant – comme des animaux piégés dans la glace – leurs yeux grands ouverts et glacés, suppliant celui qui passerait au-dessus de les libérer, maintenant, par pitié.

« Le corps retrouvé là n'était pas celui de Susie, a ajouté Len, se dépêchant d'emplir le vide. Ça signifie juste que Harvey a été impliqué dans d'autres assassinats, dans le Delaware et le Connecticut. On a trouvé le porte-bonheur de Susie près d'une fosse dégagée à l'extérieur de Hartford. »

Mon père et ma mère ont regardé Len tâtonner pour ouvrir la fermeture Éclair du sac à dos. Ma mère a lissé les cheveux de mon père vers l'arrière et essayé de saisir son regard. Mais ce dernier était concentré sur l'objet que Len allait montrer – une découverte qui signalait la réouverture de l'enquête sur mon meurtre. Et ma mère, qui commençait tout juste à se sentir un peu plus ferme sur terre, devait cacher qu'elle n'avait jamais souhaité cette réouverture. Le nom de George Harvey la réduisait au silence. Elle n'avait jamais su quoi dire à son sujet. Pour elle, faire dépendre son propre sort de la capture et du châtiment de cet homme, c'était comme de choisir de rester à côté de l'ennemi plutôt que d'apprendre à vivre dans un monde où je n'étais plus.

Len a sorti un grand sac à congélation. Dans un coin, tout au fond, mes parents ont vu une lueur dorée. Len l'a tendu à ma mère qui l'a tenu devant elle, à légère distance.

« Vous n'en avez pas besoin, Len ? a demandé mon père.

– Elle a subi tous les tests. On a encodé le lieu de la découverte et on a pris toutes les photos nécessaires. Il se peut qu'à un moment donné, j'aie à vous la redemander, mais d'ici là, vous pouvez la garder.

– Ouvre, Abbie », a dit mon père.

J'ai regardé ma mère tenir le sac ouvert et se pencher au-dessus du lit. « C'est pour toi, Jack, a-t-elle dit. C'est toi qui lui en as fait cadeau. »

En la prenant, la main de mon père tremblait, et il lui a fallu une seconde pour sentir les petites extrémités pointues de la breloque contre la pulpe de ses doigts. La façon dont il la sortait du sac m'a rappelé ce jeu de « la salle d'opération » auquel je jouais avec Lindsey, quand on était petites. Si l'objet touchait les parois du sac, une alarme se déclencherait et il faudrait passer son tour.

« Comment pouvez-vous être sûr qu'il a tué ces autres gamines ? » a demandé ma mère. Elle fixait la minuscule braise dorée, dans la paume de mon père.

– On n'est jamais sûr de rien », a répondu Len.

Et l'écho de sa réponse a résonné dans ses oreilles. Len avait un éventail figé d'expressions. Celle-là, c'était la même que celle que mon père avait empruntée pour apaiser sa famille. C'était une expression cruelle, apte à susciter l'espoir.

« J'aimerais vous voir partir à présent, a dit ma mère.

– Abigail ! a fait mon père.

– Je ne supporterais pas d'en entendre plus.

– Je suis très heureux d'avoir le porte-bonheur, Len », a dit mon père.

Len a levé un chapeau imaginaire pour saluer mon père avant de tourner les talons. Il avait fait une certaine forme d'amour à ma mère avant qu'elle ne s'en aille. Du rapport sexuel comme acte d'oubli volontaire. C'était ce style-là, qu'il mettait de plus en plus en pratique, dans l'appartement au-dessus de chez le coiffeur.

J'ai pris la direction du sud pour retrouver Ruth et Ray, mais à leur place, j'ai vu Mr. Harvey. Il conduisait une voiture orange qui était un vrai patchwork, rapiécée avec tant de morceaux différents du même modèle qu'elle ressemblait au monstre de Frankenstein monté sur roues. Un énorme Sandow tenait le capot, que l'air faisait palpiter.

Le moteur avait résisté à tout. Il ne manifestait son âge que par une vibration survenant au-dessus de la vitesse limite, quelle que soit la pression exercée sur la pédale de l'accélérateur. Il avait dormi près d'une fosse vide, et pendant qu'il dormait, il avait rêvé du 5 ! 5 ! 5 ! Il s'était réveillé avant l'aube pour filer jusqu'en Pennsylvanie.

Les contours de Mr. Harvey paraissaient bizarrement émoussés. Des années durant, il avait tenu en échec les souvenirs des femmes qu'il avait tuées, mais maintenant, les voilà qui revenaient l'une après l'autre.

La première fille qu'il avait agressée, c'était par accident. Il était devenu fou furieux et n'avait pas pu s'arrêter ou du moins, c'était ce qu'il se racontait pour donner un sens à l'histoire. Elle avait aussitôt quitté le lycée où ils étaient, elle et lui. Mais cela ne lui avait pas paru étrange. Il avait si souvent déménagé… Il avait supposé que la fille avait fait pareil. Il l'avait regretté, ce viol calme, étouffé, d'une camarade d'école, mais il n'avait pas imaginé qu'il portait à conséquence, ni pour lui ni pour elle. C'était comme si, par un bel après-midi, quelque chose d'extérieur à lui avait abouti à la collision de leurs deux corps. Elle l'avait regardé fixement pendant une seconde. Un regard insondable. Puis elle avait remis sa culotte déchirée, l'accrochant à la ceinture de sa jupe pour qu'elle ne tombe pas. Ils n'avaient pas parlé et elle était partie. Il s'était alors fait une entaille au canif, sur le dos de la main. Si son père le questionnait au sujet du sang, il aurait une explication plausible : « Tu vois bien, je me suis fait mal », répondrait-il en montrant la coupure.

Mais son père n'avait pas posé de questions, et personne n'était venu lui demander des comptes. Ni père, ni frère, ni policier.

Et j'ai vu ce que Mr. Harvey sentait près de lui : cette fille. Elle était morte quelques années plus tard, quand son frère s'était endormi, une cigarette à la main. Elle était assise sur le siège avant. Je me demandais combien de temps il lui faudrait pour se rappeler de moi.

Les seuls signes de changement intervenus depuis que Mr. Harvey m'avait livrée aux Flanagan étaient les pylônes orange plantés autour de la doline. Et l'élargissement du trou. Le pan sud-est de la maison penchait ; le porche de l'entrée sombrait tranquillement dans la terre.

Prenant ses précautions, Ray a arrêté la voiture de l'autre côté de Flat Road, sous un massif d'arbustes mal taillés. Même ainsi, le côté passager effleurait le bord du trottoir. « Que sont devenus les Flanagan ? a demandé Ray quand ils sont sortis de la voiture.

– D'après mon père, l'entreprise qui a racheté les lieux leur a offert un dédommagement et ils sont partis.

– Ruth, ça m'a l'air hanté, ce coin », a dit Ray.

Ils ont traversé la route vide. Au-dessus d'eux, le ciel était bleu clair, ponctué de quelques nuages gris fumée. De l'endroit où ils se tenaient, on apercevait l'arrière du magasin de motos de Hal, de l'autre côté des rails.

« Je me demande si c'est toujours Hal Heckler le propriétaire..., a murmuré Ruth. J'avais le béguin pour lui, quand on était plus jeunes. »

Puis elle s'est tournée vers le terrain vague. Ils étaient calmes. Ruth se déplaçait en cercles concentriques, avec le pourtour imprécis de la doline comme destination. Ray était juste derrière Ruth, qui ouvrait la marche. Si on la regardait de loin, la doline paraissait inoffensive – on aurait dit une flaque de boue élargie, qui commencerait à sécher. Il y avait des plaques de mauvaises herbes tout autour. Si l'on regardait d'assez près, on avait l'impression que la terre s'arrêtait pour laisser place à une chair couleur cacao pâle. C'était doux, convexe et cela aspirait tout ce que l'on mettait dedans.

« Comment sais-tu que ça ne va pas nous avaler ? a demandé Ray.

– On n'est pas assez lourds.

– Si tu sens que tu t'enfonces, tu t'arrêtes. »

En les regardant, je me suis souvenue d'avoir tenu Buckley par la main, le jour où on était allé enterrer le frigo. Pendant que mon père parlait à Mr. Flanagan, j'avais marché avec lui jusqu'à l'endroit où la terre était pentue et plus molle ; je jure que je l'avais vaguement sentie céder sous mes pas. Ça avait été la même sensation que dans le cimetière de notre église, lorsque, brutalement, on marchait sur les tunnels creusés par les taupes entre les pierres tombales.

En fin de compte, c'était le souvenir de ces taupes, l'image de ces créatures aveugles, fouineuses et splendides que je recherchais dans les livres, qui m'a aidée à accepter l'idée de sombrer dans la terre, enfermée dans un lourd coffre-fort de métal. Au moins, j'y étais à l'abri des taupes.

Ruth a marché sur la pointe des pieds jusqu'à ce qu'elle supposait être le bord de la doline, tandis que je pensais au rire de mon père en cette journée si lointaine. Sur le chemin du retour, j'avais inventé une histoire pour mon frère. Comment, tout au fond, dans la terre, il y avait un village inconnu de tous dont les habitants accueillaient ces appareils comme des cadeaux venus droit d'un paradis. « Quand notre frigo leur arrivera, avais-je expliqué, ils nous rendront grâce, car c'est une race d'êtres minuscules qui adorent réparer les choses. » Le rire de mon père avait empli la voiture.

« Ruthie, a dit Ray, on a assez avancé. »

Les orteils de Ruth étaient sur la partie molle, ses talons sur le sol dur. À la voir, je sentais qu'elle était capable de tendre les bras les mains jointes et de plonger en plein dedans pour me rejoindre. Mais Ray est arrivé derrière elle.

« Apparemment, dit-il, l'"orifice" rote. »

On regardait tous les trois l'angle d'un objet métallique qui remontait.

« Les grands appareils ménagers des années soixante », a noté Ray.

Ce n'était ni une machine à laver ni un coffre. C'était une vieille gazinière rouge qui refaisait surface, lentement.

« Tu n'as jamais réfléchi à l'endroit où le corps de Susie Salmon avait bien pu échouer ? » a demandé Ruth.

J'avais envie de sortir de sous le massif d'arbustes trop grands qui cachaient à moitié leur voiture bleu glacier, de traverser la route et de marcher jusque dans la doline, d'en remonter et de lui tapoter doucement l'épaule : « Coucou, c'est moi ! Bravo ! Tu as trouvé ! Bingo ! »

« Non, a répondu Ray. Je te laisse faire.

– Ça n'arrête pas de changer, par ici, en ce moment. Chaque fois que je reviens, quelque chose a disparu, qui rendait ce coin pas tout à fait comme les autres.

– Tu veux entrer dans la maison ? » a demandé Ray mais il pensait à moi. À son coup de foudre, quand il avait treize ans. Il m'avait vue marcher devant lui en sortant du collège et ça avait été un ensemble de choses toutes simples : ma drôle de jupe plissée écossaise, mon caban couvert des poils de Holiday, la façon dont mes cheveux châtains que je trouvais ternes attrapaient le soleil de l'après-midi, si bien que la lumière s'y déplaçait avec fluidité d'un point à l'autre, tout ça tandis que nous rentrions à la maison l'un derrière l'autre. Et puis, quelques jours plus tard, quand il s'était levé pendant le cours d'économie, et qu'il avait lu par erreur sa rédaction sur *Jane Eyre* au lieu de celle sur la guerre de 1812 – je l'avais regardé d'une façon qu'il avait trouvée craquante.

Ray a marché vers la maison promise à la démolition, qu'une nuit Mr. Connors avait dépouillée de ses poignées et robinets de valeur. Ruth était restée près de la doline. Ray était déjà dans la maison quand ça s'est produit. Elle m'a vue debout à côté d'elle, en plein jour, les yeux posés sur l'endroit où Mr. Harvey m'avait jetée.

« Susie », a fait Ruth. Elle sentait physiquement ma présence alors qu'elle prononçait mon nom.

Mais je n'ai rien répondu.

« J'ai écrit des poèmes pour toi », a dit Ruth pour essayer de me garder près d'elle. Ce qu'elle avait souhaité toute sa vie se déroulait enfin.

« Tu ne veux rien, Susie ? » a-t-elle demandé.

C'est alors que je me suis évanouie.

Ruth est restée là, chancelante dans la lumière grise du soleil de Pennsylvanie. Et sa question a résonné dans mes oreilles : « Tu ne veux rien ? »

De l'autre côté de la voie ferrée, la boutique de Hal était vide. Il avait pris un jour de congé pour emmener Samuel et Buckley à une exposition de motos, à Radnor. Je voyais les mains de Buckley caresser le garde-boue avant d'une minimoto rouge. Ce serait bientôt son anniversaire. Hal et Samuel l'observaient. Hal avait voulu donner à mon frère le vieux saxo alto de Samuel, mais Grand-Maman Lynn était intervenue.

« Il a besoin de taper sur quelque chose, mon chéri. Mieux vaut éviter ce qui est délicat. » Ainsi Hal et Samuel s'étaient cotisés pour offrir à mon frère une batterie d'occasion.

Grand-Maman Lynn était dans le centre commercial où elle essayait de trouver des vêtements simples mais élégants qu'elle pourrait convaincre ma mère de porter. D'un doigt que des années de pratique avaient rendu expert, elle a extirpé une robe bleu marine d'un portant de robes noires. J'ai vu le regard envieux de la femme à côté d'elle se poser sur le vêtement.

À l'hôpital, ma mère lisait le *Evening Bulletin* de la veille à mon père, qui regardait le mouvement de ses lèvres sans vraiment écouter. Plutôt avec l'envie de l'embrasser.

Et Lindsey.

Je voyais Mr. Harvey prendre le virage pour pénétrer dans mon ancien quartier, en plein jour, sans se soucier d'être remarqué, se fiant à son invisibilité habituelle – là, dans ces rues où tant de personnes avaient dit qu'elles ne l'oublieraient jamais, qu'elles l'avaient toujours trouvé bizarre, et avaient soupçonné que l'épouse morte dont il parlait sous des prénoms différents avait été l'une de ses victimes.

Lindsey était à la maison, seule.

Mr. Harvey est passé devant la maison de Nate. Sa mère ramassait les fleurs blanches de son parterre en forme de haricot, sur le devant. Elle a levé les yeux quand la voiture est passée. Elle a vu la voiture inconnue toute rapiécée ; elle s'est dit que c'était la voiture de quelque ami de fac des enfants des voisins. Elle n'a pas vu Mr. Harvey au volant. Il a tourné à gauche, sur la route en contrebas qui menait par un virage à son ancienne rue. Holiday a gémi à mes pieds, le même style de gémissement sourd et maladif qu'il poussait quand on l'amenait chez le véto.

Ruana Singh tournait le dos. Je la voyais par la fenêtre de la salle à manger, qui rangeait par ordre alphabétique des piles de nouveaux livres et les posait sur des étagères soigneusement tenues. Dehors, il y avait des enfants dans leurs jardins, sur des balançoires, ou qui se pourchassaient avec des pistolets à eau. Un quartier regorgeant de victimes en puissance.

Il a pris le virage au bout de notre rue, et dépassé le petit parc municipal situé en face de la demeure des Gilbert. Le couple était là, Mr. Gilbert étant maintenant invalide. Puis il a vu son ancienne maison, qui n'était plus verte même si, pour ma famille et pour moi, ce serait toujours « la maison verte ». Les nouveaux propriétaires l'avaient peinte d'un ton lavande. Ils y avaient installé une piscine et, sur le côté, près de la fenêtre de la cave, un kiosque en séquoia qui débordait de lierre et de jouets d'enfants. Les parterres devant la maison avaient été dallés quand ils avaient agrandi leur allée centrale ; ils avaient protégé le porche d'entrée par des vitres isolantes, derrière lesquelles il a vu une espèce de bureau. Il entendait résonner des rires de fillettes dans le jardin ; une femme coiffée d'un chapeau de soleil est sortie par la porte, armée d'une paire de cisailles. Elle a dévisagé l'homme immobile dans sa voiture orange. Et elle a senti quelque chose remuer en elle – la palpitation nauséeuse d'un ventre vide. Elle a tourné brusquement les talons ; elle est rentrée et l'a observé depuis sa fenêtre. Sur le qui-vive.

Il a continué sa route jusque quelques maisons plus bas.

Elle était là, ma précieuse sœur. Visible, derrière la fenêtre de l'étage. Elle avait coupé ses cheveux et minci mais c'était bien elle, assise à la table à dessin qu'elle utilisait comme bureau, en train de lire un livre de psychologie.

Ce fut alors que je les ai vus, sur la route.

Tandis qu'il observait la fenêtre de mon ancienne maison en se demandant où étaient les autres membres de la famille et si la jambe de mon père le faisait encore boiter, j'ai vu les derniers restes des animaux et des femmes quitter la maison de Mr. Harvey. Ils avançaient en groupe désordonné. Il regardait ma sœur et pensait aux draps qu'il avait disposés sur les poteaux de la tente nuptiale. Il avait regardé mon père droit dans les yeux, ce jour-là, en prononçant mon nom. Et le chien – celui qui aboyait en passant devant sa maison – le chien était sûrement mort, maintenant.

Lindsey s'est déplacée et je l'ai regardé la regarder. Elle s'est levée et s'est éloignée vers les étagères de livres hautes jusqu'au plafond. Elle a tendu le bras et pris un autre livre. Comme elle revenait vers le bureau, il s'est attardé sur son visage, et là, tout à coup, son rétroviseur a été obturé par l'image d'une voiture de patrouille noire et blanche remontant lentement la rue.

Il savait qu'il ne pouvait pas aller plus vite qu'eux. Il est resté assis dans sa voiture et a rassemblé les derniers vestiges du visage qu'il avait autrefois offert aux autorités, un visage passe-partout, suscitant compassion ou mépris, mais qu'il était impossible d'accuser de quoi que ce soit. Comme la voiture s'approchait de la sienne, les femmes se sont glissées par les vitres et les chats se sont enroulés autour de ses chevilles.

« Vous êtes perdu ? a demandé le jeune policier une fois arrivé au niveau de la voiture orange.

– J'ai habité ici autrefois », a répondu Mr. Harvey. J'ai frémi. Il avait choisi de dire la vérité.

« On nous a téléphoné pour signaler une voiture suspecte.

– Je vois qu'ils sont en train de construire dans l'ancien champ de maïs », a dit Mr. Harvey.

J'ai su alors qu'une partie de moi pouvait rejoindre les autres, s'abattre sur lui, chaque partie du corps qu'il s'était appropriée tombant en pluie dans sa voiture.

« Ils agrandissent le collège.

– J'avais un souvenir plus florissant du quartier, a-t-il dit pensivement.

– Circulez, ça vaut mieux », a répondu le policier. Il était gêné pour Mr. Harvey dans sa voiture rapiécée, mais je l'ai vu noter le numéro de la plaque minéralogique.

« Je n'avais pas l'intention d'effrayer qui que ce soit. »

Mr. Harvey était un pro mais, à ce moment-là, je m'en souciais peu. À chaque tronçon de route qu'il parcourait, je me concentrais sur Lindsey qui, dans notre maison, lisait ses livres de cours, sur les connaissances qui sautaient des pages vers son cerveau, sur son intelligence et son intégrité. À Temple, elle avait décidé de devenir psychothérapeute. Et j'ai pensé à cette alchimie qui composait l'air de notre jardin, devant la maison, un mélange de lumière du jour, de pressentiments maternels et de ronde policière – un mélange qui avait protégé ma sœur. À chaque jour son point d'interrogation.

Ruth n'a pas raconté à Ray ce qui s'était passé. Elle s'est promis de l'écrire d'abord dans son journal. Quand ils ont traversé la route pour revenir à la voiture, Ray a vu quelque chose de mauve dans les broussailles, sur un talus de gravats déversés là par une entreprise de construction.

« Ce sont des pervenches, a-t-il dit à Ruth. Je vais en cueillir pour ma mère.

– Cool, ne te presse pas », a répondu Ruth.

Ray a plongé sous les buissons, du côté du conducteur, et escaladé la pente jusqu'aux pervenches, tandis que Ruth restait près de la voiture. Ray ne pensait plus à moi mais aux sourires de sa mère. Le plus sûr moyen de les obtenir, ces sourires, était de lui trouver des fleurs sauvages et de la regarder les presser après en avoir aplati les pétales dans un dictionnaire ou un quelconque ouvrage de référence. Ray est monté sur le talus et a disparu de l'autre côté, à la recherche de pervenches.

En le voyant disparaître, j'ai senti un picotement le long de ma colonne vertébrale. J'ai entendu gémir Holiday, la peur profondément ancrée dans la gorgc, et je me suis rendu compte que ça ne pouvait pas être pour Lindsey. Mr. Harvey était au sommet d'Eels Rod Pike, et il voyait à présent la doline, avec les pylônes orange assortis à sa voiture. Il se rappelait qu'il avait jeté un corps ici, autrefois. Et aussi le pendentif en ambre de sa mère, comment elle le lui avait tendu, encore tiède de la chaleur de son corps.

Ruth a vu les femmes entassées dans la voiture en robes couleur de sang. Elle a marché vers elles. Sur cette route même où j'avais été enterrée, Mr. Harvey est passé à côté d'elle, qui ne voyait plus que les femmes. Puis ce fut le trou noir.

C'est alors que je suis tombée sur Terre.

22

Effondrement de Ruth sur la route. J'en ai eu pleinement conscience. Mr. Harvey s'enfuyait sans être vu, sans amour, sans y être invité – mais je ne m'en rendais même pas compte.

J'ai basculé, faible, sans plus aucun sens de l'équilibre. Je suis tombée par la porte ouverte du kiosque, j'ai traversé le gazon et franchi la frontière extrême du ciel où j'avais vécu toutes ces années.

J'ai entendu Ray hurler au-dessus de moi, sa voix résonnant dans un arc de cercle : « Ruth, ça va ? » Il est arrivé jusqu'à elle et l'a empoignée.

« Ruth, Ruth, a-t-il crié. Qu'est-ce qui s'est passé ? »

Et je me suis trouvée dans les yeux de Ruth, que j'ai levés. Je sentais la courbe de son dos sur le trottoir, et des frottements à l'intérieur de ses vêtements, là où les arêtes aiguës des graviers avaient déchiré la chair. Je ressentais la moindre sensation – la chaleur du soleil, l'odeur de l'asphalte – mais j'étais incapable de voir Ruth.

J'ai entendu les poumons de Ruth hoqueter et s'engorger tandis que de l'air les emplissait. Puis la tension lui a étiré le corps. Son corps. Ray, au-dessus de nous, dont les yeux gris et vibrants scrutaient la route en tous sens pour chercher une aide inexistante. Il n'avait pas vu la voiture ; il revenait de sa virée dans les broussailles, ravi, avec un bouquet de fleurs sauvages pour sa mère ; et voilà que Ruth gisait sur la route.

Ruth repoussait les limites de sa chair, elle se débattait pour sortir et maintenant, moi, j'étais à l'intérieur, luttant avec elle. Je voulais qu'elle revienne, je ne voulais pas l'accomplissement de cette divine impossibilité, mais elle voulait sortir. Rien ni personne ne pouvait la retenir. Elle voulait s'envoler. J'observais, comme je l'avais si souvent fait depuis le ciel mais, cette fois-ci, à côté de moi, tout était brouillé. Il n'y avait que désir et fureur de s'élever.

« Ruth, a dit Ray. Tu m'entends, Ruth ? »

Juste avant qu'elle ne ferme les yeux, que les lumières ne s'éteignent et que le monde ne soit pris de folie, j'ai plongé dans les yeux gris de Ray Singh. J'ai regardé sa peau sombre et les lèvres que j'avais jadis embrassées. Puis, comme une main qui se dégage d'un lien qui l'enserre, Ruth est passée à côté de lui.

Les yeux de Ray m'ont capturée et la partie de moi qui observait a cédé la place au simple désir, pitoyable, d'être à nouveau vivante sur cette Terre. De ne plus voir d'en haut mais être – comble de douceur – tout près.

Quelque part dans l'Entre-deux si bleu, je l'ai vue, Ruth filant comme un éclair à côté de moi alors que je tombais sur Terre. Mais c'était l'ombre d'une forme humaine, pas un fantôme. Ruth était une fille exceptionnelle qui faisait voler les règles en éclats.

Puis je me suis retrouvée dans son corps.

J'ai entendu une voix m'appeler du ciel. C'était celle de Franny. Elle courait vers le kiosque en criant mon nom. Holiday ne cessait d'aboyer. Puis Franny et

Holiday ont disparu brutalement et tout n'a plus été que silence. J'ai senti quelque chose qui me retenait au sol et une main dans la mienne. Mes oreilles étaient un océan où se noyait tout ce que j'avais connu, voix, visages et faits. Pour la première fois depuis ma mort, j'ai ouvert les yeux et j'ai vu des yeux gris me rendre mon regard. Quand j'ai pris conscience que le poids merveilleux qui me plaquait au sol était celui d'un corps humain, j'étais calme.

J'essayais de parler.

« Non, a coupé Ray. Qu'est-ce qui s'est passé ? »

« J'étais morte », avais-je envie de répondre. Mais comment dit-on : « J'étais morte et me voilà de retour parmi les vivants » ?

Ray s'était agenouillé. Éparpillées autour de moi et sur moi, il y avait les fleurs qu'il avait cueillies pour Ruana. Je distinguais leurs ellipses brillantes sur les vêtements sombres de Ruth. Puis Ray a appliqué son oreille sur ma poitrine pour écouter ma respiration. Il a posé un doigt au creux de mon poignet pour vérifier mon pouls.

« Tu t'es évanouie ? » a-t-il demandé quand il a eu fini ses vérifications.

J'ai acquiescé. Je savais que cette grâce sur Terre ne me serait pas accordée indéfiniment, que le souhait de Ruth n'était que momentané.

« Ça va, je pense », ai-je tenté d'articuler, mais ma voix était trop faible, trop distante, et Ray ne m'a pas entendue. Alors mes yeux se sont rivés aux siens, aussi largement ouverts que possible. Quelque chose m'a poussée à me soulever. J'ai cru que je flottais de nouveau vers le ciel alors qu'en fait, j'essayais de me tenir debout.

« Ruth, a dit Ray. Ne bouge pas si tu te sens faible. Je peux te porter à la voiture. »

Je lui ai souri, un sourire à mille watts. « Ça va », ai-je enfin murmuré.

Timidement, en m'observant soigneusement, il a relâché mon bras mais continué de tenir mon autre main. Il m'a accompagnée quand je me suis relevée, et les fleurs sauvages sont tombées sur le trottoir. Au ciel, les femmes jetaient des pétales de roses sur le passage de Ruth Connors.

J'ai vu sur son beau visage un sourire stupéfait.

« Alors ça va ? » a-t-il demandé.

Plein d'attention, il s'est approché pour m'embrasser, sous le prétexte de vérifier si mes pupilles ne s'étaient pas dilatées.

Je sentais le poids du corps de Ruth, les courbes lascives des seins et des cuisses, et une responsabilité terrifiante. J'étais une âme de retour sur Terre. Partie sans permission du ciel ; on m'avait fait un cadeau. Par un effort de volonté, je me tenais aussi droite que possible.

« Ruth ? »

J'essayais de m'habituer à ce nom. « Oui, ai-je répondu.

– Tu as changé. Quelque chose a changé. »

On était là, debout au milieu de la route, mais cet instant était à moi. Je voulais tellement le lui dire, mais comment ? « Je suis Susie, j'ai très peu de temps. » Mais j'avais trop peur.

« Embrasse-moi, ai-je préféré murmurer.

– Quoi ?

– Tu ne veux pas ? »

J'ai tendu les mains vers son visage et senti le contact d'une barbe qui n'existait pas il y a huit ans.

« Qu'est-ce qui t'est arrivé ? a-t-il demandé, stupéfait.

– Parfois les chats font une chute de dix étages par les fenêtres des gratte-ciel et retombent sur leurs pattes. Et on ne le croit que parce qu'on l'a vu imprimé dans un journal. »

Ray m'a dévisagée, perplexe. Il a incliné la tête et nos lèvres se sont touchées tendrement. J'ai senti ses lèvres fraîches au fin fond de moi. Un autre baiser, précieux bagage, cadeau volé. Ses yeux étaient si proches que je voyais les paillettes vertes qui en tachetaient le gris.

Je lui ai pris la main, et on a marché vers la voiture en silence. Je me suis rendu compte qu'il ralentissait, en tirant sur mon bras ; tous deux, nous guettions le corps de Ruth pour voir si elle tenait bien sur ses jambes.

Il a ouvert la porte du côté passager, je me suis glissée sur le siège et j'ai posé les pieds sur le tapis de sol. Quand il est entré, de l'autre côté, il m'a une fois de plus dévisagée.

« Qu'est-ce qui ne va pas ? » lui ai-je demandé.

Il m'a à nouveau embrassée, légèrement. Mon rêve depuis si longtemps. Le temps a ralenti et je l'ai savouré. La caresse de ses lèvres, sa barbe qui piquait, à peine, et le bruit du baiser – ce léger bruit de succion quand nos lèvres se sont disjointes ; ensuite, la séparation, plus brutale. L'écho en a résonné tout au long de l'infini tunnel de solitude et de faux semblants d'où j'avais observé les contacts et les caresses des autres sur Terre. Je n'avais jamais été touchée de cette manière. J'avais été blessée, uniquement, par des mains ignorant tout de la tendresse. Mais il y avait eu un rayon de lune qui m'avait suivie jusque dans mon paradis, après ma mort, tantôt tourbillonnant tantôt clignotant – le baiser de Ray Singh. Et d'une certaine manière, Ruth le savait.

Mon esprit s'est mis alors à palpiter à cette pensée, moi qui me cachais dans le corps de Ruth sous tous ses aspect sauf un : lorsque Ray m'avait embrassée, quand nos mains s'étaient unies, c'était mon désir qui avait agi et non celui de Ruth, c'était *moi* qui repoussais les limites de sa peau. J'ai vu Holly. Elle riait, la tête à la renverse, puis j'ai entendu le hurlement plaintif de Holiday car j'étais de retour là où, jadis, nous avions tous deux vécu.

« Tu veux aller où ? » m'a demandé Ray.

C'était une question au sens si large, à la réponse si vaste. Je savais, en tout cas, que je n'avais pas envie de traquer Mr. Harvey. J'ai regardé Ray et j'ai su pourquoi j'étais là. Pour emporter là-haut un morceau de paradis que je n'avais jamais connu.

« Au magasin de motos de Hal Heckler, ai-je répondu catégoriquement.

– Quoi ?

– Tu as posé une question.

– Ruth ?

– Oui ?

– Je peux t'embrasser de nouveau ?

– Oui », ai-je répondu, écarlate.

Alors que le moteur tournait déjà, il s'est penché et nos lèvres se sont touchées encore. Au même moment, Ruth faisait une conférence à un groupe de vieux messieurs en béret et col roulé noir qui tenaient en l'air des briquets allumés et scandaient son nom sur une mélodie rythmée.

Ray s'est redressé sur le siège et m'a regardée. « Qu'est-ce qu'il y a ? m'a-t-il demandé.

– Quand tu m'embrasses, je vois le paradis.

– Ça ressemble à quoi ?

– Ce n'est pas pareil pour tout le monde.

– Je veux des détails, a-t-il lancé en souriant. Des faits.

– Fais-moi l'amour, et je te le dirai.

– Qui es-tu ? a-t-il demandé, mais j'ai deviné qu'il ne se rendait pas réellement compte de ce qu'il disait.

– Le moteur est chaud », ai-je répondu.

Sa main a saisi le levier chromé à côté du volant et nous sommes partis – simple comme bonjour – un garçon et une fille côte à côte. Alors qu'il faisait demi-tour, le soleil a frappé les éclats de mica du vieux trottoir rafistolé.

On est descendus jusqu'au fond de Flat Road, et j'ai montré du doigt le sentier de terre, de l'autre côté de Eels Rod Pike, qui menait à un endroit où l'on pouvait traverser la voie ferrée.

« Tout ça va changer, bientôt », a dit Ray en fonçant sur le gravier vers le sentier de terre. D'un côté, la voie ferrée partait en direction de Harrisburg et, de l'autre, vers Philadelphie ; tout le long, les bâtiments étaient rasés et les anciennes familles propriétaires déménageaient pour laisser la place à des locaux industriels.

« Tu veux rester ici quand tu auras fini tes études ? lui ai-je demandé.

– Personne n'a envie de rester ici. Tu le sais bien. »

Je fus comme aveuglée par cette idée ; si j'étais restée sur Terre, j'aurais pu quitter cet endroit, en revendiquer un autre, aller où bon me semblait. Et je me suis demandé alors : si c'était au ciel comme sur Terre ? Ce qui me manquait, c'était l'envie d'errance, de tout ce qui peut arriver quand on laisse aller.

On a roulé sur l'étroite bande de sol dégagée qui bordait le magasin de Hal. Ray s'est arrêté et a mis le frein.

« Pourquoi ici ? a-t-il demandé.

– Nous sommes des explorateurs ; ne l'oublie pas. »

Je l'ai conduit à l'arrière du magasin et j'ai passé la main au-dessus du chambranle de la porte, jusqu'à ce que je trouve la clé qui y était cachée.

« Comment tu savais ?

– J'ai observé des centaines de gens cacher leurs clés. Pas besoin d'être grand clerc pour deviner. »

L'intérieur était tel que je m'en souvenais ; l'odeur lourde de la graisse pour moteurs flottait dans l'air.

« J'ai besoin de me doucher. Fais comme chez toi », ai-je dit.

J'ai contourné le lit et allumé la lampe pendue au bout d'un cordon. Plein de minuscules lueurs blanches se sont mises à scintiller au-dessus de nous. Il n'y avait pas d'autre éclairage, sauf l'éclat poussiéreux venu de la petite fenêtre sur cour.

« Où vas-tu ? m'a demandé Ray. Comment connais-tu cet endroit ? » Sa voix avait pris un ton affolé qu'elle n'avait pas l'instant d'avant.

« Donne-moi juste un peu de temps, Ray. Puis je t'expliquerai. »

Je me suis retirée dans la petite salle de bains en laissant la porte entrouverte. J'ai enlevé les vêtements de Ruth, pendant que l'eau chauffait, et j'espérais qu'elle me voyait, qu'elle voyait son corps comme je le voyais, d'une beauté vivante et parfaite.

La salle de bains était moite, et la vieille baignoire à pieds griffus était sale, ayant tout accueilli sauf l'eau pendant des années. Je l'ai escaladée et je me suis glissée sous la douche. Celle-ci était brûlante mais j'avais encore froid. J'ai appelé Ray et je lui ai demandé d'entrer.

« Je te vois à travers le rideau, a-t-il dit en détournant les yeux.

– Pas de problème, lui ai-je répondu. J'aime bien. Déshabille-toi et viens me rejoindre.

– Susie, tu sais que c'est pas mon genre. »

Mon cœur a sursauté. « Qu'est-ce que tu as dit ? » Je concentrais mon regard sur lui à travers le plastique translucide que Hal avait mis en guise de rideau. Ray apparaissait comme une masse sombre entourée d'une myriade de petites têtes d'épingles lumineuses.

« Je disais que ce n'était pas mon genre.

– Tu m'as appelée Susie. »

Il y eut un silence, puis, un moment plus tard, il a tiré le rideau, en prenant soin de ne regarder que mon visage.

« Susie ?

– Viens ici, ai-je dit, les larmes aux yeux. Je t'en prie, viens ici. »

J'ai fermé les yeux et attendu. J'ai mis la tête sous le jet d'eau et j'ai senti la chaleur picoter mes joues et mon cou, ma poitrine, mon estomac et mon sexe. Puis j'ai entendu ses gestes maladroits, sa boucle de ceinture heurter le sol de ciment froid et ses poches perdre leur monnaie.

J'éprouvais le même sentiment d'anticipation que lorsque, enfant, j'étais allongée sur le siège arrière de la voiture ; j'étais sûre que lorsqu'on s'arrêterait, mes parents me soulèveraient et m'emporteraient jusque dans la maison. C'était une anticipation qui reposait sur la confiance.

Ray a tiré le rideau. Je me suis retournée pour lui faire face et j'ai ouvert les yeux. J'ai senti un souffle merveilleux à l'intérieur de mes cuisses.

« Ça va », ai-je dit.

Il a pénétré doucement dans la baignoire. Tout d'abord, il ne m'a pas touchée mais, ensuite, timidement, il a suivi du doigt une longue cicatrice sur mon côté. On a regardé ensemble son doigt se déplacer le long du ruban de la blessure.

« Accident de volley-ball de Ruth, 1975 », ai-je murmuré. J'ai frissonné à nouveau.

« Tu n'es pas Ruth », a-t-il répondu, et l'étonnement a envahi son visage.

J'ai pris la main qui était arrivée à l'extrémité de la blessure et l'ai placée sous mon sein gauche.

« Ça fait des années que je vous regarde tous les deux, ai-je dit. Je veux que tu me fasses l'amour. »

Ses lèvres se sont entrouvertes pour parler mais ce qui arrivait était trop étrange pour être dit à voix haute. Du pouce, il a effleuré le bout de mes seins et j'ai attiré sa tête contre moi. On s'est embrassés. L'eau descendait entre nos deux corps, mouillant les poils clairsemés de sa poitrine. Je l'ai embrassé parce que je voulais voir Ruth et Holly, et savoir si elles pouvaient me voir. Sous l'eau de la douche, j'ai pu pleurer et Ray baiser mes larmes, dont j'ignorais la raison précise.

J'ai touché et pris chaque partie de son corps entre mes mains. J'ai entouré son coude de ma paume. Mes doigts tiraient fort sur ses poils pubiens. J'ai tenu cette partie de son être que Mr. Harvey avait introduite de force en moi. Dans ma tête, j'ai dit le mot *gentil* et puis j'ai dit le mot *homme*.

« Ray ?

– Je ne sais pas comment t'appeler.

– Susie. »

J'ai posé les doigts sur ses lèvres pour arrêter ses questions. « Tu te souviens du billet que tu m'as écrit ? Tu te souviens que tu te surnommais Le Maure ? »

Pendant un moment, on est restés tous les deux debout, et j'ai regardé l'eau de la douche perler sur ses épaules, puis glisser et tomber.

Sans un mot de plus, il m'a soulevée et je l'ai entouré de mes jambes. Il s'est éloigné de la douche pour se servir du bord de la baignoire comme support. Quand il a été en moi, mes mains ont agrippé son visage et je l'ai embrassé le plus fort possible.

Au bout d'une bonne minute, il s'est retiré. « Dis-moi à quoi ça ressemble.

– Parfois, c'est un peu comme le lycée, ai-je répondu, le souffle court. Je ne suis pas allée au lycée, bien sûr, mais, dans mon paradis, je peux faire un feu de joie dans les salles de classe et courir dans les couloirs en hurlant de toutes mes forces. Mais ça n'est pas toujours comme ça. Ça peut ressembler à la Nouvelle-Écosse, à Tanger ou au Tibet. Ça ressemble à tout ce que tu veux.

« Est-ce que Ruth y est, en ce moment ?

– Ruth fait de l'expression orale, pour l'instant, mais elle reviendra.

– Tu peux te voir, là ?

– Je suis ici, en ce moment.

– Mais bientôt tu seras partie. »

Alors nous avons fait l'amour. Nous avons fait l'amour sous la douche, dans la chambre, sous les lumières des fausses étoiles fluorescentes. Pendant qu'il se reposait, j'ai embrassé la ligne de sa colonne vertébrale et j'ai béni chacune de ses masses musculaires, chaque grain de beauté, et chaque imperfection.

« Ne pars pas », m'a-t-il dit, et ses yeux, gemmes brillantes, se sont fermés puis j'ai senti la respiration superficielle de son sommeil.

« Je m'appelle Susie, ai-je murmuré, nom de famille Salmon, comme le poisson. » J'ai incliné la tête pour me reposer sur sa poitrine et m'endormir à côté de lui.

Quand j'ai ouvert les yeux, la petite fenêtre en face de nous était rouge sombre et j'ai senti qu'il ne me restait pas beaucoup de temps. Dehors, le monde que j'avais si longtemps observé vivait et respirait – cette Terre où je me trouvais à présent. Mais je savais que je ne sortirais pas la visiter. J'avais préféré occuper le temps octroyé à tomber amoureuse. Avec un sentiment de totale vulnérabilité, un sentiment que je n'avais pas éprouvé dans la mort – la vulnérabilité qui est celle de la vie même, la pitoyable et sombre grandeur de la condition humaine, qui n'est que tâtonnements, bras tendus vers la lumière, une vaste navigation dans l'inconnu.

Le corps de Ruth s'affaiblissait. Je me suis relevée sur un coude et j'ai regardé Ray dormir. Je savais que bientôt, j'allais partir.

Quand ses yeux se sont rouverts, peu après, je l'ai regardé et j'ai suivi des doigts les traits de son visage.

« Tu penses parfois aux morts, Ray ? »

Il a cligné des yeux et m'a regardée.

« Je fais médecine.

– Je ne parle pas de cadavres, ni de maladies, ni d'organes affaissés mais de ce dont Ruth parle. Je veux dire nous.

– Oui, parfois j'y pense. Je me suis toujours posé des questions.

– On est ici, tu sais. Tout le temps. Tu peux nous parler et penser à nous. Ça n'a pas besoin d'être triste ou effrayant.

– Je peux encore te toucher ? » Il a enlevé les draps pour s'asseoir.

Alors j'ai aperçu quelque chose au pied du lit de Hal. C'était nuageux et immobile. J'ai essayé de me persuader que c'était un effet de lumière, une masse de grains de poussière piégés par le soleil couchant. Mais quand Ray a tendu le bras pour me toucher, je n'ai rien senti.

Ray s'est penché plus près de moi et m'a embrassée doucement sur l'épaule. Je ne l'ai pas senti non plus. Je me suis pincée sous la couverture. Rien.

La masse nuageuse au pied du lit commençait à prendre forme. Comme Ray se glissait hors du lit, j'ai vu des hommes et des femmes remplir la pièce.

« Ray », ai-je lancé juste avant qu'il n'atteigne la salle de bains. Je voulais lui dire « Tu me manqueras », ou « Ne pars pas », ou « Merci ».

« Oui.

– Il te faudra lire le journal de Ruth.

– On me paierait qu'on ne m'empêcherait pas. »

Mon regard traversait les silhouettes imprécises des esprits assemblés au pied du lit et je l'ai vu me sourire. Vu son corps fragile et tant aimé se retourner puis franchir le seuil. Souvenir frêle et brutal.

Alors que des vagues de vapeur sortaient de la salle de bains, je me suis dirigée lentement vers le petit bureau d'enfant où Hal entassait factures et registres. J'ai pensé à Ruth, à comment je n'avais rien vu venir – la merveilleuse possibilité dont elle avait rêvé depuis notre rencontre sur le parking. Au lieu de ça, j'avais tout misé sur l'espoir, sur la Terre comme au ciel. Devenir photographe d'animaux sauvages, gagner un oscar en première, embrasser encore Ray Singh. Regardez ce qui arrive, quand on espère.

Devant moi, j'ai vu un téléphone et je l'ai pris. J'ai fait le numéro machinalement, comme une serrure dont on trouverait la combinaison simplement en faisant tourner le bouton dans sa main.

À la troisième sonnerie, quelqu'un a décroché.

« Allô ?

– Allô, Buckley ?

– C'est qui ?

– C'est moi, Susie.

– C'est qui ?

– Susie, ta grande sœur.

– J'entends rien. »

J'ai fixé le téléphone un instant puis j'ai senti leur présence. La pièce était maintenant pleine de ces esprits silencieux. Parmi eux, il y avait des enfants et des adultes. « Qui êtes-vous ? D'où venez-vous, tous ? » ai-je demandé, mais ce qui avait été ma voix ne faisait plus aucun bruit dans la pièce. Je m'en suis rendu compte, alors : j'étais assise à regarder les autres mais Ruth était affalée en travers du bureau.

« Tu peux me balancer une serviette ? » a hurlé Ray en refermant l'eau.

Comme je ne répondais pas, il a écarté le rideau. Je l'ai entendu sortir de la baignoire et venir sur le seuil. Il a vu Ruth et a couru vers elle. Il lui a touché l'épaule ; tout endormie, elle s'est redressée. Ils se sont regardés. Elle n'a rien eu à dire. Il savait que j'étais partie.

Je me souvenais d'un jour où nous étions rentrés en train, avec mes parents, Lindsey et Buckley. Nous avions pénétré dans un tunnel obscur. C'était ce que l'on ressentait en quittant la Terre pour la seconde fois. Une destination en quelque sorte inévitable, les paysages si souvent vus en passant. Mais cette fois-ci, je n'étais pas seule, ni en morceaux, et je savais qu'on faisait un très long voyage vers un lieu fort lointain.

Quitter à nouveau la Terre fut plus simple que d'y revenir. Je voyais deux vieux amis se serrer dans les bras l'un de l'autre, silencieusement, au fond de l'arrière-boutique de Hal ; aucun des deux n'était prêt à dire tout haut ce qui lui était arrivé. Ruth était à la fois plus fatiguée et plus heureuse qu'elle ne l'avait jamais été. Quant à Ray, ce qu'il avait traversé, les possibilités effleurées, commençaient tout juste à pénétrer son esprit.

23

Le lendemain matin, l'odeur du pain cuit par sa mère s'infiltra dans l'escalier jusque dans la chambre où Ray et Ruth étaient allongés côte à côte. En une nuit, leur monde avait basculé. Aussi simplement que ça.

Après avoir effacé toute trace de leur passage dans le magasin de motos de Hal, Ray et Ruth avaient repris en silence la voiture et roulé vers la maison des Singh. Plus tard dans la nuit, Ruana les avait trouvés endormis tout habillés, lovés l'un contre l'autre, et elle avait été heureuse de voir que Ray avait une amie, aussi étrange soit-elle.

Vers trois heures du matin, il avait bougé. Il s'était redressé pour regarder Ruth, ses jambes et ses bras dégingandés, ce corps merveilleux auquel il avait fait l'amour, et il avait senti une chaleur soudaine l'envahir. Il avait tendu la main pour la toucher, et juste à ce moment-là, la fenêtre – d'où je l'avais regardé toutes ces années travailler à son bureau – avait laissé pénétrer un rayon de lune, qui avait atterri sur le plancher. Le suivant du regard, il avait aperçu le sac de Ruth.

Soucieux de ne pas la réveiller, il se glissa hors du lit et découvrit son journal, dont il entama la lecture.

« À un bout des plumes, il y a l'air et à l'autre, du sang. Je lève les os devant moi ; je souhaite que, tel du verre brisé, ils puissent courtiser la lumière… J'essaye encore de remettre en place ces morceaux, de les fixer solidement, afin de faire revivre toutes ces filles assassinées. »

Il feuilleta un peu plus loin.

« Penn Station, toilettes, lutte jusque vers les lavabos. Femme plus âgée.

« Dispute conjugale. Avenue C. Mari et femme.

« Toit sur Mott Street, une fillette de dix ans, tuée par balles.

« Heure ? Fillette dans Central Park s'égare vers les buissons. Col fantaisie en dentelle blanche. »

Il faisait incroyablement froid dans la pièce, mais il continua de lire, ne relevant la tête que lorsqu'il entendit Ruth bouger.

« J'ai plein de trucs à te raconter », dit-elle.

Mrs. Eliot aida mon père à s'installer sur la chaise roulante tandis que ma mère et ma sœur s'affairaient dans la pièce ; elles rassemblaient les jonquilles pour les ramener à la maison.

« Mrs. Eliot, dit-il, je n'oublierai pas votre gentillesse mais j'espère ne pas vous revoir avant longtemps.

– Moi de même », répondit-elle. Elle regarda ma famille, debout dans la pièce, l'air embarrassé. « Buckley, ajouta-t-elle, ta mère et ta sœur ont les bras pleins. À toi de jouer.

– Vas-y doucement, Buck », dit mon père.

Je les ai regardés avancer tous quatre le long du couloir en direction de l'ascenseur, Buckley et mon père en tête, tandis que Lindsey et ma mère fermaient la marche, les bras emplis de jonquilles dont les tiges dégouttaient d'eau.

Dans l'ascenseur, Lindsey plongea les yeux dans le cœur des fleurs jaune vif. Elle se rappelait que Samuel et Hal avaient trouvé des jonquilles jaunes déposées dans le champ de maïs, le soir du premier rassemblement. Ils n'avaient jamais su qui les avait mises là. Ma sœur regarda les fleurs, puis ma mère. Elle sentait le corps de mon frère contre le sien. Notre père, assis dans la petite chaise roulante de l'hôpital, avait l'air fatigué mais heureux de rentrer à la maison. Quand les portes du hall d'entrée s'ouvrirent devant eux, je sus qu'ils étaient destinés à être là, tous les quatre ensemble, seuls.

Tandis que les mains de Ruana, mouillées et enflées, épluchaient les pommes l'une après l'autre, son esprit entreprit de prononcer le mot qu'elle avait évité pendant toutes ces années : *divorce*. Ce qui, finalement, l'avait libérée, c'était la position toute chiffonnée de Ruth et Ray enlacés. Elle ne pouvait se rappeler quand, pour la dernière fois, elle s'était couchée en même temps que son mari. Il entrait dans la pièce comme un fantôme et, comme un fantôme, il se glissait entre les draps en les froissant à peine. Il n'avait pas de ces attitudes déplaisantes telles qu'on en voyait à la télévision et dans les journaux. Son absence seule signait sa cruauté. Même quand il venait s'asseoir à table pour manger ce qu'elle avait préparé, il n'était pas là.

Entendant au-dessus de sa tête l'eau couler dans la salle de bains, elle décida d'attendre ce qu'elle estimait être un intervalle raisonnable avant de les appeler. Ma mère lui avait téléphoné ce matin-là pour la remercier de leur conversation, lorsqu'elle avait appelé de Californie. Ruana avait l'intention de déposer chez elle une tarte.

Après avoir tendu une tasse de café à Ruth et à Ray, Ruana annonça qu'il était déjà tard ; elle souhaitait que Ray l'accompagne chez les Salmon, où elle laisserait simplement sa tarte sur le seuil de leur maison.

« Attendez encore un peu ! » lança Ruth.

Ruana la dévisagea.

« Désolé, maman, a dit Ray. Mais hier, on a eu une sacrée journée. » Sa mère aurait bien du mal à en croire le récit, s'il la lui racontait jamais.

Ruana se tourna vers le plan de travail et apporta l'une des deux tartes qu'elle avait préparées sur la table ; son parfum s'éleva en une brise vaporeuse par les trous percés dans la croûte qui recouvrait les pommes. « Petit déjeuner ? demanda-t-elle.

– Vous êtes géniale ! » s'exclama Ruth.

Ruana sourit.

« Allez-y, mangez tout, puis habillez-vous et vous m'accompagnerez. »

Ruth regarda Ray et dit : « En fait, j'ai une course à faire, mais je repasserai un peu plus tard. »

Hal apporta la batterie à mon frère. Ma grand-mère et lui s'étaient mis d'accord. L'anniversaire de Buckley n'aurait lieu que dans plusieurs semaines mais il en avait besoin. Samuel avait laissé Lindsey et lui partir chercher mes parents à l'hôpital. Ce serait pour eux une double fête, ce retour à la maison. Ma mère était restée avec mon père quarante-huit heures d'affilée, pendant lesquelles le monde avait changé, pour eux et pour d'autres ; je le voyais bien maintenant, il continuerait encore de changer. Impossible de l'en empêcher.

« Je sais que c'est un peu tôt pour s'y mettre, a dit Grand-Maman Lynn, mais tu veux boire quoi, mon garçon ?

– Je croyais qu'on avait parlé de champagne.

– Plus tard, dit-elle. J'offre l'apéritif.

– Je ne reste pas. Je prendrai quelque chose plus tard, avec Lindsey.

– Hal ?

– J'apprends à Buck à jouer de la batterie. »

Grand-Maman Lynn retint sa langue sur la sobriété discutable de quelques jazzmen célèbres. « Bien, que dirais-tu alors de trois petites mesures scintillantes d'*aqua simplex* ? »

Ma grand-mère retourna dans la cuisine chercher les boissons. Je l'aimais beaucoup plus depuis que j'étais morte. Je souhaiterais pouvoir dire qu'à cet instant précis, dans la cuisine, elle décida d'arrêter de boire ; mais je voyais bien que boire était pour elle une seconde nature. Si le pire souvenir qu'elle laissait sur Terre à sa mort était son soutien moral alcoolisé, je me disais que ce n'était déjà pas si mal.

Elle apporta les glaçons du freezer dans l'évier et en fit tomber sept dans chaque grand verre. Elle fit couler le robinet pour que l'eau soit aussi fraîche que possible. Son Abigail était de retour à la maison. Sa drôle d'Abigail qu'elle aimait.

Quand elle leva les yeux, elle crut voir par la fenêtre une jeune fille vêtue comme dans sa jeunesse, assise devant le fort-abri de jardin de Buckley, qui lui rendait son regard. L'instant d'après, la fille avait disparu. Elle écarta la vision. La journée à venir serait bien remplie. Elle n'en parlerait à personne.

Quand la voiture de mon père s'arrêta dans l'allée, je me suis demandé si c'était ce que j'attendais, le retour de ma famille à la maison, pas un retour vers moi mais les uns vers les autres, sans moi.

Dans la lumière de l'après-midi, mon père paraissait plus petit, plus mince, mais dans ses yeux brillait une gratitude qui auparavant n'existait pas.

Ma mère, quant à elle, se convainquait petit à petit qu'elle pourrait supporter le retour au bercail.

Ils sortirent tous quatre en même temps, Buckley du siège arrière, pour aider mon père, peut-être plus qu'il n'en avait besoin, peut-être aussi pour le protéger de ma mère. Lindsey regardait notre frère pardessus le capot de la voiture – elle vérifiait tout, selon son habitude. Tout comme mon père, tout comme mon frère, elle se sentait responsable. Puis elle se retourna et vit ma mère qui la regardait, le visage éclairé par la lumière jaune des jonquilles.

« Qu'est-ce qu'il y a ?

– Tu es le portrait craché de ta grand-mère paternelle, dit ma mère.

– Aide-moi à porter les sacs », répondit ma sœur.

Elles firent le tour de la voiture tandis que Buckley aidait mon père à remonter l'allée.

Lindsey plongea le regard dans le trou noir du coffre. Une seule chose l'intéressait.

« Est-ce que tu vas encore le faire souffrir ?

– Je ferai mon possible pour l'éviter, répondit ma mère, mais je préfère ne rien promettre. » Elle attendit que le regard de Lindsey se relève et se fixe sur elle. Ses yeux étaient un défi, maintenant. C'étaient ceux d'une enfant qui a grandi trop vite, et couru trop vite aussi, depuis le jour où la police avait lancé : *il y a trop de sang par terre, votre fille/sœur/enfant est morte.*

« Je sais ce que tu as fait.

– Je me le tiens pour dit. »

Ma sœur souleva le sac.

Elles entendirent crier. Buckley sortit sur le seuil en courant. « Lindsey ! cria-t-il en oubliant d'être grave, son corps lourdaud soudain débordant de vie. Viens voir ce que Hal m'a apporté ! »

Et il se mit à jouer. Encore et encore et encore. Après cinq minutes, Hal restait le seul à sourire. Les autres avaient compris que le futur promettait d'être bruyant.

« Ce serait peut-être le bon moment de lui présenter les balais, non ? » suggéra Grand-Maman. Hal s'exécuta.

Ma mère, après avoir tendu les jonquilles à Grand-Maman Lynn, était montée, pour aller aux toilettes, avait-elle dit. Tout le monde avait compris qu'elle allait dans mon ancienne chambre.

Elle resta sur le seuil, seule, comme si elle se tenait au bord du Pacifique. La chambre était toujours de la même couleur lavande. Mis à part le relax de ma grand-mère, le mobilier n'avait pas changé.

« Je t'aime Susie », dit-elle.

J'avais si souvent entendu ces mots-là dans la bouche de mon père que là, ils me choquèrent ; j'avais attendu, sans le savoir, de les entendre dire par elle. Il lui avait fallu le temps d'apprendre que cet amour ne la détruirait pas, et je savais maintenant que je lui avais laissé ce temps-là, d'autant plus facilement que j'en avais à revendre.

Elle remarqua une photo sur la commode, placée par Grand-Maman Lynn dans un cadre doré. C'était la toute première que j'avais prise d'elle – mon portrait secret d'Abigail, avant que la famille ne se réveille et qu'elle n'ait mis du rouge à lèvres. Susie Salmon, photographe d'animaux sauvages, avait saisi une femme dont le regard se perdait par-delà son brumeux gazon de banlieue résidentielle.

Elle alla aux toilettes, faisant bruyamment couler le robinet et dérangeant les serviettes. Elle sut tout de suite que c'était sa mère qui les avait achetées – elles étaient d'une couleur crème, ridicule pour des serviettes, avec, en prime, un monogramme tout aussi ridicule, pensa-t-elle. Dans un même temps cependant, elle se moqua d'elle-même. Elle commençait à se demander à quoi lui avait servi pendant toutes ces années sa tactique de la terre brûlée. Sa mère était aimante même quand elle avait bu, solide même quand elle était futile. Quand convenait-il de laisser aller, non seulement les morts mais aussi les vivants, pour apprendre à accepter l'évidence ?

Je n'étais pas dans la salle de bains. Ni dans la baignoire ni dans le robinet ; je n'étais pas en majesté dans le miroir au-dessus de sa tête, pas plus que je ne me trouvais miniaturisée à l'extrémité d'un poil de la brosse à dents de Lindsey ou de Buckley. D'une façon qui me demeurait inexplicable… avaient-ils trouvé le bonheur ? Mes parents étaient-ils à nouveau ensemble pour toujours ? Buckley avait-il confié ses problèmes à quelqu'un ? Le cœur de mon père allait-il vraiment se remettre ? J'étais lasse de soupirer après eux tout en ayant besoin qu'ils soupirent après moi. Même si cela m'arriverait encore. Et à eux aussi. Éternellement.

En bas, Hal tenait le poignet de Buckley, qui tenait les balais. « Passe-les légèrement sur la caisse claire. » Ce que fit Buckley, en jetant un coup d'œil à Lindsey assise en face de lui, sur le canapé.

« Pas mal du tout, Buck, dit ma sœur.

– On dirait un serpent à sonnette. »

Voilà qui plut à Hal. « Exactement », dit-il, et il eut aussitôt en tête une image de son groupe de jazz idéal.

Ma mère redescendit. Quand elle pénétra dans la pièce, elle vit d'abord mon père. Silencieusement, elle essaya de lui faire comprendre qu'elle allait bien, qu'elle pouvait encore respirer, et régler ce petit problème d'altitude.

« *Okay*, tout le monde ? cria ma grand-mère depuis la cuisine, Samuel a une nouvelle à vous annoncer, asseyez-vous ! »

Tout le monde rit et, avant qu'ils ne retournent dans leurs jardins secrets – cette proximité leur était difficile bien qu'ils la souhaitent tous –, Samuel entra dans la pièce avec Grand-Maman Lynn. Elle portait un plateau de flûtes à champagne prêtes à être remplies. Il jeta un bref regard à Lindsey.

« Lynn va m'aider à servir, dit-il.

– Elle est très forte pour ça, ajouta ma mère.

– Abigail ? a demandé Grand-Maman Lynn.

– Oui ?

– Contente de te revoir.

– Vas-y, Samuel, l'encouragea mon père.

– Je voulais vous dire que j'étais heureux d'être ici avec vous tous... »

Mais Hal connaissait son frère. « Vas-y, c'est bon ! Buck, donne-lui du balai. »

Cette fois Hal laissa faire Buckley sans l'aider, et mon frère encouragea Samuel.

« Je voulais juste dire que j'étais content que Mrs. Salmon soit de retour, Mr. Salmon aussi, et que je suis très flatté d'épouser leur ravissante fille.

– Oyez ! Oyez ! » s'écria mon père.

Ma mère se leva pour prendre le plateau à Grand-Maman Lynn, et elles distribuèrent un verre à chacun.

Tout en regardant ma famille siroter du champagne, j'ai songé au va-et-vient de leurs vies depuis ma mort. Puis, alors que Samuel osait prendre l'initiative d'embrasser Lindsey dans une pièce pleine de gens, j'ai senti qu'on m'emportait très haut, loin de tout ça.

C'était là la jolie ossature qui s'était construite de partout à la fois pendant mon absence, faite de structures parfois fragiles, parfois créées dans la douleur, mais souvent magnifiques, et forgées après ma disparition. Et je commençais à voir les choses sous un angle qui me permettait d'englober le monde tout en n'y étant plus. Les événements façonnés par ma mort n'étaient que les os d'un corps qui se retrouverait entier à quelque imprévisible moment du futur. Ma vie avait été le prix à payer pour qu'il me soit donné de voir ce corps miraculeux.

Mon père regardait sa fille qui se tenait devant lui. Celle de l'ombre, le fantôme, était partie.

Hal ayant promis à Buckley qu'il lui enseignerait les roulements après dîner, celui-ci posa ses balais et ses baguettes, et tous les sept traversèrent la cuisine à la queue leu leu, direction la salle à manger, où Grand-Maman Lynn avait sorti la vaisselle du dimanche pour servir ses somptueux gâteaux sortis tout droit d'une préparation en sachet.

« Y a quelqu'un dehors, a dit Hal, qui avait repéré une silhouette masculine derrière la fenêtre. C'est Ray Singh !

– Fais-le entrer, dit ma mère.
– Il repart. »

Hormis mon père et ma grand-mère, qui restèrent dans la salle à manger, tous les autres partirent le rattraper.

« Hé ! Ray ! » lança Hal en butant sur la tarte posée devant la porte.

– Attends ! »

Ray se retourna. Sa mère était dans la voiture, dont le moteur tournait.

« On ne voulait pas vous déranger », expliqua Ray à Hal, Lindsey, Samuel, Buckley et une femme qu'il reconnut comme étant Mrs. Salmon, tous rassemblés sous le porche.

« C'est Ruana ? demanda ma mère. Fais-la donc entrer.

– Non, non, sans façons », protesta Ray qui n'esquissa aucun mouvement pour s'approcher. Il se demanda : *Susie regarde-t-elle tout ça ?*

Lindsey et Samuel se détachèrent du groupe et s'avancèrent.

Ma mère avait déjà descendu la petite allée qui menait à la grande ; elle se pencha à la portière pour parler avec Ruana.

Ray jeta un coup d'œil à sa mère, qui sortit de la voiture. « Pour nous, tout sauf de la tarte, précisa-t-elle en remontant l'allée.

– Le docteur Singh travaille ? demanda ma mère.

– Comme d'habitude », répondit Ruana. Elle regarda Ray franchir le seuil en compagnie de Lindsey et Buckley. « Est-ce que vous viendrez fumer de nouveau des cigarettes puantes avec moi ?

– Marché conclu », répondit ma mère.

« Bonjour, Ray, assieds-toi », lança mon père quand il le vit traverser le living vers la salle à manger. Le garçon qui avait aimé sa fille occupait dans son cœur une place toute particulière, mais Buckley fonça sur la chaise la plus proche de lui avant que personne d'autre ne puisse s'y installer.

Lindsey et Samuel trouvèrent deux sièges dans le living et les apportèrent à côté de la desserte. Ruana s'assit entre Grand-Maman Lynn et ma mère, et Hal s'assit seul à un bout de la table.

Je me rendis compte alors qu'ils ne remarqueraient même pas mon départ, pas plus qu'ils n'avaient pu savoir que j'avais plané dans telle ou telle pièce. Buckley m'avait parlé et je lui avais répondu. Même si je n'en avais pas eu l'impression, je l'avais fait. Je me manifestais sous la forme qu'ils appelaient de leurs vœux.

La voilà, marchant seule à nouveau dans le champ de maïs tandis que les gens que j'aimais le plus au monde étaient réunis dans une même pièce. Elle me sentirait toujours et penserait toujours à moi. Je le voyais bien, mais je ne pouvais plus rien faire. Ruth avait été une jeune fille habitée et maintenant elle serait une femme habitée. Auparavant accidentellement, et, désormais, délibérément. L'histoire de ma vie et de ma mort était entièrement sienne, pour peu qu'elle choisisse de la conter ne serait-ce qu'à une seule personne à la fois.

⁂

La visite de Ray et Ruana s'était déjà fort prolongée quand Samuel se mit à parler de la maison gothique que Lindsey et lui avaient découverte en bordure d'un tronçon boisé de la route 30. Comme il en donnait les détails à Abigail, lui confiant qu'il avait pris conscience à cet endroit précis de son désir d'épouser Lindsey, Ray le questionna : « Est-ce qu'il y a un gros trou dans le plafond de la pièce de derrière, et des fenêtres d'aération au-dessus de la porte d'entrée ?

– Oui. » Mon père donnant des signes d'inquiétude, il ajouta : « Mais ça peut être réparé, Mr. Salmon. J'en suis sûr.

– Elle appartient au père de Ruth », expliqua Ray.

Tout le monde demeura silencieux un instant, puis Ray poursuivit.

« Il a hypothéqué son entreprise pour acheter les vieilles maisons des environs encore récupérables. Il veut les restaurer.

– Doux Jésus… » fit Samuel.

Mais je n'étais plus là.

Ossements

On ne remarque pas le départ des morts quand ils choisissent de vous quitter vraiment. On n'est pas censé le faire. Tout au plus sent-on leurs ondulations décroître, comme un murmure ou une vague de murmures. Je comparerais ça à la présence d'une femme au fond d'un amphi ou d'une salle de cinéma, que personne ne remarque quand elle se glisse dehors. Seuls ceux qui sont près de la porte, comme Grand-Maman Lynn, s'en rendent compte ; pour les autres, c'est comme une brise inexplicable, incompréhensible, dans une pièce fermée.

Grand-Maman Lynn mourut quelques années plus tard, mais je ne l'ai pas encore vue par ici. Je l'imagine se faisant des relations dans son propre paradis, buvant des whiskys glacés à la menthe avec Tennessee Williams et Dean Martin. Elle viendra quand elle en aura envie, j'imagine.

Pour être honnête avec vous, je m'échappe encore, parfois, pour aller regarder ma famille. Je ne peux m'en empêcher et, parfois, ils pensent encore à moi. Eux non plus ne peuvent s'en empêcher.

Après leur mariage, Samuel et Lindsey se sont installés dans la maison vide sur la Route 30, où ils ont bu du champagne. Les branches des arbres, trop grands, avaient poussé tout contre les fenêtres du haut et s'étaient lovées par-dessous ; il faudrait un jour songer à les couper. Le père de Ruth avait promis de leur vendre la maison en échange des heures que Samuel effectuerait en sa qualité de premier employé de son entreprise de restauration. Vers la fin de cet été-là, Mr. Connors avait nettoyé la parcelle avec l'aide de Samuel et Buckley et installé une caravane ; elle serait son quartier général pendant la journée, et le bureau de Lindsey le soir.

Au début, ce fut inconfortable : pas de plomberie ni d'électricité, obligation d'aller chez les parents de l'un ou de l'autre pour se doucher. Mais Lindsey était plongée dans ses études et Samuel dans sa quête pour des poignées de porte et des appliques d'époque. Tout le monde fut étonné quand Lindsey annonça qu'elle était enceinte.

« Je me disais bien aussi que tu avais l'air d'avoir grossi », lui lança Buckley en souriant.

Mon père rêvait déjà de transmettre un jour à un nouvel enfant l'amour des bateaux en bouteille. Il savait que ce serait à la fois triste et joyeux ; qu'ainsi j'y serais toujours associée.

J'aimerais vous dire qu'ici, c'est beau, que je suis, et que vous serez, vous aussi, un jour, en sécurité. Mais dans ce paradis, le problème n'est pas la sécurité, pas plus que la dure réalité. On s'y amuse bien.

On fait des choses pour les humains, qui les laissent déconcertés mais pleins de reconnaissance : par exemple, le jardin de Buckley. Il sortit en une année, avec un méli-mélo délirant de plantes fleuries toutes en même temps. Je l'avais fait pour ma mère. Puis-qu'elle était restée, elle devait à nouveau l'affronter, ce jardin. Elle s'émerveillait des fleurs, des herbes et des plantes en boutons. Pratiquement tout ce qu'elle faisait depuis son retour c'était de s'émerveiller – un émerveillement inspiré par les tournants que prenait la vie.

Mes parents donnèrent le restant de mes affaires aux bonnes œuvres, ainsi que celles de Grand-Maman.

Ils continuèrent de partager ma présence quand ils la ressentaient. Être ensemble, penser aux morts et en parler devint une partie tout à fait normale de leur vie. Et j'écoutais mon frère Buckley jouer de la batterie.

Ray devint docteur Singh, « le seul vrai docteur de la famille », comme se plaisait à dire Ruana. Et ses convictions allaient croissant. Même si, autour de lui, un monde de chirurgiens et de savants sérieux faisaient la loi dans un monde de certitudes, il soutenait cette hypothèse : les formes humaines qui apparaissaient parfois aux mourants comme pour les guider n'étaient pas des hallucinations consécutives à une attaque cérébrale ; il avait réellement appelé Ruth par mon nom ; il m'avait bel et bien fait l'amour.

Si jamais il avait un doute, il téléphonait à Ruth. Ruth qui avait quitté son placard pour emménager dans un studio de la taille d'un placard, dans le Lower East Side. Ruth qui cherchait toujours le moyen de mettre par écrit ce qu'elle avait vu, ce qu'elle avait vécu. Ruth qui voulait que tout le monde croie ce que, elle, savait de source sûre : les morts parlent vraiment aux vivants ; dans l'air qui flotte entre les gens, il y a les esprits, qui font leur petite révérence, et qui, aussi, rient avec nous. Ils sont notre oxygène.

Maintenant, je suis dans un lieu que j'appelle le grand grand paradis, parce qu'il répond à tous mes désirs, des plus simples et des plus humbles jusqu'aux plus grandioses. Le mot qu'emploie mon grand-père est *bien-être*.

On y trouve des gâteaux, des coussins et des couleurs à volonté mais, en dessous de cette couverture en patchwork voyant, il existe des lieux comme cette pièce tranquille où l'on peut aller tenir la main de quelqu'un sans obligation de lui parler. Pas d'explication à fournir. Pas de réclamation. On peut y vivre aux marges de son épiderme aussi longtemps qu'on le désire. Ce paradis élargi parle de clous à tête plate et du doux duvet des feuilles nouvelles, de courses folles en montagnes russes et de billes échappées, qui tombent puis restent en suspens et puis vous conduisent en des lieux qui étaient inimaginables dans vos rêves de l'époque où vous étiez dans le petit paradis.

⁂

Un après-midi, je visionnais la Terre avec mon grand-père. On regardait les oiseaux sautiller d'un faîte à l'autre, sur les plus hauts pins du Maine ; nous vivions leurs atterrissages et leurs envols répétés en même temps qu'eux. On avait échoué à Manchester, dans un snack connu de mon grand-père à l'époque où il sillonnait la côte Est pour affaires. Le snack était devenu de plus en plus miteux au cours de ces années intermédiaires que furent les années cinquante, aussi, après en avoir fait le tour, on est partis. Mais à l'instant même où je m'éloignais, je vis Mr. Harvey sortir de la gare des bus Greyhound.

Il entra dans le snack et commanda une tasse de café, au comptoir. Aux yeux d'inconnus, il avait l'air on ne peut plus ordinaire, excepté quelque chose dans les yeux, peut-être, mais il ne portait plus de lentilles et personne ne semblait vouloir prendre le temps de regarder au-delà de ses verres épais.

Comme une serveuse âgée lui faisait passer une tasse en polystyrène pleine d'un café brûlant, il entendit tinter la clochette au-dessus de la porte et sentit un courant d'air froid.

C'était l'adolescente qui était assise dans le bus à quelques rangées devant lui et qui tripotait tout le temps son walkman en chantonnant. Il resta assis au comptoir jusqu'à ce qu'elle soit ressortie des toilettes. Après quoi, il lui emboîta le pas.

Je le regardais la suivre à la trace, la pister dans la neige sale le long du snack, vers l'arrière de la gare des bus, où elle s'abriterait pour en griller une. C'est là qu'il la rejoignit. Elle ne fut même pas surprise. Encore un de ces vieux emmerdeurs mal fagotés.

Il calcula son affaire de tête. La neige et le froid. Le ravin profond qui descendait à pic, juste devant eux. Les bois aveugles de l'autre côté. Et il l'entreprit.

« Long voyage », dit il.

Elle lui lança un regard incrédule.

« Mmmmmh, fit-elle.

– Vous voyagez seule ? »

Ce fut alors que je les remarquai, suspendues au-dessus de leurs têtes en une longue rangée épaisse. Les stalactites.

La fille écrasa la cigarette sur le talon de sa chaussure et se détourna.

« Pauvre mec », lança-t-elle en s'éloignant d'un pas vif.

Un instant plus tard, la stalactite tombait. La masse froide le déséquilibra juste ce qu'il fallait pour qu'il glisse et tombe en avant. Il se passerait des semaines avant que la neige du ravin fonde et qu'on le trouve.

Mais laissez-moi vous parler maintenant de quelqu'un de très cher.

Lindsey faisait son jardin. Je la regardais désherber le parterre plein de hautes fleurs blanches. Ses doigts se crispaient dans ses gants quand elle pensait aux patients qu'elle voyait tous les jours – comment les aider à donner un sens aux cartes que la vie leur avait distribuées, comment soulager leur douleur ? Je me suis souvenue que, en dépit de sa grande intelligence, les choses les plus simples lui échappaient. Il lui avait fallu une éternité pour comprendre que, si je me portais toujours volontaire pour tondre l'herbe le long de la barrière, c'était pour pouvoir jouer avec Holiday au lieu de travailler. Elle se souvint alors de Holiday et je suivis ses pensées. Dans quelques années, il serait temps de donner un chien à son enfant, une fois la maison restaurée et clôturée. Ensuite, elle pensa qu'il existait des tronçonneuses électriques qui pouvaient tailler une haie d'une extrémité à l'autre en quelques minutes – alors qu'à l'époque, ça nous prenait des heures de grommellements.

Samuel est sorti. Il s'est dirigé vers Lindsey et j'ai vu dans ses bras mon petit bébé d'amour, née dix ans après mes quatorze années passées sur Terre. Abigail Suzanne. Petite Susie pour moi. Samuel la déposa sur une couverture, à côté des fleurs. Et ma sœur, ma Lindsey, m'abandonna parmi ses souvenirs, là où était ma place.

Dans une maisonnette, à dix kilomètres de là, un homme tendait à sa femme un bracelet à breloques couvert de boue séchée.

« Regarde ce que j'ai trouvé dans l'ancienne zone industrielle. Un type du bâtiment m'a dit qu'ils passaient tout l'endroit au bulldozer. Ils ont peur qu'il y ait encore des dolines, comme celle qui engloutissait les voitures. »

Sa femme lui remplit un verre d'eau du robinet tandis qu'il tripotait la petite bicyclette, le chausson de danse, le panier à fleurs et le dé. Il lui tendit le bracelet couvert de boue alors qu'elle déposait le verre devant lui.

« La petite fille doit être grande, à présent », dit-elle.

Presque.

Pas tout à fait.

Je vous souhaite à tous une longue vie de bonheur.

Remerciements de l'auteur

Pour ma dette envers mes lecteurs passionnés des débuts : Wilton Barnhardt, Geoffrey Wolff, Margot Livesey, Phil Hay et Michelle Latiolais. Ainsi que l'atelier de l'Université de Californie à Irvine.

À ceux qui ont rejoint la fête plus tard mais ont apporté les boissons les plus incroyables : Teal Minton, Joy Johannessen, et Karen Joy Fowler.

Aux professionnels : Henry Dunow, Jennifer Carlson, Bill Contardi, Ursula Doyle, Michael Pietsch, Asya Muchnick, Ryan Harbage.

Remerciements éternels à : Sarah Burnes, Sarah Crichton, et la merveilleuse MacDowell Colony.

Une médaille du mérite à mes informateurs : Dee Williams, Bobby Bostic, Orren Perlman, Dr Carl Brighton, et à l'équipe chargée des infos pratiques : Bud et Jane.

Et à mon éternelle troïka, Aimee Bender, Kathryn Chetkovich et Glen David Gold, dont l'amitié indéfectible et les lectures et relectures rigoureuses sont, avec le café et du tapioca, ce qui m'aide à tenir au quotidien.

Sans oublier un *ouaf !* pour Lilly.

Remerciements de la traductrice

Edith Soonckindt aimerait vivement remercier Mme Janine Quintard pour l'aide et le soutien inestimables qu'elle lui a apportés tout au long de cette traduction, le CITL (Arles) pour la résidence accordée à l'automne 2002 afin de retravailler ce texte, ainsi que le CNL pour la bourse de traduction accordée en 2002 également.

Achevé d'imprimer par GGP Media, Pößneck
en 2003
pour le compte de France Loisirs
Paris

n° éditeur Version reliée: 38420
Version brochée: 38419
Dépôt légal: mai 2003
Impimé en Allemagne